TESS GERRITSEN
Der Schneeleopard

Buch

Erpicht auf das »ultimative Buschabenteuer« versammeln sich sieben Touristen aus aller Welt auf einer abgelegenen Landebahn in Botswana. Doch ihr Campingtrip verwandelt sich in einen albtraumhaften Kampf ums Überleben. Ein Reisender nach dem anderen verschwindet, zurück bleiben nur Knochenfragmente und zerrissene Kleidung. Wurden sie Opfer eines wilden Raubtiers? Oder bewegt sich der Angreifer unter ihnen?
Fünf Jahre später: In Boston ermitteln Jane Rizzoli und Maura Isles in einem bizarren Mordfall. Die Leiche des Jägers Leon Godt wurde gefunden – ausgeweidet und aufgehängt wie eines seiner Beutetiere. In den Wäldern um Boston werden Knochenreste eines Opfers entdeckt, das auf ähnliche Weise ums Leben kam. Jane und Maura wird klar, dass dieser Mörder seit Jahren am Werk ist – und Boston ist nicht sein einziges Jagdrevier. Es scheint eine Verbindung zu einem fünf Jahre zurückliegenden Vorfall in Botswana zu geben, wo die Teilnehmer einer Safari im Busch förmlich abgeschlachtet wurden …

Autorin

So gekonnt wie Tess Gerritsen vereint niemand erzählerische Raffinesse mit medizinischer Detailgenauigkeit und psychologischer Glaubwürdigkeit der Figuren. Bevor sie mit dem Schreiben begann, war die Autorin selbst erfolgreiche Ärztin. Der internationale Durchbruch gelang ihr mit dem Thriller *Die Chirurgin*, in dem Detective Jane Rizzoli erstmals ermittelt. Tess Gerritsen lebt mit ihrer Familie in Maine.

Weitere Informationen zu Tess Gerritsen und ihren Büchern finden Sie unter: www.tess-gerritsen.de

Von Tess Gerritsen bereits erschienen:
Gute Nacht, Peggy Sue • Kalte Herzen • Roter Engel • Trügerische Ruhe • In der Schwebe • Leichenraub • Totenlied

Die Rizzoli-&-Isles-Thriller:
Die Chirurgin • Der Meister • Todsünde • Schwesternmord • Scheintot • Blutmale • Grabkammer • Totengrund • Grabesstille • Abendruh • Der Schneeleopard

Besuchen Sie uns auch auf www.facebook.com/blanvalet und www.twitter.com/BlanvaletVerlag

Tess Gerritsen

Der Schneeleopard

Ein Rizzoli-&-Isles-Thriller

Deutsch von Andreas Jäger

blanvalet

Die Originalausgabe erschien 2014 unter dem Titel
»Die Again« bei Ballantine Books,
an imprint of Random House, a division of Random House LLC.,
a Penguin Random House Company, New York.

Verlagsgruppe Random House FSC® N001967

1. Auflage
Copyright der Originalausgabe © 2014 by Tess Gerritsen
Copyright der deutschsprachigen Ausgabe © 2015 by Limes
in der Verlagsgruppe Random House GmbH,
Neumarkterstr. 28, 81673 München
Published by Arrangement with Tess Gerritsen Inc.
Dieses Werk wurde im Auftrag von Jane Rotrosen Agency LLC
vermittelt durch die Literarische Agentur
Thomas Schlück GmbH, 30827 Garbsen.
Redaktion: Gerhard Seidl
Umschlaggestaltung: www.buerosued.de
Umschlagmotiv: www.buerosued.de
WR · Herstellung: wag
Druck und Einband: GGP Media GmbH, Pößneck
Printed in Germany
ISBN: 978-3-7341-0047-5

www.blanvalet.de

Für Levina

1

Okavangodelta, Botswana

Im schrägen Licht des Tagesanbruchs entdecke ich ihn, die Konturen fein wie ein Wasserzeichen, eingeprägt in die nackte Erde. Mittags, wenn die afrikanische Sonne heiß und grell niederbrennt, hätte ich ihn vielleicht glatt übersehen, doch am frühen Morgen werfen auch die flachsten Mulden und Vertiefungen einen Schatten, und als ich aus unserem Zelt trete, fällt mir dieser einzelne Abdruck sofort auf. Ich sinke davor in die Hocke, und es überläuft mich plötzlich eiskalt, als mir klar wird, dass nur die dünne Zelthaut uns geschützt hat, während wir schliefen.

Richard kriecht aus dem Zelt und ächzt zufrieden, als er sich aufrichtet und streckt. Begierig saugt er den Duft des taubedeckten Grases ein, des Holzrauchs und des Frühstücks, das auf der Feuerstelle brutzelt. Die Düfte Afrikas. Dieses Abenteuer ist Richards Traum. Es war immer schon Richards Traum, nicht meiner. Ich bin die Freundin, die ein guter Kumpel sein will und daher im Zweifel immer sagt: *Natürlich bin ich einverstanden, Schatz.* Auch wenn es achtundzwanzig Stunden in drei verschiedenen Flugzeugen bedeutet, von London nach Johannesburg, von Johannesburg nach Maun und von dort weiter in den Busch, mit einer klapprigen Kiste, die von einem verkaterten Piloten geflogen wird. Selbst wenn es zwei Wochen in einem Zelt bedeutet und man unentwegt die Moskitos verjagen und zum Pinkeln hinter einen Busch gehen muss.

Selbst wenn es bedeutet, dass ich sterben könnte. Das denke ich jetzt, während ich auf diesen Abdruck in der nackten Erde starre, nicht einmal einen Meter von der Stelle entfernt, wo Richard und ich diese Nacht geschlafen haben.

»Riech die Luft, Millie!«, jubiliert Richard. »Nirgendwo sonst riecht sie so wie hier!«

»Da war ein Löwe«, sage ich.

»Ich wünschte, ich könnte sie in Flaschen abfüllen und mit nach Hause nehmen. Das wäre doch ein tolles Souvenir – der Duft des Buschs!«

Er hört mir nicht zu. Er ist zu berauscht von Afrika, geht völlig auf in seinem Traum vom großen Safari-Abenteuer, in dem alles *super* und *fantastisch* ist, sogar das gestrige Abendessen, das aus Schweinefleisch mit Bohnen aus der Dose bestand. »So gut hat es mir noch nie geschmeckt!«, erklärte er.

Jetzt wiederhole ich mit lauterer Stimme: »Es war ein Löwe hier, Richard. Er war direkt neben unserem Zelt. Er hätte leicht die Zelthaut aufreißen können.« Ich will ihn beunruhigen, ich will, dass er sagt: *Mein Gott, Millie, das ist wirklich schlimm.*

Stattdessen ruft er den anderen Mitgliedern unserer Gruppe vergnügt zu: »He, schaut euch das mal an! Wir hatten letzte Nacht einen Löwen hier!«

Die Ersten, die sich zu uns gesellen, sind die beiden jungen Frauen aus Kapstadt, die ihr Zelt neben unserem aufgeschlagen haben. Sylvia und Vivian haben holländische Nachnamen, die ich weder buchstabieren noch aussprechen kann. Sie sind beide in den Zwanzigern, braun gebrannt, langbeinig und blond, und ich hatte anfangs Mühe, sie auseinanderzuhalten, bis Sylvia mich schließlich entnervt anfuhr: »Es ist ja nicht so, als ob wir Zwillinge wären, Millie! Sehen Sie denn nicht, dass Vivian blaue Augen hat und ich grüne?« Als die Mädchen sich jetzt links und rechts von mir hinknien, um den Tatzenabdruck zu begutachten, bemerke ich, dass sie auch verschieden riechen. Die blauäugige Vivian duftet wie frisches Gras, der unverbrauchte, unverdorbene Duft der Jugend. Sylvia strömt den Geruch der Zitronengras-Lotion aus, mit der sie sich immer einschmiert, um die Moskitos abzuhalten, denn *DEET ist ein Gift. Das wissen Sie doch, oder?* Sie flankieren mich wie Buchstützen in Form von blonden Göttinnen, und ich kann nicht übersehen, dass Richard wieder einmal Sylvias Dekolleté beäugt, das sie in ihrem tief ausgeschnittenen Tanktop so offen zur Schau trägt. Für eine Frau, die sich immer so gewissenhaft mit Insektenschutzmittel einreibt, bietet sie den Moskitos alarmierend viel nackte Haut zum Stechen an.

Elliot lässt natürlich auch nicht lange auf sich warten. Er ist immer in der Nähe der beiden Blondinen, die er erst vor ein paar Wochen in Kapstadt kennengelernt hat. Seitdem klebt er an ihnen wie ein treues Hündchen, das darauf wartet, dass sie ihm ein Häppchen von ihrer Aufmerksamkeit zuwerfen.

»Ist das ein frischer Abdruck?«, fragt Elliot. Er klingt besorgt. Wenigstens einer, der meine Beunruhigung teilt.

»Gestern habe ich ihn noch nicht hier gesehen«, sagt Richard. »Der Löwe muss letzte Nacht hier vorbeigekommen sein. Was für eine Vorstellung – du kriechst nachts aus dem Zelt, um dein Geschäft zu verrichten, und plötzlich siehst du *das*.« Er macht »*Grrrr!*«, formt die Finger zu Krallen und schlägt nach Elliot, der erschrocken zurückzuckt. Richard und die Blondinen lachen, denn Elliot ist für alle nur der Pausenclown, der ängstliche Amerikaner, der

seine Taschen mit Hygienetüchern und Insektenspray vollgestopft hat, mit Sonnencreme und Desinfektionsmittel,
mit Pillen gegen Allergien und Jodtabletten und allem, was
man sonst noch zum Überleben braucht.

Ich stimme nicht in ihr Gelächter ein. »Einer von uns
hätte hier draußen sterben können«, gebe ich zu bedenken.

»Aber so was passiert halt bei einer richtigen Safari, hm?«,
entgegnet Sylvia munter. »Im Busch gibt es nun mal Löwen.«

»Sieht nicht nach einem besonders großen Löwen aus«,
meint Vivian, die sich vorgebeugt hat, um den Abdruck zu
inspizieren. »Vielleicht ein Weibchen, was meint ihr?«

»Ob Männchen oder Weibchen, töten können sie einen
beide«, sagt Elliot.

Sylvia gibt ihm einen spielerischen Klaps. »Oje. Hast du
etwa Angst?«

»Nein. Nein, ich hatte nur gedacht, Johnny hätte übertrie-
ben, als er uns am ersten Tag diesen Vortrag gehalten hat.
Bleibt im Jeep. Bleibt im Zelt. Sonst werdet ihr sterben.«

»Wenn Sie hundertprozentige Sicherheit wollen, Elliot,
hätten Sie vielleicht lieber in den Zoo gehen sollen«, sagt
Richard, und die Blondinen lachen über seine bissige Bemerkung. Alle huldigen Richard, dem Alphamännchen.
Ganz wie die Helden, die er in seinen Romanen beschreibt,
ist er ein Mann, der zupackt und die Situation rettet. Das
glaubt er jedenfalls. Hier draußen in der Wildnis ist er auch
nur ein hilfloser, ahnungsloser Londoner, und redet doch daher, als sei er der große Survivalexperte. Das ist noch etwas,
was mich an diesem Morgen nervt, neben der Tatsache, dass
ich Hunger habe, dass ich schlecht geschlafen habe und dass
die Moskitos mich inzwischen entdeckt haben. Wie immer.
Kaum trete ich aus dem Zelt, ist es, als ob sie die Essens-
glocke gehört hätten. Schon klatsche ich mir wieder hektisch auf Hals und Gesicht.

Richard ruft dem afrikanischen Fährtensucher zu: »Clarence, komm her! Schau dir an, was da letzte Nacht durchs Camp geschlichen ist!«

Clarence hat mit Mr. und Mrs. Matsunaga am Lagerfeuer gesessen und Kaffee getrunken. Jetzt schlendert er auf uns zu, seine Blechtasse in der Hand, und kauert sich hin, um den Abdruck zu inspizieren.

»Er ist frisch«, sagt Richard, unser neuer Buschexperte. »Der Löwe ist sicher erst letzte Nacht vorbeigekommen.«

»Kein Löwe«, stellt Clarence fest. Er sieht blinzelnd zu uns auf, und sein tiefschwarzes Gesicht glänzt in der Morgensonne. »Leopard.«

»Wie kannst du dir so sicher sein? Es ist doch nur ein einzelner Tatzenabdruck.«

Clarence malt den Umriss über dem Abdruck in die Luft. »Sehen Sie, das ist die Vorderpfote. Sie ist rund, wie bei einem Leoparden.« Er erhebt sich und lässt den Blick über die Landschaft schweifen. »Und es ist nur ein einzelnes Tier, das heißt, es jagt allein. Ja, das war bestimmt ein Leopard.«

Mr. Matsunaga macht mit seiner riesigen Nikon Fotos von dem Abdruck. Das Teleobjektiv seiner Kamera sieht aus wie ein Raumschiff. Er und seine Frau tragen identische Safarijacken, Kakihosen, Baumwollschals und breitkrempige Hüte. Bis aufs letzte i-Tüpfelchen im Partnerlook. In Touristengebieten rund um die Welt trifft man auf Paare wie dieses, angetan mit identischen, bizarr gemusterten Outfits. Man fragt sich, ob diese Leute eines Morgens aufgewacht sind und sich gedacht haben: *Also, heute wollen wir die Leute mal so richtig zum Lachen bringen!*

Während die Sonne höher steigt und die Schatten, die diesen Tatzenabdruck so deutlich haben hervortreten lassen, allmählich verblassen, fotografieren die anderen wie wild gegen das immer greller werdende Licht an. Sogar Elliot holt seine Pocketkamera hervor, aber ich vermute, dass er es nur tut, weil alle anderen es auch tun, und er nicht ausgeschlossen sein will.

Ich bin die Einzige, die darauf verzichtet, ihre Kamera zu holen. Richard macht genug Fotos für uns beide, und er benutzt seine Canon, *die gleiche Kamera, die auch die Fotografen von National Geographic benutzen!* Ich trete in den Schatten, aber selbst hier, wo ich vor der Sonne geschützt bin, spüre ich, wie der Schweiß mir aus den Achseln herabrinnt. Schon jetzt baut sich die Hitze auf. Im Busch gibt es nur heiße Tage.

»Jetzt wisst ihr, warum ich euch immer sage, ihr sollt nachts in euren Zelten bleiben«, sagt Johnny Posthumus.

Ich habe gar nicht bemerkt, dass unser Guide vom Fluss zurückgekehrt ist, so lautlos hat er sich genähert. Ich drehe mich um und sehe Johnny direkt hinter mir stehen. Posthumus – so ein makaber klingender Name, aber er hat uns versichert, dass er unter den burischen Siedlern, von denen er abstammt, gar nicht so selten ist. In seinen Gesichtszügen sehe ich das Erbe seiner kräftig gebauten holländischen Vorfahren. Seine blonden Haare sind von der Sonne gebleicht, seine Augen blau, und die stämmigen Beine, die in Kakishorts stecken, tief gebräunt. Die Moskitos scheinen ihm nichts auszumachen, ebenso wenig wie die Hitze, und er trägt keinen Hut, benutzt kein Insektenschutzmittel. Er ist in Afrika aufgewachsen, und das hat anscheinend seine Haut gegerbt, hat ihn gegen die Unbilden des Kontinents immun gemacht.

»Sie ist kurz vor Anbruch der Dämmerung hier durchgekommen«, sagt Johnny und deutet auf ein Dickicht am Rand unseres Lagerplatzes. »Sie ist dort aus dem Gebüsch aufgetaucht, ist ganz gemächlich aufs Feuer zugetrottet und hat mich von Kopf bis Fuß gemustert. Ein Prachtexemplar, groß und gesund.«

Es verblüfft mich, wie ruhig er ist. »Sie haben sie tatsächlich gesehen?«

»Ich war hier draußen und habe das Feuer fürs Frühstück in Gang gebracht, als sie plötzlich dastand.«

»Was haben Sie gemacht?«

»Ich habe das gemacht, wozu ich Ihnen allen geraten habe für solche Situationen. Ich habe mich gerade aufgerichtet und mich so gestellt, dass sie mein Gesicht gut sehen konnte. Beutetiere wie Zebras und Antilopen haben die Augen an der Seite des Kopfs, aber die Augen eines Raubtiers sind nach vorn gerichtet. Zeigen Sie der Katze immer Ihr Gesicht. Lassen Sie sie sehen, wo Ihre Augen sind, und sie wird wissen, dass Sie auch ein Raubtier sind. Dann wird sie es sich gut überlegen, ob sie angreifen will.« Johnny sieht seine sieben Schützlinge, die ihn dafür bezahlen, dass er sie in dieser Wildnis fernab der Zivilisation am Leben hält, der Reihe nach an. »Vergessen Sie das nicht, okay? Wir werden noch mehr Großkatzen sehen, wenn wir tiefer in den Busch eindringen. Wenn Ihnen eine über den Weg läuft, machen Sie sich so groß, wie Sie nur können. Schauen Sie das Tier direkt an. Und was immer Sie tun, laufen Sie nicht weg. So haben Sie die besten Überlebenschancen.«

»Sie waren hier draußen, Auge in Auge mit einem Leoparden«, sagt Elliot. »Warum haben Sie nicht *das* da benutzt?« Er deutet auf das Gewehr, das Johnny stets über der Schulter trägt.

Johnny schüttelt den Kopf. »Ich schieße nicht auf einen Leoparden. Ich töte überhaupt keine Großkatzen.«

»Aber haben Sie nicht genau dafür das Gewehr? Um sich selbst zu schützen?«

»Es gibt nicht mehr genug von ihnen auf der Erde. Ihnen

gehört dieses Land, und wir sind hier die Eindringlinge. Wenn ein Leopard mich anfallen würde, glaube ich nicht, dass ich es fertigbringen würde, ihn zu erschießen. Nicht einmal, um mein eigenes Leben zu retten.«

»Aber das gilt nicht für uns, nicht wahr?« Elliot lacht nervös auf und blickt sich unter unserer Reisegruppe um. »Sie würden doch einen Leoparden erschießen, um *uns* zu schützen, oder etwa nicht?«

Mit einem ironischen Lächeln erwidert Johnny: »Das werden wir sehen.«

Am Mittag haben wir alles zusammengepackt und sind bereit, tiefer in die Wildnis einzudringen. Johnny fährt den Jeep, während Clarence auf dem Trackersitz hockt, der vor der Stoßstange montiert ist. Ich finde es ziemlich bedenklich, wie er da sitzt und die Beine frei baumeln lässt, leichte Beute für jeden Löwen, der ihn zu fassen bekommt. Aber Johnny versichert uns, dass wir nichts zu befürchten haben, solange wir beim Fahrzeug bleiben, weil die Raubtiere dann glauben, wir seien alle Teil eines einzigen riesigen Tieres. *Aber entferne dich vom Jeep, und du wirst gefressen. Hat das jeder verstanden?*

Jawohl, Sir. Ist angekommen.

Hier draußen gibt es überhaupt keine Straßen, nur eine Bahn mit leicht flach gedrücktem Gras, wo der magere Boden von den Reifen vieler Fahrzeuge verdichtet ist. Ein einziger Lastwagen kann Narben in der Landschaft hinterlassen, die monatelang zu sehen sind, sagt Johnny, aber ich kann mir nicht vorstellen, dass viele so weit in das Delta vordringen. Wir sind drei Tagesfahrten von der Landebahn im Busch entfernt, wo wir abgesetzt wurden, und wir haben in dieser Wildnis noch keine anderen Fahrzeuge gesehen.

Noch vor vier Monaten, als ich in unserer Londoner Wohnung saß und der Regen an die Fenster prasselte, konnte ich mir eine solche Wildnis nicht im Entferntesten vorstellen. Als Richard mich an seinen Computer rief und mir Fotos von der Botswana-Safari zeigte, die er für unseren Urlaub buchen wollte, sah ich Löwen und Flusspferde, Nashörner und Leoparden, all die Tiere, die einem aus Zoos und Wildparks vertraut sind. Und ich bildete mir ein, dass es genau so sein würde – ein riesiger Wildpark mit komfortablen Lodges und Straßen. Also jedenfalls mit Straßen. Laut der Website gehörte zum Programm auch »Campen im Busch«, aber da hatte ich vor meinem geistigen Auge schöne große Zelte mit Duschen und Wasserklosetts gesehen. Ich hatte nicht geglaubt, dass ich für das Privileg bezahlen würde, im Gebüsch die Hosen runterzulassen.

Richard hat überhaupt kein Problem damit, auf Bequemlichkeit zu verzichten. Er ist voll auf dem Afrika-Trip, und das Klicken seiner Kamera begleitet uns auf jedem Meter unserer Fahrt. Mr. Matsunaga bietet ihm mit seiner Kamera Paroli, Klick für Klick, aber mit einem längeren Objektiv. Richard würde es nie zugeben, aber er leidet unter Objektivneid, und wenn wir wieder in London sind, wird er wahrscheinlich sofort ins Internet gehen, um herauszufinden, was Mr. Matsunagas Ausrüstung kostet. So duellieren Männer sich heutzutage, nicht mit Speeren und Schwertern, sondern mit Kreditkarten. Mein Platin schlägt dein Gold. Der arme Elliot mit seiner Unisex-Minolta zieht eindeutig den Kürzeren, aber es scheint ihm nichts auszumachen, denn er hat es sich wieder mal zwischen Vivian und Sylvia bequem gemacht. Ich drehe mich zu den dreien um und erhasche einen Blick auf Mrs. Matsunagas resolute Miene. Sie ist auch so ein »guter Kumpel«. Bestimmt hat sie sich unter einem Traumurlaub auch etwas anderes vorgestellt, als ihr Geschäft hinter einem Busch verrichten zu müssen.

»Löwen! Löwen!«, schreit Richard. »Da drüben!«

Die Kameras klicken schneller, während wir so nahe heranfahren, dass ich die schwarzen Fliegen ausmachen kann, die auf der Flanke des männlichen Löwen sitzen. Nicht weit entfernt rekeln sich drei Weibchen im Schatten eines Ahnenbaums. Plötzlich ertönt hinter mir ein Schwall Japanisch, und als ich mich umdrehe, sehe ich, dass Mr. Matsunaga aufgesprungen ist. Seine Frau krallt sich in den Rücken seiner Safarijacke und versucht verzweifelt, ihn daran zu hindern, vom Jeep zu springen, um ein besseres Foto machen zu können.

»*Hinsetzen!*«, befiehlt Johnny mit einer Donnerstimme, die weder Mensch noch Tier ignorieren kann. »*Sofort!*«

Augenblicklich lässt Mr. Matsunaga sich auf seinen Sitz fallen. Selbst die Löwen wirken erschrocken, und sie starren alle das mechanische Biest mit den achtzehn Armen an.

»Wissen Sie noch, was ich Ihnen gesagt habe, Isao?«, schimpft Johnny. »Wenn Sie aus dem Jeep steigen, sind Sie *tot!*«

»Ich habe es vergessen. Die Aufregung…«, murmelt Mr. Matsunaga und senkt schuldbewusst das Haupt.

»Hören Sie, ich versuche doch nur, Sie vor Schaden zu bewahren.« Johnny stößt einen tiefen Seufzer aus und sagt leise: »Tut mir leid, dass ich Sie angebrüllt habe. Aber letztes Jahr war ein Kollege von mir auf einer Wildsafari mit zwei Gästen. Ehe er sie aufhalten konnte, sind sie beide aus dem Jeep gesprungen, um Fotos zu schießen. Die Löwen haben sie sofort erwischt.«

»Sie meinen – sie wurden getötet?«, sagt Elliot.

»Darauf sind Löwen nun mal programmiert, Elliot. Also bitte, genießen Sie die Aussicht, aber bitte aus dem Inneren des Jeeps, ja?« Johnny lacht, ein Versuch, die Spannung abzubauen, aber wir sind alle noch eingeschüchtert, eine

Gruppe ungezogener Kinder, die gerade gemaßregelt wurden. Die Klicks der Kameras klingen jetzt halbherzig, sie fotografieren nur noch, um ihr Unbehagen zu kaschieren. Wir sind alle erschrocken, wie hart Johnny Mr. Matsunaga angefasst hat. Ich starre Johnnys breiten Rücken an, der direkt vor mir aufragt, und ich sehe seine Nackenmuskeln, die sich wie Schlingpflanzen abzeichnen. Er lässt den Motor wieder an. Wir lassen die Löwen zurück und fahren weiter zu unserem nächsten Lagerplatz.

Als die Sonne untergeht, werden die Alkoholika ausgepackt. Nachdem die fünf Zelte aufgeschlagen sind und das Lagerfeuer brennt, öffnet Clarence, der Fährtensucher, die Cocktailbox aus Aluminium, die den ganzen Tag lang auf der Ladefläche des Jeeps herumgerutscht ist, und stellt die Flaschen mit Gin und Whiskey, Wodka und Amarula hin. An Letzterem habe ich ganz besonders Geschmack gefunden, es ist ein süßer Sahnelikör, der aus den Früchten des afrikanischen Marulabaums hergestellt wird. Er schmeckt wie tausend hochprozentige Kalorien mit Kaffee- und Schokoladenaroma, wie etwas, woran ein Kind heimlich nippen würde, wenn seine Mutter gerade nicht hinschaut. Clarence zwinkert mir zu, als er mir ein Glas reicht, als ob ich das ungezogene Gör in der Gruppe wäre, denn alle anderen trinken Erwachsenen-Drinks wie warmen Gin Tonic oder Whiskey pur. Das ist die Stunde, in der ich denke: Ja, es ist gut, in Afrika zu sein. Wenn die Unannehmlichkeiten des Tages, die Mücken und die Spannungen zwischen mir und Richard sich in einem angenehmen, beschwipsten Nebel auflösen und ich es mir auf meinem Campingstuhl bequem machen kann, um den Sonnenuntergang zu bewundern. Wenn Clarence aus Schmorfleisch, Brot und Früchten eine einfache Abendmahlzeit bereitet und Johnny den Absperrdraht spannt, der mit kleinen Glöckchen behängt ist, die uns vor unerwünschtem Besuch warnen sollen. Ich sehe, wie Johnnys Silhouette vor dem glutroten Sonnenuntergang plötzlich reglos verharrt, wie er den Kopf hebt, als wolle er die Luft schnuppern, die tausend Gerüche wittern, von denen ich nicht einmal ahne, dass es sie gibt. Er ist wie ein Geschöpf des Buschs, so zu Hause in dieser Wildnis, dass es mich kaum überraschen würde, wenn er den Mund aufreißen und wie ein Löwe brüllen würde.

Ich drehe mich zu Clarence um, der den blubbernden Eintopf im Kessel umrührt. »Wie lange arbeiten Sie schon mit Johnny zusammen?«, frage ich.

»Mit Johnny? Das erste Mal.«

»Sie haben noch nie für ihn den Fährtensucher gemacht?«

Clarence würzt den Eintopf kräftig mit Pfeffer. »Mein Cousin ist Johnnys Tracker. Aber diese Woche ist Abraham zu einer Beerdigung in seinem Heimatdorf. Er hat mich gebeten, ihn zu vertreten.«

»Und was hat Abraham über Johnny gesagt?«

Clarence grinst, und seine weißen Zähne funkeln im Dämmerlicht. »Oh, mein Cousin erzählt viele Geschichten über ihn. Viele Geschichten. Er meint, Johnny hätte als Shangaan auf die Welt kommen sollen, weil er genau wie wir ist. Nur mit einem weißen Gesicht.«

»Shangaan? Ist das Ihr Volk?«

Er nickt. »Wir kommen aus der Provinz Limpopo. In Südafrika.«

»Ist das die Sprache, die ich Sie beide manchmal sprechen höre?«

Er lacht schuldbewusst. »Wir sprechen sie, wenn Sie nicht verstehen sollen, was wir sagen.«

Ich kann mir vorstellen, dass es wenig Schmeichelhaftes ist. Mein Blick geht zu den anderen, die um das Lagerfeuer herum sitzen. Mr. und Mrs. Matsunaga begutachten gewissenhaft die Fotoausbeute des Tages auf seiner Kamera. Vivian und Sylvia rekeln sich in ihren tief ausgeschnittenen Tanktops und strömen Pheromone aus, die den armen, unbeholfenen Elliot wie üblich verzweifelt um ihre Aufmerksamkeit buhlen lassen. *Ist euch nicht kalt, Mädels? Soll ich euch eure Pullover holen? Darf's noch ein Gin Tonic sein?*

Richard kommt aus unserem Zelt, angetan mit einem frischen Hemd. Neben mir wartet ein freier Stuhl auf ihn, aber er geht einfach daran vorbei. Stattdessen setzt er sich neben Vivian und lässt gleich seinen Charme spielen. *Wie gefällt Ihnen unsere Safari? Sind Sie ab und zu auch mal in London? Ich schicke Ihnen und Sylvia gerne signierte Exemplare von* Blackjack *zu, wenn das Buch rauskommt.*

Natürlich wissen sie inzwischen alle, wer er ist. Bei jedem hat Richard binnen einer Stunde nach dem Kennenlernen dezent den Hinweis fallen lassen, dass er der Thrillerautor Richard Renwick ist, der Schöpfer des MI5-Helden Jackman Tripp. Dummerweise hatte keiner von ihnen je von Richard oder seinem Helden gehört, was dazu führte, dass er am ersten Tag der Safari ungewöhnlich dünnhäutig war. Aber jetzt ist er wieder in gewohnter Form, und er tut das, was er am besten kann: sein Publikum bezirzen. Er trägt zu dick auf, finde ich. Viel zu dick. Aber ich weiß schon genau, was er sagen wird, wenn ich mich später darüber beklage. *Als Schriftsteller musst du das machen, Millie. Du musst kontaktfreudig sein und neue Leser gewinnen.* Komisch nur, dass Richard nie seine Zeit damit vergeudet, ältliche Damen als Leserinnen zu gewinnen. Nein, es sind immer junge und möglichst attraktive Frauen. Ich weiß noch, wie er mich vor vier Jahren mit ebendiesem Charme umgarnt hat, als er in der Buchhandlung, in der ich arbeite, Exemplare von *Kill Option* signierte. Wenn Richard seine

Nummer abzieht, ist er unwiderstehlich, und jetzt sehe ich ihn Vivian anschauen, wie er mich schon seit Jahren nicht mehr angeschaut hat. Er steckt sich eine Gauloise zwischen die Lippen, beugt sich vor und hält eine Hand schützend um die Flamme seines Feuerzeugs aus Sterling-Silber, genau wie sein Held Jackman Tripp es tun würde, mit filmreifer Machogeste.

Der leere Stuhl neben mir kommt mir vor wie ein schwarzes Loch, in dem meine ganze gute Laune verschwindet. Ich will schon aufstehen und in mein Zelt zurückgehen, als Johnny sich unvermittelt auf den Platz neben mir setzt. Er sagt nichts, lässt nur den Blick über unsere Gruppe schweifen, als ob er uns taxieren will. Die ganze Zeit habe ich das Gefühl, dass er uns so kritisch beobachtet, und ich frage mich, was er wohl sieht, wenn er mich anschaut. Bin ich wie all die anderen resignierten Ehefrauen und Freundinnen, die sich in den Busch mitschleifen lassen, damit ihre Männer ihre Safari-Fantasien ausleben können?

Sein Blick verunsichert mich, und ich sehe mich gezwungen, das Schweigen zu brechen. »Funktioniert das wirklich mit diesen Glöckchen am Absperrdraht?«, frage ich. »Oder sind die nur dazu da, dass wir uns sicherer fühlen?«

»Sie dienen als erste Warnung.«

»Letzte Nacht habe ich sie aber nicht gehört, als der Leopard in unser Lager kam.«

»Ich schon.« Er beugt sich vor und wirft noch ein Stück Holz aufs Feuer. »Heute Nacht werden wir diese Glöckchen wahrscheinlich wieder hören.«

»Sie glauben, hier streifen noch mehr Leoparden umher?«

»Diesmal sind es Hyänen.« Er deutet hinaus in die Dunkelheit jenseits unseres vom Feuer erhellten Kreises. »In diesem Moment sind es ungefähr ein halbes Dutzend, die uns beobachten.«

»Was?« Ich spähe angestrengt in die Nacht hinaus. Jetzt erst erkenne ich die funkelnden Augen, die uns aus der Dunkelheit anstarren.

»Sie sind geduldig. Sie warten und hoffen, dass etwas Essbares für sie abfällt. Wenn Sie allein da rausgehen, werden *Sie* ihr Nachtmahl.« Er zuckt mit den Achseln. »Aber deswegen haben Sie mich ja engagiert.«

»Um zu verhindern, dass wir gefressen werden.«

»Ich würde nicht bezahlt werden, wenn ich zu viele Kunden verlieren würde.«

»Wie viele sind denn zu viele?«

»Sie wären erst die Dritte.«

»Das ist doch ein Witz, oder?«

Er lächelt. Obwohl er in Richards Alter ist, haben die Jahre unter der afrikanischen Sonne tiefe Falten um Johnnys Augen gegraben. Er legt mir beschwichtigend die Hand auf den Arm, was mich verblüfft, denn er ist nicht der Typ, der ohne Not Körperkontakt sucht. »Ja, es ist ein Witz. Ich habe noch nie einen Kunden verloren.«

»Es fällt mir schwer zu merken, wann Sie es ernst meinen.«

»Wenn ich es ernst meine, werden Sie es schon wissen.« Er wendet sich Clarence zu, der gerade etwas auf Shangaan zu ihm gesagt hat. »Das Essen ist fertig.«

Ich sehe zu Richard hinüber, um festzustellen, ob er bemerkt hat, wie Johnny mit mir geredet und mir die Hand auf den Arm gelegt hat. Aber Richard ist so auf Vivian fixiert, dass ich ebenso gut unsichtbar sein könnte.

»Als Schriftsteller musst du so was machen«, sagt Richard wenig überraschend, als wir an diesem Abend in unserem Zelt liegen. »Ich werbe nur neue Leser.« Wir unterhalten uns im Flüsterton, denn die Zelthaut ist dünn, die Zelte stehen dicht nebeneinander. »Außerdem fühle ich mich ein bisschen verantwortlich. Sie sind ganz allein, zwei junge Frauen hier draußen im Busch. Ganz schön abenteuerlustig, wenn man bedenkt, dass sie gerade mal Anfang zwanzig sind, findest du nicht? Dafür muss man sie doch bewundern.«

»Elliot bewundert sie offensichtlich«, bemerke ich.

»Elliot würde alles bewundern, was zwei X-Chromosomen hat.«

»Also sind sie ja doch nicht so allein. Er hat die Reise gebucht, um ihnen Gesellschaft zu leisten.«

»Und das muss ihnen doch gewaltig auf den Geist gehen, wie er ihnen auf Schritt und Tritt folgt und sie mit seinem Dackelblick anschmachtet.«

»Die beiden haben ihn eingeladen. Sagt Elliot.«

»Aus Mitleid höchstens. Er quatscht sie in einem Nachtklub an und hört, dass sie auf Safari gehen. Wahrscheinlich haben sie gesagt: *Hey, überleg dir doch, ob du nicht auch Lust auf einen Ausflug in den Busch hast!* Ich wette, sie hätten nie gedacht, dass er sich tatsächlich anmeldet.«

»Warum machst du ihn immer so runter? Ich finde, er ist ein sehr netter Mann. Und er weiß ungeheuer viel über Vögel.«

Richard schnaubt verächtlich. »Das macht einen Mann ja auch *so* interessant.«

»Was ist los mit dir? Wieso bist du so gereizt?«

»Dasselbe könnte ich dich fragen. Ich plaudere nur ein bisschen mit einer jungen Frau, und du hast gleich ein Problem damit. *Diese* Mädels wissen wenigstens, wie man sich amüsiert. Sie haben die richtige Einstellung.«

»Ich versuche ja, den Urlaub zu genießen. Ich gebe mir wirklich alle Mühe. Aber ich hätte nicht gedacht, dass es hier draußen so primitiv sein würde. Ich dachte, es gäbe wenigstens…«

»Frotteehandtücher und Schokoladentäfelchen auf dem Kopfkissen.«

»Sei nicht so ungerecht. Ich bin schließlich hier, oder nicht?«

»Ja, und die ganze Zeit beschwerst du dich nur. Diese Safari war mein Traum, Millie. Mach mir nicht alles kaputt.«

Inzwischen flüstern wir nicht mehr, und ich bin sicher, dass die anderen uns hören können, falls sie noch wach sind. Ich weiß, dass Johnny es ist, weil er die erste Wache hat. Ich stelle mir vor, wie er am Lagerfeuer sitzt, auf unsere Stimmen lauscht und merkt, wie sie immer angespannter werden. Sicherlich hat er es schon mitbekommen. Johnny Posthumus ist ein Mann, dem nichts entgeht; nur so hat er in dieser Gegend überlebt, wo es über Leben und Tod entscheiden kann, ob man das Bimmeln eines Glöckchens an einem Draht hört oder nicht. Er muss uns alle doch für absolut ahnungslos und oberflächlich halten. Wie viele Ehen hat er schon zerbrechen sehen, wie viele selbstgefällige Männer, die von Afrika in die Knie gezwungen wurden? Der Busch ist mehr als nur ein Reiseziel: Hier lernt man, wie unbedeutend man in Wirklichkeit ist.

»Es tut mir leid«, flüstere ich und taste nach Richards Hand. »Ich wollte dir nicht den Urlaub verderben.«

Meine Finger umfassen seine, doch er erwidert die Geste nicht. Seine Hand liegt wie ein toter Gegenstand in meiner.

»Du hast dem Ganzen einen Dämpfer aufgesetzt. Ich weiß, diese Reise ist nicht gerade das, was du dir unter einem Traumurlaub vorgestellt hast, aber hör doch um Gottes willen auf, mit dieser Leichenbittermiene herumzulaufen. Sieh dir nur an, wie Sylvia und Vivian sich amüsieren! Sogar Mrs. Matsunaga schafft es, kein Spielverderber zu sein.«

»Vielleicht liegt es ja nur an diesen Malariatabletten, die ich nehme«, gebe ich mit matter Stimme zu bedenken. »Der

Arzt hat gesagt, sie könnten depressiv machen. Er meinte, manche Leute wären davon schon verrückt geworden.«

»Also, *mir* macht das Mefloquin gar nichts aus. Die Mädels nehmen es auch, und die sind doch ganz gut drauf.«

Wieder die Mädels. Immer vergleicht er mich mit den Mädels, die neun Jahre jünger sind als ich, neun Jahre schlanker und frischer. Welche Frau kann nach vier Jahren in einer gemeinsamen Wohnung mit einem gemeinsamen Klo immer noch so frisch sein wie am ersten Tag?

»Ich sollte die Tabletten absetzen«, sage ich.

»Was denn, und dir Malaria holen? Ach ja, klingt wirklich sinnvoll.«

»Was soll ich denn deiner Meinung nach tun, Richard? Sag mir bitte, was ich tun soll.«

»Ich *weiß* es nicht.« Er seufzt und dreht sich von mir weg. Sein Rücken ist wie eine kalte Betonwand, eine Wand, die sein Herz einschließt, unerreichbar für mich. Nach einer Weile sagt er leise: »Ich weiß nicht, wie es mit uns weitergehen soll, Millie.«

Aber ich weiß, wie es mit Richard weitergeht. Er driftet weg von mir. Schon seit Monaten entfernt er sich mehr und mehr von mir, so allmählich und in so kleinen Schritten, dass ich mich bis jetzt geweigert habe, es zu sehen. Ich hatte immer meine Erklärungen parat: *Oh, wir hatten beide so viel zu tun in letzter Zeit.* Er war vollauf mit der Überarbeitung des Manuskripts von *Blackjack* beschäftigt. Ich musste mich durch die Jahresinventur in unserer Buchhandlung kämpfen. Wenn wir erst einmal beide zur Ruhe kommen, wird es auch wieder besser laufen zwischen uns. Das habe ich mir die ganze Zeit eingeredet.

Draußen ist die Nacht von den Geräuschen des Deltas erfüllt. Unser Lager ist nicht weit von einem Fluss entfernt, an dem wir vor einer Weile Flusspferde gesehen haben. Ich glaube, sie jetzt hören zu können, und dazu das Krächzen, Schreien und Grunzen zahlloser anderer Lebewesen.

Aber in unserem Zelt herrscht nur Schweigen.

Dies ist also der Ort, an dem die Liebe stirbt. In einem Zelt im afrikanischen Busch. Wenn wir zu Hause in London wären, würde ich aufstehen, mich anziehen und zu meiner Freundin fahren, um mich mit Brandy und einem offenen Ohr verwöhnen zu lassen. Aber hier bin ich in einem Zelt gefangen, umringt von Kreaturen, die mich fressen wollen. Die nackte Klaustrophobie packt mich, und ich würde am liebsten aus dem Zelt stürmen und schreiend in die Nacht hinausrennen. Es müssen diese Malariatabletten sein, die mein Gehirn durcheinanderbringen. Ich will, dass es die Tabletten sind, denn das würde bedeuten, dass es nicht meine Schuld ist, dass ich mir so nutzlos vorkomme. Ich muss sie wirklich absetzen.

Richard schläft inzwischen tief und fest. Wie kann er nur – wie kann er einfach friedlich schlummern, während ich dem Nervenzusammenbruch nahe bin? Ich höre ihn ein- und ausatmen, so entspannt, so regelmäßig. Der Soundtrack seiner Gleichgültigkeit.

Er schläft immer noch fest, als ich am nächsten Morgen aufwache. Als das bleiche Licht der Morgendämmerung durch die Ritzen unseres Zelts sickert, denke ich mit Schrecken an den Tag, der vor mir liegt. Wieder viele Stunden im Jeep, Stunden, in denen wir angespannt Seite an Seite sitzen und uns bemühen, höflich zueinander zu sein. Wieder einen Tag lang nach Moskitos schlagen und zum Pinkeln ins Gebüsch gehen. Wieder einen Abend lang zusehen, wie Richard flirtet, und spüren, wie noch ein Stück von meinem Herzen abbröckelt. Dieser Urlaub kann unmöglich noch schlimmer werden, denke ich.

Und dann höre ich den schrillen Schrei einer Frau.

2

Es war der Briefträger, der die Polizei alarmierte. Um elf Uhr fünfzehn kam der Anruf von einem Mobiltelefon, und eine zittrige Stimme sagte: *Ich bin in der Sanborn Avenue, West Roxbury, Postleitzahl 02132. Der Hund – ich habe den Hund am Fenster gesehen...* Und so wurde das Boston PD auf den Fall aufmerksam. Eine Kette von Ereignissen, in Gang gesetzt durch einen aufmerksamen Postboten, einen von einer ganzen Armee von Fußsoldaten, die an sechs Tagen in der Woche in Wohngebieten überall in Amerika im Einsatz sind. Sie sind die Augen der Nation, manchmal die einzigen Augen, denen auffällt, wo eine ältere Witwe ihren Briefkasten nicht geleert hat, wo ein alter Junggeselle nicht auf die Türklingel reagiert, und wo sich auf der Veranda die vergilbenden Zeitungen stapeln.

Der erste Hinweis darauf, dass in dem großen Haus in der Sanborn Avenue etwas nicht stimmte, war der überquellende Briefkasten, was dem Postboten Luis Muniz am zweiten Tag erstmals auffiel. Ein seit zwei Tagen nicht geleerter Briefkasten war noch nicht unbedingt ein Anlass zur Beunruhigung. Die Leute fahren übers Wochenende weg und vergessen, einen Lagerauftrag für die Post zu erteilen.

Am dritten Tag jedoch begann Muniz, sich Sorgen zu machen.

Als er dann am vierten Tag den Briefkasten öffnete und ihn immer noch randvoll mit Katalogen, Zeitschriften und Rechnungen fand, wusste er, dass er etwas unternehmen musste.

»Also klopft er an die Haustür«, berichtete der Streifenpolizist Gary Root. »Niemand macht auf. Da sagt er sich, ich frage mal bei der Nachbarin, ob sie weiß, was da los ist. Dann schaut er durchs Fenster und entdeckt den Hund.«

»Den Hund dort drüben?«, fragte Detective Jane Rizzoli und deutete auf einen freundlich aussehenden Golden Retriever, der jetzt am Pfosten des Briefkastens angebunden war.

»Ja, das ist er. Laut dem Namensschild an seinem Halsband heißt er Bruno. Ich habe ihn aus dem Haus geholt, bevor er noch mehr…« Gary Root schluckte. »…Schaden anrichten konnte.«

»Und der Briefträger? Wo ist der?«

»Hat sich den Rest des Tages freigenommen. Wahrscheinlich musste er sich auf den Schreck erst mal was Hochprozentiges genehmigen. Ich habe seine Kontaktdaten, aber er kann Ihnen wahrscheinlich auch nicht mehr sagen als das, was ich Ihnen gerade erzählt habe. Er ist gar nicht ins Haus gegangen, sondern hat gleich den Notruf gewählt. Ich war als Erster vor Ort und fand die Haustür unverschlossen. Ich bin reingegangen und…« Er schüttelte den Kopf. »Ich wünschte, ich hätte es nicht getan.«

»Haben Sie sonst noch mit irgendwem gesprochen?«

»Mit der netten Dame von nebenan. Sie ist rausgekommen, als sie die Streifenwagen hier draußen parken sah, und wollte wissen, was passiert ist. Ich habe ihr nur gesagt, dass ihr Nachbar tot ist.«

Jane drehte sich zu dem Haus um, in dem Bruno, der freundliche Retriever, eingesperrt gewesen war. Es war ein älteres zweigeschossiges Einfamilienhaus mit einer Doppelgarage und alten Bäumen im Vorgarten. Das Garagentor war geschlossen, und ein schwarzer Ford Explorer, zugelassen auf den Hausbesitzer, parkte in der Einfahrt. An diesem Morgen gab es auf den ersten Blick nichts, was dieses Haus von den anderen gepflegten Residenzen in der Sanborn Avenue unterschieden hätte, nichts, was einen Polizisten dazu veranlasst hätte, noch einmal genauer hinzuschauen und sich zu sagen: Augenblick mal, hier stimmt etwas nicht. Doch jetzt parkten zwei Streifenwagen mit flackerndem Blaulicht am Straßenrand, und damit war jedem, der hier vorbeikam, sofort klar, dass in der Tat etwas nicht stimmte. Etwas, womit Jane und ihr Partner Barry Frost jeden Moment konfrontiert würden. Auf der anderen Straßenseite stand ein Grüppchen von Nachbarn und starrte zum Haus hinüber. Hatte irgendeiner von ihnen bemerkt, dass der Bewohner des Hauses sich schon seit ein paar Tagen nicht hatte blicken lassen, dass er weder seinen Hund ausgeführt noch seine Post hereingeholt hatte? Jetzt tuschelten sie einander wahrscheinlich zu: *Hab ich's doch gewusst, dass da was nicht stimmt.* Hinterher sind alle immer superschlau.

»Wollen Sie uns durchs Haus führen?«, fragte Frost Gary Root.

»Also, wenn ich ehrlich bin – lieber nicht«, antwortete der Streifenpolizist. »Ich bin froh, dass ich endlich den Geruch nicht mehr in der Nase habe, und ich habe keine große Lust, mich dem noch einmal auszusetzen.«

Frost schluckte. »Ähm … so schlimm?«

»Ich war vielleicht dreißig Sekunden da drin, maximal. Mein Partner hat's nicht mal so lange ausgehalten. Es ist ja auch nicht so, als ob ich Ihnen da irgendwas zeigen müsste. Sie können es sowieso nicht übersehen.« Er sah zu dem Golden Retriever, der mit ausgelassenem Gebell reagierte.

»Armes Hundchen, war da drin ohne einen Krümel Futter eingesperrt. Ich weiß, es blieb ihm nichts anderes übrig, aber trotzdem ... «

Jane sah Frost von der Seite an. Er starrte das Haus an wie ein zum Tode Verurteilter den Galgen. »Was hattest du zum Mittagessen?«, fragte sie ihn.

»Ein Truthahnsandwich. Und Kartoffelchips.«

»Ich hoffe, es hat geschmeckt.«

»Das ist nicht sehr hilfreich, Rizzoli.«

Sie stiegen die Verandastufen hinauf und blieben stehen, um Handschuhe und Schuhüberzieher anzulegen. »Übrigens«, sagte Jane, »es gibt da ein Medikament namens Compazine.«

»Ach ja?«

»Hilft ganz gut bei Schwangerschaftsübelkeit.«

»Prima. Falls ich mal schwanger werden sollte, probier ich's gerne aus.«

Sie wechselten einen Blick, und Jane sah, dass er tief einatmete, genau wie sie selbst. Noch eine letzte Lunge voll frischer Luft. Mit einer behandschuhten Hand öffnete sie die Tür, und sie traten ein. Frost hob den Arm, um sich die Nase zuzuhalten und diesen Geruch abzuhalten, mit dem sie beide nur allzu vertraut waren. Ob man es nun Cadaverin oder Putrescin nannte oder mit irgendwelchen chemischen Formeln bezeichnete, letzten Endes war es einfach der Gestank des Todes. Aber es war nicht der Geruch, der Jane und Frost gleich hinter der Schwelle innehalten ließ – es war das, was dort an den Wänden hing.

Wohin sie auch blickten, überall starrten Augen auf sie herab. Eine ganze Galerie von toten Kreaturen empfing sie.

»Du liebe Zeit«, murmelte Frost. »War er so was wie ein Großwildjäger?«

»Also, das ist *eindeutig* Großwild«, sagte Jane. Sie sah

zu dem ausgestopften Kopf eines Flusspferds auf und fragte sich, was für eine Kugel es wohl brauchte, um so einen Giganten zu erlegen. Oder auch den Kaffernbüffel daneben. Langsam schritt sie an der Trophäensammlung vorüber. Ihre Schuhüberzieher glitten raschelnd über den Holzboden, während sie die Tierköpfe bestaunte. Sie wirkten so lebensecht, dass sie halb damit rechnete, der Löwe würde sie anbrüllen. »Ist das überhaupt legal? Wer zum Teufel schießt denn heutzutage noch Leoparden?«

»Sieh mal. Der Hund war nicht das einzige Haustier, das hier rumgelaufen ist.«

Verschiedene rötlich-braune Pfotenabdrücke zogen sich über den Holzboden. Die größeren stammten wohl von Bruno, dem Golden Retriever, doch überall im Zimmer waren auch kleinere zu sehen. Braune Schmierflecken waren am Fensterbrett zurückgeblieben, wo Bruno die Vorderpfoten aufgestützt hatte, um zum Briefträger hinauszuschauen. Aber es war nicht nur der Anblick eines Hundes, der Luis Muniz veranlasst hatte, die Notrufnummer zu wählen. Es war das, was aus dem Maul des Hundes ragte.

Ein menschlicher Finger.

Jane und Frost folgten den Pfotenabdrücken, unter den glasigen Blicken eines Zebras und eines Löwen, einer Hyäne und eines Warzenschweins. Dieser Sammler war nicht allein auf Großwild fixiert, selbst die kleinsten Wesen hatten ihren unrühmlichen Platz an diesen Wänden, darunter vier Mäuse, die mit winzigen Porzellantassen in den Pfötchen um einen Miniaturtisch saßen. Eine groteske Teegesellschaft wie aus *Alice im Wunderland*.

Als sie das Wohnzimmer durchquerten und in den angrenzenden Flur traten, wurde der Verwesungsgeruch immer heftiger. Noch konnten sie nicht sehen, wo er herkam, doch Jane hörte schon das ominöse Summen der Insekten, die er angelockt hatte. Eine fette Schmeißfliege umkreiste ein, zwei Mal taumelnd ihren Kopf und flog durch einen offenen Türspalt davon.

Immer den Fliegen folgen. Sie wissen, wo das Festmahl bereitet ist.

Die Tür war angelehnt. Im gleichen Augenblick, als Jane sie weiter aufstieß, schoss etwas Weißes heraus und strich an ihren Beinen vorbei.

»Verdammt!«, schrie Frost auf.

Mit pochendem Herzen blickte Jane sich zu dem Augenpaar um, das unter dem Wohnzimmersofa hervorlugte. »Es ist nur eine Katze.« Sie lachte erleichtert auf. »Das erklärt die kleineren Pfotenabdrücke.«

»Moment mal, hörst du das?«, fragte Frost. »Ich glaube, da drin ist noch eine Katze.«

Jane holte Luft und trat durch die Tür in die Garage. Eine graue Tigerkatze stakste heran, um sie zu begrüßen, und schlängelte sich geschmeidig um ihre Beine herum, doch Jane ignorierte sie. Ihr Blick heftete sich auf das, was am Haken des Flaschenzugs hing. Der Fliegenschwarm, der den gut abgehangenen Leckerbissen umschwirrte, war so dicht, dass sie das Brummen in den Knochen zu spüren glaubte. Die Haut war abgezogen worden, sodass sie noch leichter an das rohe Fleisch herankamen, in dem es bereits von Maden wimmelte.

Frost wich schwankend zurück und würgte.

Der nackte Mann hing kopfüber von der Decke, die Fußknöchel mit orangefarbenem Nylonseil gefesselt. Wie bei einem Schweinekadaver im Schlachthaus hatte man ihm den Bauch aufgeschlitzt und sämtliche Organe entnommen. Beide Arme baumelten frei, und die Hände hätten fast den Boden berührt – wenn er noch Hände gehabt hätte. Wenn der Hunger nicht Bruno, den Hund, und vielleicht auch die zwei Katzen gezwungen hätte, am Fleisch ihres Besitzers zu nagen.

»Jetzt wissen wir also, wo dieser Finger herkam«, sagte Frost, die Stimme gedämpft durch den Ärmel, den er sich vor den Mund hielt. »Mein Gott, das ist ja der schlimmste Albtraum, den man sich vorstellen kann. Von der eigenen Katze gefressen zu werden …«

Auf die drei hungernden Haustiere hatte das, was da am Haken hing, gewiss wie ein Festmahl gewirkt. Die Tiere hatten schon die Hände abgetrennt und so viel Haut, Muskeln und Knorpel vom Gesicht abgerissen, dass der Knochen der einen Augenhöhle freigelegt worden war – ein weißlich schimmernder Wulst, der durch das zerfetzte Fleisch hervorblitzte. Die Gesichtszüge waren durch den Tierfraß bis zur Unkenntlichkeit entstellt, doch die grotesk geschwollenen Genitalien ließen keinen Zweifel daran, dass es sich um einen Mann handelte – einen älteren Mann, nach den silbergrauen Schamhaaren zu schließen.

»Aufgehängt und ausgeweidet wie ein Stück Wild«, ertönte eine Stimme hinter ihr.

Jane fuhr erschrocken herum und sah Dr. Maura Isles in der offenen Tür stehen. Selbst an einem so bizarren Leichenfundort wie diesem schaffte es Maura, elegant auszusehen, ihr schwarzes Haar glatt wie ein glänzender Helm, der graue Hosenanzug maßgeschneidert für ihre schlanke Taille und Hüfte. In ihrer Gegenwart kam Jane sich vor wie die schlampige Cousine, mit ihren fliegenden Haaren und den abgestoßenen Schuhen.

Maura schritt geradewegs auf den Leichnam zu, ohne auf die Fliegen zu achten, die im Sturzflug ihren Kopf attackierten. »Das ist verstörend«, sagte sie.

»Verstörend?«, schnaubte Jane. »*Eine total kranke Sauerei*, hätte ich eher gesagt.«

Die graue Tigerkatze ließ von Jane ab und ging zu Maura, um sich laut schnurrend an ihrem Bein zu reiben. So viel zum Thema Katzen und Treue.

Maura schob die Katze mit dem Fuß weg, ohne ihre Aufmerksamkeit von der Leiche zu wenden. »Bauch- und Brustorgane fehlen. Ein einziger Schnitt, der sehr entschlossen wirkt, vom Schambein bis zum Brustbein. So würde ein Jäger mit einem Hirsch oder einem Wildschwein verfahren. Aufhängen, ausweiden und dann reifen lassen.« Sie blickte zu dem Flaschenzug auf. »Und das sieht aus wie eine Apparatur zum Aufhängen von Wild. Dieses Haus gehört offensichtlich einem Jäger.«

»Die sehen auch aus wie etwas, was ein Jäger benutzen würde«, bemerkte Frost. Er deutete auf die Werkbank in der Garage, über der an einem Magnetbrett ein Dutzend Messer hingen, die allesamt wie potenzielle Mordwaffen aussahen. Alle schienen sauber zu sein, die Klingen glänzten hell. Jane starrte das Ausbeinmesser an. Sie malte sich aus, wie diese scharfe Klinge das Fleisch durchschnitt wie Butter.

»Seltsam«, sagte Maura, die inzwischen den Rumpf inspizierte. »Diese Wunden hier sehen nicht so aus, als ob sie von einem Messer stammen.« Sie wies auf drei Einschnitte, die sich längs über den Brustkorb zogen. »Sie sind vollkommen parallel, wie von drei zusammengebundenen Klingen.«

»Die sehen aus wie Kratzspuren«, sagte Frost. »Könnte das ein Tier gewesen sein?«

»Für eine Katze oder einen Hund sind sie zu tief. Es scheint sich um postmortale Verletzungen zu handeln, mit minimalem Blutverlust…« Sie richtete sich auf und betrachtete den Boden. »Wenn er hier ausgenommen wurde, muss das Blut mit einem Schlauch weggespritzt worden sein. Seht ihr diesen Gully im Beton? So etwas lässt ein

Jäger sich einbauen, wenn er einen Raum zum Ausweiden und Abhängen von Fleisch benutzen will.«

»Wozu ist dieses Abhängen eigentlich gut?«, fragte Frost. »Ich habe nie verstanden, warum man das mit Fleisch macht.«

»Die Enzyme, die nach dem Tod freigesetzt werden, machen das Fleisch auf natürliche Weise zarter, aber das wird normalerweise bei Temperaturen knapp über dem Gefrierpunkt gemacht. Hier drin ist es schätzungsweise um die zehn Grad warm. Warm genug, um die Verwesung einsetzen zu lassen. Und warm genug für die Maden. Ich bin nur froh, dass wir November haben. Im August wäre der Gestank noch wesentlich schlimmer.« Mit einer Pinzette pflückte Maura eine der Maden ab und betrachtete sie, wie sie sich in ihrem behandschuhten Handteller wand. »Die hier sind dem Anschein nach im dritten Larvenstadium. Der Tod dürfte demnach vor etwa vier Tagen eingetreten sein.«

»All die ausgestopften Köpfe im Wohnzimmer«, sagte Jane. »Und jetzt hängt er da wie irgendein erlegtes Tier. Das riecht mir doch ganz nach einer gezielten Inszenierung.«

»Ist das Opfer der Hausbesitzer? Habt ihr seine Identität schon festgestellt?«

»Na ja, ohne Gesicht und Hände ist eine Identifizierung durch Augenschein ein bisschen schwierig. Aber ich würde sagen, das Alter passt. Laut Melderegister ist der Hausbesitzer ein gewisser Leon Godt, vierundsechzig. Geschieden, allein lebend.«

»Gestorben ist er jedenfalls nicht allein«, meinte Maura und starrte den klaffenden Schnitt in der ausgeweideten Höhle des Rumpfs an. »Wo sind sie?«, fragte sie und drehte sich plötzlich zu Jane um. »Der Mörder hat die Leiche hier aufgehängt. Was hat er mit den Organen gemacht?«

Einen Moment lang war das einzige Geräusch in der

Garage das Summen der Fliegen, während Jane sich alle Großstadtlegenden über gestohlene Organe ins Gedächtnis rief, die sie je gehört hatte. Dann fiel ihr Blick auf den abgedeckten Mülleimer, der in der hinteren Ecke stand. Als sie darauf zuging, wurde der Verwesungsgestank noch stärker, und eine Wolke gieriger Fliegen umschwirrte sie. Sie verzog angewidert das Gesicht, als sie vorsichtig den Deckel anhob. Ein kurzer Blick, mehr war nicht drin, ehe der Gestank sie würgend zurückweichen ließ.

»Ich nehme an, du hast sie gefunden«, sagte Maura.

»Ja«, murmelte Jane. »Zumindest die Gedärme. Die komplette Inventur der Organe überlasse ich dir.«

»Sauber.«

»Oh ja, das wird sicher ein Riesenspaß.«

»Nein, ich meinte, dass der Täter sauber gearbeitet hat. Der Einschnitt. Die Entfernung der Eingeweide.« Die Schuhüberzieher aus Papier knisterten, als Maura auf den Abfalleimer zuging. Jane und Frost wichen beide zurück, als Maura den Deckel aufstemmte, doch selbst in der gegenüberliegenden Ecke der Garage stieg ihnen der Übelkeit erregende Gestank der verfaulenden Organe in die Nase. Der Geruch schien die graue Tigerkatze zu animieren, die sich noch eifriger an Mauras Beinen rieb und miaute, um ihre Aufmerksamkeit zu erlangen.

»Du hast eine neue Freundin gewonnen«, sagte Jane.

»Das normale Markierverhalten von Katzen. Sie beansprucht mich als ihr Revier«, erklärte Maura, während sie mit einer behandschuhten Hand in den Mülleimer griff.

»Ich weiß, du legst großen Wert auf Gründlichkeit, Maura«, sagte Jane. »Aber wie wär's, wenn du die mitnimmst und sie in der Rechtsmedizin unter die Lupe nimmst? In einem isolierten Schutzraum oder so?«

»Ich brauche Gewissheit…«

»Worüber? Du kannst doch *riechen*, dass sie da drin sind.« Angewidert beobachtete Jane, wie Maura sich über den Abfalleimer beugte und noch tiefer in dem Eingeweidehaufen wühlte. Im Sektionssaal sah sie oft zu, wie Maura Leichen aufschnitt und ihnen die Kopfhaut abzog, wie sie das Fleisch von Knochen abschabte und Schädel mit der Knochensäge auftrennte, alles mit lasergesteuerter Präzision. Mit dem gleichen eiskalt-konzentrierten Blick wühlte sie jetzt in der schleimigen Masse in dem Abfalleimer, ohne auf die Fliegen zu achten, die in ihren modisch kurz geschnittenen schwarzen Haaren herumkrabbelten. Gab es irgendeine andere Frau, die bei einer so ekelerregenden Beschäftigung noch so elegant wirken konnte?

»Komm schon, es ist doch nicht so, als ob du noch nie Gedärme gesehen hättest«, sagte Jane.

Maura antwortete nicht und griff noch tiefer in den Eimer.

»Okay.« Jane seufzte. »Dafür brauchst du uns ja sicher nicht. Frost und ich schauen uns inzwischen den Rest des Hauses...«

»Es ist zu viel«, murmelte Maura.

»Was ist zu viel?«

»Das ist nicht das normale Volumen von Eingeweiden.«

»Du erzählst uns doch immer von den Bakteriengasen, die alles aufblähen.«

»*Das* hier lässt sich aber nicht durch Aufblähen erklären.« Maura richtete sich auf, und als Jane sah, was sie in der Hand hielt, erschauderte sie.

»Ein Herz?«

»Das hier ist kein normales Herz, Jane«, sagte Maura. »Ja, es hat vier Kammern, aber mit diesem Aortenbogen stimmt etwas nicht. Und die großen Blutgefäße sehen auch nicht richtig aus.«

»Leon Godt war vierundsechzig«, bemerkte Frost. »Vielleicht hatte er was an der Pumpe.«

»Das ist das Problem. Das hier sieht nicht aus wie das Herz eines vierundsechzigjährigen Mannes.« Maura griff noch einmal in den Abfalleimer. »Aber *das* hier schon«, sagte sie und streckte die andere Hand aus.

Jane blickte zwischen den beiden Organen hin und her. »Moment mal. Da drin waren *zwei* Herzen?«

»Und zwei vollständige Lungen.«

Jane und Frost starrten einander an. »Oh, verdammt«, sagte er.

3

Frost durchsuchte die unteren Räume, Jane übernahm das Obergeschoss. Systematisch ging sie von Zimmer zu Zimmer, öffnete Schränke und Schubladen, schaute unter die Betten. Weit und breit keine ausgeweideten Leichen, auch keine Anzeichen eines Kampfs, dafür aber jede Menge Staubmäuse und Katzenhaare. Mr. Godt – falls er es wirklich war, der dort unten in der Garage hing – hatte nicht allzu viel Wert auf Sauberkeit und Ordnung gelegt, und auf seiner Schlafzimmerkommode lagen alte Kassenzettel aus dem Baumarkt herum, Batterien für ein Hörgerät, eine Brieftasche mit drei Kreditkarten, achtundvierzig Dollar in bar sowie ein paar einzelne Gewehrkugeln. Was ihr verriet, dass Mr. Godt mehr als nur ein bisschen nachlässig mit Schusswaffen umgegangen war. So war sie nicht überrascht, als sie seine Nachttischschublade aufzog und darin eine Glock fand, durchgeladen und schussbereit. Das ideale Spielzeug für den paranoiden Hausbesitzer.

Zu dumm, dass die Waffe oben gelegen hatte, während dem Hausbesitzer unten in der Garage die Eingeweide herausgerissen wurden.

Im Badezimmerschrank fand sie ein Sortiment von Pillen, wie man es bei einem Vierundsechzigjährigen erwarten konnte. Aspirin und Ibuprofen, Cholesterinsenker und Mittel gegen Bluthochdruck. Und auf der Ablage lagen zwei Hörgeräte – von der teureren Sorte. Er hatte sie nicht getragen, was bedeutete, dass er einen Eindringling vielleicht nicht hatte kommen hören.

Als sie wieder nach unten ging, klingelte im Wohnzimmer das Telefon. Noch ehe sie dort ankam, schaltete sich schon der Anrufbeantworter ein, und sie hörte, wie ein Mann eine Nachricht hinterließ.

Hallo, Leon, du hast dich gar nicht mehr gemeldet wegen des Ausflugs nach Colorado. Sag doch Bescheid, wenn du mit uns kommen willst. Wird bestimmt lustig.

Jane wollte gerade die Nachricht noch einmal abspielen, um die Nummer des Anrufers zu sehen, als ihr auffiel, dass die Abspieltaste mit etwas verschmiert war, das wie Blut aussah. Laut der blinkenden Anzeige waren zwei Nachrichten darauf, und sie hatte gerade eben die zweite gehört.

Mit einem behandschuhten Finger drückte sie auf PLAY.

Dritter November, neun Uhr fünfzehn: »*... und wenn Sie sofort zurückrufen, können wir Ihre Kreditkartengebühren senken. Lassen Sie sich dieses einmalige Angebot auf keinen Fall entgehen.*«

Sechster November, vierzehn Uhr: »*Hallo, Leon, du hast dich gar nicht mehr gemeldet wegen des Ausflugs nach Colorado. Sag doch Bescheid, wenn du mit uns kommen willst. Wird bestimmt lustig.*«

Der dritte November war ein Montag gewesen, heute war Donnerstag. Diese erste Nachricht war noch nicht abgehört worden, weil Leon Godt am Montagmorgen um neun Uhr vermutlich bereits tot gewesen war.

»Jane?«, sagte Maura. Die graue Tigerkatze war ihr in den Hausflur gefolgt und schlängelte sich um ihre Knöchel.

»An diesem Anrufbeantworter ist Blut«, sagte Jane und drehte sich zu ihr um. »Warum hat der Täter ihn wohl angefasst? Wieso hat er sich für die Nachrichten des Opfers interessiert?«

»Komm mal mit und sieh dir an, was Frost im Garten gefunden hat.«

Jane folgte Maura in die Küche und zur Hintertür hinaus. In einem umzäunten, nur mit einem lückenhaften Rasen bepflanzten Garten stand ein Nebengebäude mit metallverkleideten Wänden. Der fensterlose Bau, zu groß für einen schlichten Geräteschuppen, sah aus, als könne er alle möglichen Gräuel verbergen. Als Jane eintrat, schlug ihr ein chemischer Geruch entgegen, scharf wie Alkohol. Leuchtstoffröhren tauchten das Innere in ein kaltes, grelles Licht.

Frost stand neben einer großen Werkbank und studierte ein furchterregend aussehendes Werkzeug, das darauf montiert war. »Ich dachte zuerst, es wäre eine Tischsäge«, sagte er. »Aber diese Schneide ist anders als alles, was ich kenne. Und dann die Schränke da drüben.« Er wies zum anderen Ende der Werkstatt. »Wirf mal einen Blick hinein.«

Durch die Glastüren der Schränke erblickte Jane Kartons mit Latexhandschuhen und eine ganze Reihe gefährlich aussehender Instrumente, ausgebreitet auf den Regalbrettern. Skalpelle und Messer, Sonden, Zangen und Pinzetten. *Chirurgenwerkzeug.* An Wandhaken hingen Gummischürzen, übersät mit Spritzern, die nach Blut aussahen. Schaudernd wandte sie sich ab und starrte die Sperrholzplatte der Werkbank an, die Oberfläche voller Kerben und Kratzer. Darauf lag ein Klumpen rohes, erstarrtes Fleisch.

»Okay«, murmelte Jane. »Jetzt flippe ich aber wirklich gleich aus.«

»Das hier sieht ganz nach der Werkstatt eines Serienmörders aus«, meinte Frost. »Und auf dieser Werkbank hier hat er die Leichen zersägt und zerstückelt.«

In der Ecke stand ein weißes Zweihundert-Liter-Fass, verbunden mit einem Elektromotor. »Wozu ist das Ding da eigentlich gut?«, fragte Jane.

Frost schüttelte den Kopf. »Es sieht groß genug aus, um darin ...«

Sie ging auf das Fass zu. Und hielt inne, als sie rote Sprenkel auf dem Boden entdeckte. Ein Schmierfleck in der gleichen Farbe zog sich zur Verschlussklappe. »Hier ist überall Blut.«

»Was ist in dem Fass?«, fragte Maura.

Jane zog kräftig am Verschlussriegel. »Und hinter Tür Nummer zwei ist…« Sie schaute hinein. »Sägemehl.«

»Sonst nichts?«

Jane griff durch die Öffnung, ließ die Späne durch ihre Finger gleiten und wirbelte eine Wolke von Holzstaub auf. »Nur Sägemehl.«

»Wir suchen also immer noch nach dem zweiten Opfer.«

Maura trat zu dem gruseligen Werkzeug, das Frost anfangs für eine Tischsäge gehalten hatte. Während sie die Schneide untersuchte, schlich die Katze wieder um ihre Beine herum, rieb sich an ihren Hosenbeinen und wollte einfach nicht von ihr ablassen. »Haben Sie sich dieses Ding genau angesehen, Detective Frost?«

»Na ja, ich bin nicht näher rangegangen als unbedingt nötig.«

»Sehen Sie, dass die Schneide dieses kreisförmigen Sägeblatts seitlich umgebogen ist? Dieses Werkzeug dient offensichtlich nicht zum Schneiden.«

Jane trat zu ihr an die Werkbank und berührte vorsichtig die Schneide. »Dieses Ding sieht aus, als könnte es einen in Fetzen reißen.«

»Und das ist wahrscheinlich genau seine Funktion. Ich glaube, das ist ein sogenannter Entfleischer. Er wird nicht zum Schneiden, sondern zum Abschaben von Fleisch benutzt.«

»Solche Maschinen werden *tatsächlich* hergestellt?«

Maura ging zu einem Wandschrank und öffnete die Tür. Der Schrank enthielt eine Reihe von Behältern, die wie

Farbdosen aussahen. Maura griff nach einer großen Dose und drehte sie um, sodass sie das Etikett lesen konnte. »Spachtelmasse.«

»Für Autos?«, fragte Jane. Auf dem Etikett war ein Pkw abgebildet.

»Hier steht, dass es ein Kitt für Karosseriearbeiten ist. Zum Ausbessern von Dellen und Kratzern.« Maura stellte die Dose in den Schrank zurück. Sie konnte die graue Katze nicht abschütteln, die ihr folgte, als sie zu der Vitrine hinüberging und durch die Scheibe die Messer und Sonden musterte, ausgelegt wie auf einem OP-Tablett. »Ich glaube, ich weiß, wozu dieser Raum benutzt wurde.« Sie drehte sich zu Jane um. »Diese überzähligen Organe in dem Mülleimer – ich glaube nicht, dass sie von einem Menschen stammen.«

»Leon Godt war kein sympathischer Mann. Und das ist noch milde ausgedrückt«, sagte Nora Bazarian, während sie ihrem einjährigen Sohn einen Karottenbrei-Schnurrbart von der Oberlippe wischte. Mit ihrer verwaschenen Jeans, dem eng anliegenden T-Shirt und den blonden Haaren, die sie zu einem mädchenhaften Pferdeschwanz gebunden hatte, wirkte sie eher wie ein Teenager als wie eine dreiunddreißigjährige zweifache Mutter. Doch sie hatte die Multitasking-Fähigkeiten einer Mutter und schaffte es, ihrem Sohn immer wieder einen Löffel Karottenbrei in den Mund zu schieben, während sie die Spülmaschine einräumte, nach einem Kuchen im Ofen sah und Janes Fragen beantwortete. Kein Wunder, dass die Frau eine Taille wie ein Teenager hatte – sie saß nie auch nur fünf Sekunden still.

»Wissen Sie, wie er meinen Sechsjährigen angebrüllt hat?«, fuhr Nora fort. »*Runter von meinem Rasen!* Ich hatte immer gedacht, das gäbe es nur in Karikaturen von mürrischen alten Männern, aber Leon hat das tatsächlich zu meinem Sohn gesagt. Und nur weil Timmy nach nebenan gegangen war, um seinen Hund zu streicheln.« Nora schlug die Tür der Spülmaschine mit einem Knall zu. »Bruno hat bessere Manieren, als sein Herrchen sie hatte.«

»Wie lange kannten Sie Mr. Godt?«, fragte Jane.

»Wir sind vor sechs Jahren in dieses Haus gezogen, kurz nach Timmys Geburt. Wir fanden, dass das hier ein ideales Viertel für Kinder wäre. Sie sehen ja, wie gepflegt die meisten Gärten sind, und es wohnen noch andere junge Familien in dieser Straße, mit Kindern in Timmys Alter.« Mit der Grazie einer Balletttänzerin drehte sie sich zur Kaffeekanne um und schenkte Jane nach. »Ein paar Tage, nachdem wir eingezogen waren, habe ich Leon einen Teller Brownies gebracht, einfach so zur Begrüßung. Er hat sich nicht mal bedankt, sondern bloß gesagt, er esse keine Süßigkeiten, und mir den Teller gleich wieder zurückgegeben. Dann hat er sich beschwert, dass mein Baby zu viel schreien würde, und gefragt, wieso ich nicht dafür sorgen könnte, dass er nachts still ist. Ist das nicht unglaublich?« Sie setzte sich und gab ihrem Sohn noch ein paar Löffel Brei. »Und der Gipfel waren dann diese ganzen toten Tiere, die er an seinen Wänden hängen hat.«

»Sie waren also in seinem Haus?«

»Nur ein Mal. Er klang so stolz, als er mir erzählte, dass er die meisten selbst geschossen habe. Was sind das für Menschen, die Tiere töten, nur um sie als Wandschmuck zu benutzen?« Sie wischte dem Baby einen Karottenklecks vom Kinn. »Damals haben wir beschlossen, dass wir ihm in Zukunft einfach aus dem Weg gehen. Stimmt's, Sam?«, gurrte sie. »Einfach einen großen Bogen um diesen gemeinen Mann machen.«

»Wann haben Sie Mr. Godt das letzte Mal gesehen?«

»Das habe ich alles schon Officer Root erzählt. Ich habe Leon das letzte Mal am Wochenende gesehen.«

»An welchem Tag?«

»Am Sonntagmorgen. Da habe ich ihn in seiner Einfahrt gesehen, wie er seine Einkäufe ins Haus getragen hat.«

»Haben Sie mitbekommen, ob er an diesem Tag irgendwelche Besucher hatte?«

»Ich war am Sonntag fast den ganzen Tag weg. Mein Mann ist diese Woche in Kalifornien, also bin ich mit den Kindern zu meiner Mutter nach Falmouth gefahren. Wir sind erst spätabends zurückgekommen.«

»Um wie viel Uhr?«

»So gegen halb zehn, zehn.«

»Und in dieser Nacht, haben Sie da irgendwelche ungewöhnlichen Geräusche von nebenan gehört? Schreie, laute Stimmen?«

Nora legte den Löffel beiseite und sah Jane stirnrunzelnd an. Das hungrige Baby protestierte quäkend, doch Nora ignorierte es. Ihre ganze Aufmerksamkeit war auf Jane gerichtet. »Ich dachte ... als Officer Root mir sagte, Leon habe in seiner Garage gehangen ... da habe ich automatisch angenommen, es wäre Selbstmord gewesen.«

»Es handelt sich leider um Mord.«

»Wirklich? Sind Sie ganz sicher?«

Oh ja. Absolut sicher. »Mrs. Bazarian, wenn Sie versuchen könnten, sich an den Sonntagabend zu erinnern ...«

»Mein Mann kommt erst am Montag zurück, und ich bin hier mit den Kindern allein. Sind wir in Gefahr?«

»Erzählen Sie mir von Sonntagabend.«

»Sind meine Kinder *in Gefahr*?«

Es war die erste Frage, die jede Mutter stellen würde. Jane dachte an ihre eigene Tochter, die dreijährige Regina. Sie überlegte, wie sie sich an Nora Bazarians Stelle fühlen würde, mit zwei kleinen Kindern, so nahe am Schauplatz einer Gewalttat. Was würde sie lieber hören – beschwichtigende Worte oder die Wahrheit? Denn die Wahrheit war, dass Jane die Antwort nicht wusste. Absolute Sicherheit konnte sie niemandem versprechen.

»Solange wir nichts Genaueres wissen«, sagte Jane, »wäre es eine gute Idee, Vorsichtsmaßnahmen zu ergreifen.«

»Was *wissen* Sie denn?«

»Wir glauben, dass es irgendwann in der Nacht von Sonntag auf Montag passiert ist.«

»Er ist schon die ganze Zeit tot«, murmelte Nora. »Direkt nebenan, und ich habe nichts geahnt.«

»Sie haben in der Nacht nichts Ungewöhnliches gesehen oder gehört?«

»Sie sehen ja selbst, dass er einen hohen Zaun um sein ganzes Grundstück hat. Wir haben also nie gewusst, was da drüben vor sich ging. Außer wenn er diesen Höllenlärm in seiner Werkstatt im Garten gemacht hat.«

»Was für einen Lärm?«

»Dieses fürchterliche Kreischen, wie von einer Motorsäge. Und dann hat er die Frechheit, sich über ein schreiendes Baby zu beschweren, das muss man sich mal vorstellen.«

Jane erinnerte sich an Godts Hörgeräte, die sie im Bad hatte liegen sehen. Wenn er am Sonntagabend an dieser lauten Maschine gearbeitet hatte, würde er kaum die Hörhilfen getragen haben. Noch ein Grund, weshalb er einen Eindringling wohl nicht gehört hätte.

»Sie sagten, Sie seien am Sonntagabend spät nach Hause gekommen. Brannte da bei Mr. Godt Licht?«

Nora musste nicht lange überlegen. »Ja«, sagte sie. »Ich weiß noch, dass ich mich geärgert habe, weil das Licht an seiner Werkstatt direkt in mein Schlafzimmer scheint. Aber als ich ins Bett gegangen bin, so gegen halb elf, war es endlich aus.«

»Was ist mit dem Hund? Hat er gebellt?«

»Ach, Bruno – der bellt doch die ganze Zeit, das ist ja das Problem. Wahrscheinlich bellt er sogar die Fliegen im Haus an.«

Von denen es jetzt jede Menge gab, dachte Jane. Tatsächlich bellte Bruno in diesem Moment. Nicht alarmiert, sondern nur aufgeregt angesichts der vielen fremden Leute in seinem Vorgarten.

Nora wandte den Kopf in die Richtung des Geräuschs. »Was passiert jetzt mit ihm?«

»Ich weiß es nicht. Wir werden wohl jemanden finden müssen, der ihn nimmt. Und die Katzen auch.«

»Ich bin kein großer Katzenfan, aber ich hätte nichts dagegen, den Hund zu nehmen. Bruno kennt uns, und er war immer lieb zu meinen Jungs. Mit einem Hund würde ich mich hier sicherer fühlen.«

Sie würde vielleicht anders darüber denken, wenn sie wüsste, dass Bruno in diesem Moment das Fleisch seines toten Herrchens verdaute.

»Wissen Sie, ob Mr. Godt nahe Verwandte hatte?«, fragte Jane.

»Er hatte einen Sohn, aber der ist vor einigen Jahren gestorben, während einer Auslandsreise. Seine Exfrau ist auch tot, und ich habe hier nie irgendeine andere Frau gesehen.« Nora schüttelte den Kopf. »Was für eine schreckliche Vorstellung. Vier Tage tot, und kein Mensch bekommt etwas mit. Aber das zeigt nur, wie isoliert er gelebt hat.«

Durch das Küchenfenster konnte Jane Maura sehen, die gerade aus Godts Haus getreten war. Jetzt stand sie auf dem Gehsteig und rief Nachrichten auf ihrem Mobiltelefon ab. Auch Maura lebte allein, und selbst jetzt wirkte sie isoliert, wie sie da abseits von allen anderen stand. Würde Maura irgendwann so werden wie Leon Godt, wenn man sie ihren einsiedlerischen Tendenzen überließe?

Der Leichenwagen war eingetroffen, und die ersten Fernsehteams rangelten am Rand der Polizeiabsperrung um die besten Plätze. Aber heute Nacht, wenn alle Polizisten und Kriminaltechniker und Reporter abgezogen wären, würde das Absperrband bleiben und das Haus bezeichnen, in dem ein Mörder gewütet hatte. Und hier, direkt nebenan, war eine Mutter allein mit ihren zwei Kindern.

»Es war ein gezielter Mordanschlag, oder?«, fragte Nora. »War es jemand, den er kannte? Was glauben Sie, womit wir es zu tun haben?«

Mit einer Bestie, dachte Jane, während sie Stift und Notizbuch in ihre Handtasche steckte und aufstand. »Wie ich sehe, haben Sie eine Alarmanlage, Mrs. Bazarian«, sagte sie. »Lassen Sie sie immer eingeschaltet.«

4

Maura trug den Pappkarton aus ihrem Wagen ins Haus und stellte ihn auf dem Küchenboden ab. Der graue Tigerkater miaute herzzerreißend und bettelte darum, herausgelassen zu werden, doch Maura ließ ihn in seinem Gefängnis schmoren, während sie in ihrer Speisekammer nach einer für Katzen geeigneten Mahlzeit suchte. Sie hatte keine Gelegenheit gehabt, zum Supermarkt zu fahren und Katzenfutter zu besorgen. Es war eine spontane Entscheidung gewesen, den Kater mitzunehmen, weil niemand sonst sich erbarmt hatte und die einzige Alternative das Tierheim gewesen wäre.

Und weil der Kater eindeutig *sie* adoptiert hatte, indem er die ganze Zeit förmlich an ihrem Bein geklebt hatte.

In der Speisekammer fand Maura eine Tüte Trockenfutter für Hunde, die noch von Julians letztem Besuch mit seinem Hund Bear übrig war. Würde eine Katze Hundefutter fressen? Sie war sich nicht sicher. Stattdessen griff sie nach einer Dose Sardinen.

Der Kater maunzte aufgeregt, als Maura die Dose öffnete und der Fischgeruch sich in der Küche ausbreitete. Sie füllte die Sardinen in eine Schüssel und öffnete den Pappkarton. Der Kater schoss heraus und stürzte sich so gierig auf den Fisch, dass die Schüssel ein Stück über den Küchenboden schlitterte.

»Sardinen schmecken wohl doch besser als Mensch, hm?« Sie streichelte dem Tigerkater den Rücken, und er hob den Schwanz zum Zeichen des Wohlbehagens. Sie hatte nie eine Katze besessen, hatte weder die Zeit gehabt noch den Wunsch verspürt, sich ein Haustier zuzulegen, wenn man einmal von dem kurzen und letztlich tragischen Experiment mit den Siamesischen Kampffischen absah. Sie war sich auch nicht sicher, ob sie dieses Haustier wollte, doch er war nun mal hier und schnurrte wie ein Außenbordmotor, während er die Porzellanschüssel ausleckte – die gleiche Schüssel, aus der sie morgens ihr Müsli aß. Das war ein verstörender Gedanke. Ein menschenfressender Kater. Kreuzkontamination. Sie dachte an all die Krankheiten, die Katzen bekanntermaßen übertragen konnten. Die Katzenkratzkrankheit. Toxoplasmose. Felines Leukämievirus. Tollwut, Würmer und Salmonellen. Katzen waren regelrechte wandelnde Infektionsherde, und jetzt fraß so ein Infektionsherd aus ihrer Müslischüssel.

Der Tigerkater leckte das letzte Krümelchen Sardine auf und sah mit seinen kristallgrünen Augen zu Maura auf. So unverwandt starrte er sie an, dass sie glaubte, er könne ihre Gedanken lesen und in ihr eine verwandte Seele erkennen. So wird man zur verrückten Katzenlady, dachte sie. Man schaut einem Tier in die Augen und glaubt zu sehen, dass ein beseeltes Wesen den Blick erwidert. Und was sah dieser Kater, wenn er Maura anschaute? Einen zweibeinigen Dosenöffner.

»Wenn du doch nur reden könntest«, sagte sie. »Wenn du uns doch nur erzählen könntest, was du gesehen hast.«

Aber der Tigerkater behielt seine Geheimnisse für sich. Er ließ sich noch ein paarmal von ihr streicheln, dann trollte er sich in eine Ecke und begann, sich zu putzen. Mehr Liebe konnte man von einer Katze wohl nicht erwarten. *Füttere mich, aber dann lass mich in Ruhe*, schien er zu sagen. Vielleicht war er wirklich das ideale Haustier für sie. Sie waren beide Einzelgänger, nicht geschaffen für dauerhafte Beziehungen.

Da er sie ignorierte, beschloss sie, ihn ebenfalls zu ignorieren, und kümmerte sich um ihr eigenes Abendessen. Sie schob einen Rest Auberginenauflauf mit Parmesan zum Aufwärmen in den Ofen, goss sich ein Glas Pinot Noir ein und setzte sich an ihren Laptop, um die Fotos vom Tatort des Godt-Mordes hochzuladen. Auf dem Monitor sah sie erneut den ausgeweideten Leichnam, das Gesicht bis auf den Knochen abgenagt, die Schmeißfliegenlarven, die sich am Fleisch labten, und sie erinnerte sich nur zu lebhaft an die Gerüche in diesem Haus, an das Summen der Fliegen. Das würde morgen eine der unangenehmeren Obduktionen werden. Langsam klickte sie sich durch die Aufnahmen, auf der Suche nach Details, die ihr am Tatort vielleicht entgangen waren, wo das hektische Treiben der Polizisten und Kriminaltechniker sie abgelenkt hatte. Sie sah nichts, was ihrer Einschätzung widersprochen hätte, dass der Todeszeitpunkt vier bis fünf Tage zurücklag. Die ausgedehnten Verletzungen an Gesicht, Hals und oberen Extremitäten konnten durch Tierfraß erklärt werden. Und damit bist *du* gemeint, dachte sie und schaute zu dem Tigerkater, der sich in aller Seelenruhe die Pfoten ableckte. Wie hieß er überhaupt? Sie wusste es nicht, aber sie konnte ihn nicht immer nur *Kater* nennen.

Das nächste Foto zeigte den Haufen Eingeweide in dem Abfalleimer, eine dichte Masse, die eingeweicht und vorsichtig entwirrt werden musste, ehe sie die einzelnen Organe angemessen untersuchen konnte. Es würde der ekligste Teil der Obduktion sein, denn in den Eingeweiden, wo Bakterien sich besonders wohlfühlten und eifrig vermehrten, setzte die Verwesung zuerst ein. Sie klickte sich durch die nächsten paar Fotos und hielt dann inne, um sich eine weitere Aufnahme der Organe im Abfalleimer genauer anzusehen. Hier war das Licht anders, weil der Blitz nicht ausgelöst hatte, und im schrägen Licht wurden Wölbungen und Furchen an der Oberfläche sichtbar, die zuvor untergegangen waren.

Es klingelte an der Haustür.

Sie erwartete keinen Besuch. Und ganz bestimmt hatte sie nicht damit gerechnet, Jane Rizzoli auf der Matte stehen zu sehen.

»Ich dachte, das könntest du vielleicht gebrauchen«, sagte Jane und hielt eine Einkaufstüte hoch.

»Was ist das?«

»Katzenstreu und eine Tüte Trockenfutter. Frost hat ein schlechtes Gewissen, weil du den Kater jetzt am Bein hast, also hab ich ihm gesagt, dass ich dir das hier vorbeibringen würde. Hat er dir schon die Polstermöbel ruiniert?«

»Eine Dose Sardinen hat er weggeputzt, das ist alles. Komm rein, dann kannst du selbst sehen, wie es ihm geht.«

»Wahrscheinlich wesentlich besser als der anderen.«

»Godts weiße Katze? Was habt ihr mit ihr gemacht?«

»Niemand schafft es, sie einzufangen. Sie versteckt sich immer noch irgendwo im Haus.«

»Ich hoffe, ihr habt ihr frisches Futter und Wasser gegeben.«

»Frost hat sich natürlich darum gekümmert. Er behauptet zwar, er könne Katzen nicht ausstehen, aber du hättest mal sehen sollen, wie er auf allen vieren rumgekrochen ist und *Miez-miez* gegurrt hat, um sie unter dem Bett hervorzulocken. Er fährt morgen noch mal hin, um das Katzenklo zu leeren.«

»Ich glaube, er könnte wirklich ein Haustier gebrauchen. Er ist jetzt doch sicher sehr einsam.«

»Hast *du* deswegen eine mit nach Hause genommen?«

»Natürlich nicht. Ich habe ihn mitgenommen, weil ...« Maura seufzte. »Ich weiß eigentlich gar nicht, warum. Weil er mich nicht in Ruhe gelassen hat.«

»Ja, ja – er weiß schon, mit wem er es machen kann«, meinte Jane und lachte, während sie Maura in die Küche folgte. »*Die* Frau wird mich bestimmt mit Sahne und Gänseleberpastete verwöhnen.«

In der Küche starrte Maura entsetzt den Tigerkater an, der auf dem Küchentisch saß, die Vorderpfoten auf die Tastatur ihres Laptops gepflanzt. »*Schsch*«, fuhr sie ihn an. »Runter da!«

Der Kater gähnte und wälzte sich auf die Seite.

Maura nahm ihn hoch und setzte ihn auf den Boden. »Und du bleibst gefälligst unten!«

»Er wird deinen Computer schon nicht kaputt machen«, sagte Jane.

»Es geht mir nicht um den Computer, sondern um den Tisch. Ich *esse* an diesem Tisch.« Maura schnappte sich einen Schwamm, spritzte Reinigungsmittel darauf und wischte die Tischplatte ab.

»Ich glaube, du hast da noch eine Mikrobe übersehen.«

»Das ist nicht witzig. Überleg doch mal, wo der Kater gewesen ist. Wo er überall mit seinen Pfoten drübergelaufen ist. Würdest du von diesem Tisch essen wollen?«

»Er ist wahrscheinlich sauberer als meine Dreijährige.«

»Da stimme ich dir allerdings zu. Kinder sind wie Fomiten.«

»Was?«

»Sie verbreiten Keime, wo sie stehen und gehen.« Maura wischte noch einmal kräftig über den Tisch und warf den Schwamm in den Mülleimer.

»Das Wort muss ich mir merken. Dann sag ich zu Regina: *Komm zu Mommy, mein süßer kleiner Fomit.*« Jane riss die Tüte mit der Katzenstreu auf und leerte sie in das Katzenklo aus Plastik, das sie ebenfalls mitgebracht hatte. »Wo soll ich das hinstellen?«

»Ich hatte gehofft, ich könnte ihn einfach rauslassen, damit er sein Geschäft im Garten verrichtet.«

»Wenn du ihn rauslässt, kann es sein, dass du ihn nie wiedersiehst.« Jane klopfte sich den Staub von den Händen und richtete sich auf. »Oder wäre das vielleicht gar nicht so schlecht?«

»Ich weiß nicht, was ich mir dabei gedacht habe, als ich ihn mit nach Hause genommen habe. Nur weil er sich an mich drangehängt hat. Es ist ja nicht so, als ob ich eine Katze haben wollte.«

»Du hast gerade eben gesagt, dass Frost ein Haustier brauchen könnte. Warum nicht du?«

»Frost ist frisch geschieden. Er ist das Alleinsein nicht gewohnt.«

»Aber du schon.«

»Ich lebe seit Jahren allein, und ich glaube nicht, dass sich daran so bald etwas ändern wird.« Maura blickte sich in der Küche um, mit den blitzsauberen Arbeitsflächen, dem blank gescheuerten Spülbecken. »Es sei denn, es taucht plötzlich der absolute Traumtyp auf.«

»He, vielleicht solltest du ihn so nennen«, sagte Jane und deutete auf den Kater. »*Traumtyp.*«

»Das wird *nicht* sein Name.« Die Eieruhr piepste, und Maura klappte die Ofentür auf, um nach dem Auflauf zu sehen.

»Duftet lecker.«

»Es ist Auberginenauflauf mit Parmesan. Ich konnte den Gedanken nicht ertragen, heute Abend Fleisch zu essen. Hast du Hunger? Es ist genug für uns beide da.«

»Ich fahre zum Essen zu meiner Mutter. Gabriel ist noch in Washington, und Mom hält es nicht aus zu wissen, dass ich mit Regina allein bin.« Jane hielt inne. »Vielleicht möchtest du ja mitkommen und uns Gesellschaft leisten?«

»Nett von dir zu fragen, aber mein Essen ist schon aufgewärmt.«

»Es muss ja nicht heute Abend sein, aber so generell – falls du mal Lust auf ein bisschen Familienleben hast.«

Maura betrachtete sie eingehend. »Willst du mich adoptieren?«

Jane zog sich einen Stuhl heran und setzte sich an den Küchentisch. »Weißt du, ich habe das Gefühl, dass wir zwischen uns immer noch nicht alles hundertprozentig geklärt haben. Seit dem Fall Teddy Clock haben wir noch kaum miteinander geredet, und ich weiß, dass die letzten Monate sehr hart für dich waren. Ich hätte dich längst schon mal zum Essen einladen sollen.«

»Ich hätte dich auch mal einladen können. Wir hatten beide viel zu tun, das ist alles.«

»Weißt du, das hat mich wirklich beunruhigt, als du gesagt hast, du denkst darüber nach, uns zu verlassen.«

»Warum sollte dich das beunruhigen?«

»Nach allem, was wir zusammen durchgestanden haben, wie kannst du da einfach weggehen? Was wir beide gemeinsam durchlebt haben, das kann doch niemand sonst wirklich verstehen. Wie zum Beispiel das da.« Jane deutete auf Mauras Computer, wo das Foto der Eingeweide immer noch den Bildschirm ausfüllte. »Ich frage dich: Mit wem sonst kann ich über Eingeweide in einem Mülleimer reden? So was macht doch kein normaler Mensch.«

»Das heißt, ich bin nicht normal.«

»Du glaubst doch nicht im Ernst, dass *ich* es bin, oder?« Jane lachte. »Wir sind beide nicht ganz richtig im Kopf. Das ist die einzige Erklärung dafür, dass wir in diesem Geschäft sind. Und warum wir ein so gutes Team sind.«

Das war etwas, was Maura nicht hatte ahnen können, als sie Jane zum ersten Mal begegnet war.

Sie hatte vorher schon von Janes Ruf gehört, hatte mitbekommen, was die männlichen Polizisten sich zuflüsterten: *Zicke. Emanze. Die hat echt Haare auf den Zähnen.* Die Frau, die sie dann an jenem ersten Tatort kennenlernte, war allerdings auffallend direkt und dabei hoch konzentriert und unnachgiebig. Und sie war eine der besten Ermittlerinnen, die Maura je kennengelernt hatte.

»Du hast mir einmal gesagt, hier in Boston gäbe es nichts, was dich hält«, sagte Jane. »Ich will dich nur daran erinnern, dass das nicht stimmt. Uns beide verbindet doch so viel.«

»Stimmt.« Maura schnaubte. »Wir geraten immer wieder in gefährliche Situationen.«

»Und können uns immer wieder gemeinsam befreien. Was erwartet dich denn in San Francisco?«

»Immerhin habe ich ein Angebot von einem ehemaligen Kollegen dort. Eine Dozentenstelle an der University of California.«

»Was ist mit Julian? Du bist doch fast so was wie eine Mutter für ihn. Wenn du nach Kalifornien abhaust, wird er denken, dass du ihn hier hast sitzen lassen.«

»Ich schaffe es ja so schon kaum, ihn zu sehen. Julian ist siebzehn, und er bewirbt sich fürs College. Wer weiß, wo er landen wird? Und es gibt auch einige gute Hochschulen in Kalifornien. Ich kann meine Lebensplanung doch nicht von einem Jungen abhängig machen, der gerade mit seiner eigenen anfängt.«

»Dieses Jobangebot in San Francisco – ist es besser bezahlt? Ist das der Grund?«

»Deswegen würde ich es nicht annehmen.«

»Du läufst davon, hab ich recht? Machst dich einfach aus dem Staub.« Jane hielt inne. »Weiß *er*, dass du vielleicht aus Boston weggehst?«

Er. Abrupt wandte Maura sich ab und schenkte sich Wein nach. Na toll, dachte sie – bei der ersten Erwähnung von Daniel Brophy muss ich mich schon in den Alkohol flüchten. »Ich habe seit Monaten nicht mit Daniel gesprochen.«

»Aber du siehst ihn.«

»Natürlich. Wenn ich zu einem Tatort fahre, weiß ich nie, ob er dort sein wird. Um die Familie zu trösten, um für das Opfer zu beten. Wir bewegen uns in den gleichen Kreisen, Jane. In den Kreisen der Toten.« Sie nahm einen kräftigen Schluck Wein. »Es wäre eine Erleichterung, dem zu entfliehen.«

»Du gehst also nur nach Kalifornien, um ihm aus dem Weg zu gehen.«

»Und der Versuchung«, sagte Maura leise.

»Der Versuchung, zu ihm zurückzukehren?« Jane schüttelte den Kopf. »Du hast deine Entscheidung getroffen. Bleib dabei und schau nach vorn. So würde ich es machen.«

Und das machte sie so verschieden. Jane war eine Frau der Tat, und sie war sich immer sicher, was getan werden musste. Sie verlor keine Zeit damit, ihre Entscheidungen zu hinterfragen. Aber die Unsicherheit war es, die Maura nachts wach hielt; sie grübelte über ihre Entscheidungen nach, wog die Konsequenzen ab. Wenn das Leben doch wie eine mathematische Formel wäre, die nur eine richtige Lösung zuließ!

Jane stand auf. »Denk darüber nach, was ich gesagt habe, okay? Es wäre viel zu viel Aufwand für mich, eine neue Rechtsmedizinerin einzuarbeiten. Ich zähle also darauf, dass du bleibst.« Sie berührte kurz Mauras Arm und fügte leise hinzu: »Ich bitte dich zu bleiben.« Und dann wandte sie sich in typischer Jane-Rizzoli-Manier abrupt zum Gehen. »Bis morgen dann.«

»Die Obduktion ist gleich morgen früh«, sagte Maura, als sie zur Tür gingen.

»Ich glaube, das schenke ich mir lieber. Ich habe mehr als genug Maden gesehen, vielen Dank.«

»Es gibt vielleicht die eine oder andere Überraschung. Das willst du dir doch nicht entgehen lassen.«

»Die einzige Überraschung«, sagte Jane, als sie vor die Tür traten, »wird es geben, wenn Frost aufkreuzt.«

Maura schloss die Tür ab und ging in die Küche zurück, wo der Auberginenauflauf inzwischen abgekühlt war. Sie schob ihn noch einmal zum Aufwärmen in den Ofen. Der Kater war wieder auf den Tisch gesprungen und hatte sich auf der Tastatur des Laptops ausgestreckt, als wollte er sagen: *Heute wird nicht mehr gearbeitet.* Maura schnappte ihn und setzte ihn auf den Boden. Irgendjemand musste ja in diesem Haus das Kommando führen, und das war jedenfalls nicht der Kater. Er hatte den Bildschirm wieder aktiviert, der nun das letzte Bild zeigte, das sie sich angeschaut hatte. Es war das Foto, auf dem die gewellte Oberfläche der Eingeweide durch die Schatten, die das schräg einfallende Licht warf, besonders deutlich hervorgehoben wurde. Sie wollte gerade den Laptop zuklappen, als ihr Blick von der Leber angezogen wurde. Stirnrunzelnd zoomte sie heran und starrte die Wölbungen und Furchen in der Oberfläche an. Es war nicht nur ein Lichteffekt. Und es war auch keine Verformung durch bakterielle Aufblähung.

Diese Leber hat sechs Lappen.

Sie griff zum Telefon.

5

Botswana

»Wo ist er?« Sylvias Stimme überschlägt sich. »*Wo ist der Rest von ihm?*«

Sie und Vivian stehen zwanzig oder dreißig Meter von meinem Zelt entfernt unter den Bäumen. Sie starren auf den Boden, auf etwas, das durch das kniehohe Gras verdeckt ist.

Ich steige über den Absperrdraht des Camps, an dem die Glöckchen noch hängen – die Glöckchen, die in dieser Nacht kein warnendes Läuten von sich gegeben haben. An ihrer Stelle hat Sylvia Alarm geschlagen, ihre Schreie haben uns mehr oder weniger spärlich bekleidet aus unseren Zelten stürzen lassen. Mr. Matsunaga zieht noch den Reißverschluss seiner Hose hoch, als er schlaftrunken aus dem Zelteingang tappt. Elliot hat gleich ganz auf die Hose verzichtet, nur mit Boxershorts und Sandalen bekleidet stolpert er in die kühle Morgenluft hinaus. Ich habe eines von Richards Hemden zu fassen bekommen und ziehe es über mein Nachthemd, während ich durch das Gras stakse, mit offenen Schnürsenkeln, ein Steinchen in einem Stiefel, das sich in meine nackte Sohle bohrt. Ich entdecke einen blutigen Fetzen Kakistoff, wie eine Schlange um den Ast eines Strauchs gewickelt. Noch ein paar Schritte näher heran, und ich sehe noch mehr zerrissenen Stoff und etwas, das wie ein Büschel schwarzer Wolle aussieht. Ich gehe noch ein Stück weiter, und da erkenne ich, was die Mädchen anstarren. Jetzt weiß ich, warum Sylvia schreit.

Vivian wendet sich ab und erbricht sich ins Gebüsch.

Ich bin starr vor Entsetzen. Während Sylvia neben mir wimmert und hyperventiliert, betrachte ich die verschiedenen Knochen, die auf diesem zertrampelten Flecken Gras verstreut liegen, und ich fühle mich merkwürdig distanziert, als ob ich im Körper von jemand anderem stecke. Im Körper einer Wissenschaftlerin vielleicht. Einer Anatomin, die beim Anblick von Knochen gleich versucht ist, sie zusammenzusetzen und zu erklären: *Das ist das rechte Wadenbein, das ist die Elle, und dieser Knochen stammt vom rechten kleinen Zeh. Ja, eindeutig der rechte kleine Zeh.* Obwohl ich in Wahrheit so gut wie nichts von dem, was ich sehe, identifizieren kann, weil so wenig übrig ist und alles wild durcheinandergewürfelt ist. Das Einzige, was ich sicher sagen kann, ist, dass das dort eine Rippe ist, aber nur, weil sie so aussieht wie die Rippchen, die man beim Barbecue mit Soße serviert bekommt. Aber das ist keine Schweinerippe, oh nein, dieser abgenagte und zersplitterte Knochen stammt von einem Menschen, und er hat jemandem gehört, den ich kannte, jemandem, mit dem ich vor nicht einmal neun Stunden noch gesprochen habe.

»Oh Mann...« Elliot stöhnt auf. »Was ist da passiert? Scheiße, was ist da passiert?«

Johnnys Stimme dröhnt hinter uns: »Halt! Bleiben Sie, wo Sie sind!«

Ich drehe mich um und sehe, wie Johnny entschlossen in unseren Kreis tritt. Wir sind jetzt alle versammelt – Vivian und Sylvia, Elliot und Richard, die Matsunagas. Nur einer fehlt, aber er fehlt nicht wirklich, denn hier ist seine Rippe und ein Büschel von Clarence' Haaren. Der Geruch des

Todes liegt in der Luft, der Geruch nach Angst, nach frischem Fleisch, der Geruch Afrikas.

Johnny beugt sich über die Knochen und ist eine Weile ganz still. Niemand sagt etwas, sogar die Vögel schweigen, verstört vom hektischen Treiben der Menschen, und ich höre nichts als das Rascheln des Grases im Wind und das ferne Rauschen des Flusses.

»Hat jemand von Ihnen in der Nacht irgendetwas gesehen oder gehört?«, fragt Johnny. Er blickt auf, und ich bemerke, dass sein Hemd offen ist, sein Gesicht unrasiert. Er sieht mir fest in die Augen. Ich kann nur den Kopf schütteln.

»Irgendjemand sonst?« Johnny sieht alle der Reihe nach prüfend an.

»Ich habe geschlafen wie ein Stein«, sagt Elliot. »Ich habe nichts ge…«

»Wir auch nicht«, sagt Richard, der in seiner gewohnten Art, die mich so auf die Palme bringt, für uns beide antwortet.

»Wer hat ihn gefunden?«

Vivians Antwort ist nur ein schwaches Flüstern. »Das waren wir. Sylvia und ich. Wir mussten beide aufs Klo. Es wurde schon hell, und wir dachten, wir könnten ohne Bedenken rausgehen. Normalerweise hat Clarence um diese Zeit schon das Feuer gemacht, und…« Sie bricht ab, wie erschrocken darüber, dass sie seinen Namen ausgesprochen hat.

Clarence.

Johnny richtet sich auf. Ich stehe ihm am nächsten, und ich registriere jedes Detail: die vom Schlaf zerzausten Haare, die dicke, wulstige Narbe an seinem Bauch, die ich zum ersten Mal sehe. Er selbst interessiert sich im Moment nicht für uns, weil wir ihm nichts sagen können. Stattdessen ist seine Aufmerksamkeit auf den Boden gerichtet, auf die verstreuten Überreste des Gemetzels. Er blickt zunächst zu dem Drahtzaun, der unser Lager begrenzt. »Die Glöckchen haben nicht geläutet«, sagt er. »Ich hätte sie gehört. Clarence hätte sie gehört.«

»Dann ist es – was immer es war – also nicht ins Lager eingedrungen?«, sagt Richard.

Johnny ignoriert ihn. Er schreitet den Schauplatz der Tragödie in immer weiteren Kreisen ab und schiebt jeden ungeduldig beiseite, der ihm im Weg steht. Hier gibt es keine nackte Erde, nur Gras, und keine Tierspuren oder Abdrücke, die irgendwelche Hinweise liefern könnten. »Er hat die Wache um zwei Uhr übernommen, und ich habe mich gleich schlafen gelegt. Das Feuer ist fast niedergebrannt, das heißt, es wurde seit Stunden kein Holz nachgelegt. Warum hat er es niederbrennen lassen? Warum hat er die Umzäunung überschritten?« Er blickt sich suchend um. »Und wo ist das Gewehr?«

»Das Gewehr ist dort drüben«, sagt Mr. Matsunaga und deutet auf den Steinring um das inzwischen erloschene Lagerfeuer. »Ich habe es auf der Erde liegen sehen.«

»Er hat es einfach da *liegen* lassen?«, sagt Richard. »Er geht vom Feuer weg und spaziert ohne sein Gewehr in die Dunkelheit hinaus? Warum sollte Clarence so etwas tun?«

»Er würde es nicht tun«, lautet Johnnys ebenso nüchterne wie erschreckende Antwort. Er zieht wieder seine Kreise und sucht das Gras ab. Er findet Fetzen von Kleidung, einen Schuh, aber nicht viel mehr. Dann geht er weiter, in Richtung Fluss. Plötzlich sinkt er in die Hocke, und über dem Gras kann ich nur noch den Ansatz seines blonden Haarschopfs sehen. Seine Reglosigkeit macht uns alle nervös. Niemand ist begierig darauf zu sehen, was er da gerade anstarrt, wir haben alle schon mehr als genug gesehen.

Aber sein Schweigen zieht mich geradezu magnetisch an, und ich folge ihm.

Er blickt zu mir auf. »Hyänen.«

»Woher wissen Sie, dass es Hyänen waren?«

Er deutet auf einige grauschwarze Klumpen auf der Erde. »Das ist Kot von Tüpfelhyänen. Sehen Sie die Tierhaare und die Knochensplitter, die damit vermischt sind?«

»Oh Gott. Die sind doch nicht von ihm, oder?«

»Nein, dieser Kot ist einige Tage alt. Aber wir wissen jetzt, dass es hier Hyänen gibt.« Er zeigt auf einen blutverschmierten Stofffetzen. »Und sie haben ihn gefunden.«

»Aber ich dachte, Hyänen wären reine Aasfresser.«

»Ich kann nicht beweisen, dass sie ihn getötet haben. Aber ich denke, es ist klar, dass sie ihn gefressen haben.«

»Es ist so wenig von ihm übrig«, murmele ich, den Blick auf die Stofffetzen geheftet. »Es ist, als wäre er einfach... verschwunden.«

»Aasfresser vergeuden nichts, sie lassen nichts übrig. Wahrscheinlich haben sie den Rest von ihm in ihren Bau geschleppt. Ich verstehe nicht, warum Clarence gestorben ist, ohne einen Laut von sich zu geben. Warum ich nichts gehört habe.« Johnny kauert immer noch vor diesen grauen Kotklumpen, doch mit Blicken sucht er die Umgebung ab, sieht Dinge, von denen ich nichts ahne. Sein Schweigen bringt mich aus der Fassung. Er ist so anders als alle Männer, die ich je gekannt habe, so im Einklang mit seiner Umgebung, dass er ein Teil der Landschaft zu sein scheint, so verwurzelt in diesem Land wie die Bäume und das Gras, das sich sanft im Wind wiegt. Er ist ganz anders als Richard, dessen ewige Unzufriedenheit mit dem Leben ihn dazu treibt, das Internet nach einer besseren Wohnung zu durchforsten, nach einem besseren Urlaubsort, vielleicht sogar nach einer besseren Freundin. Richard weiß nicht, was er will oder wo er hingehört, anders als Johnny. Johnny, der nun schon so lange schweigt, dass ich mich beherrschen muss, um nicht mit irgendeiner albernen Bemerkung in die Bresche zu springen, als ob ich verpflichtet wäre, das Gespräch in Gang zu halten. Aber das Unbehagen ist ganz auf meiner Seite, Johnny spürt davon nichts.

Mit ruhiger Stimme sagt er: »Wir müssen alles einsammeln, was wir finden können.«

»Sie meinen ... von Clarence?«

»Für seine Familie. Sie werden es für die Beerdigung haben wollen. Etwas Greifbares, etwas, was sie betrauern können.«

Ich blicke entsetzt auf den blutigen Kleidungsfetzen hinab. Ich will ihn nicht anfassen, und ich will ganz bestimmt nicht diese verstreuten Knochenstücke und Haarbüschel einsammeln. Dennoch nicke ich und sage: »Ich helfe Ihnen. Wir können einen von den Leinensäcken im Jeep nehmen.«

Er richtet sich auf und sieht mich an. »Sie sind nicht wie die anderen.«

»Wie meinen Sie das?«

»Sie wollen eigentlich gar nicht hier sein, stimmt's? Hier draußen im Busch.«

Ich verschränke die Arme und ziehe die Schultern hoch. »Nein. Dieser Urlaub war Richards Idee.«

»Und was ist Ihre Vorstellung von Urlaub?«

»Heiße Duschen und richtige Toiletten. Und vielleicht eine Massage. Aber ich bin trotzdem hier, denn ich will ja immer ein guter Kumpel sein.«

»Sie sind ein guter Kumpel, Millie. Das wissen Sie, nicht wahr?« Er blickt in die Ferne und sagt so leise, dass ich es fast überhört hätte: »Ein besserer, als er es verdient hat.«

Ich frage mich, ob er wollte, dass ich das höre. Oder

vielleicht lebt er ja schon so lange im Busch, dass er hier draußen regelmäßig Selbstgespräche führt, weil normalerweise niemand in der Nähe ist, der ihn hören kann.

Ich versuche, seine Miene zu lesen, doch er bückt sich, um etwas aufzuheben. Als er sich wieder aufrichtet, hält er es in der Hand.

Einen Knochen.

»Es ist Ihnen hoffentlich allen klar, dass dies das Ende dieser Safari ist«, sagt Johnny. »Sie müssen jetzt alle mit anpacken, damit wir am Mittag das Lager abbrechen und uns auf den Weg machen können.«

»Auf den Weg wohin?«, wirft Richard ein. »Das Flugzeug soll uns erst in einer Woche wieder am Landeplatz abholen.«

Johnny hat uns um das kalte Lagerfeuer versammelt, um uns zu sagen, wie es weitergeht. Ich sehe die anderen Teilnehmer unserer Safari an, Touristen, die ein Abenteuer in der Wildnis gebucht haben und mehr geboten bekamen, als ihnen lieb ist. Eine echte Raubtierattacke mit einem Todesopfer. Nicht zu vergleichen mit dem unterhaltsamen Nervenkitzel, den die Tiersendungen im Fernsehen ins Haus liefern. Stattdessen liegt da nun ein unansehnlicher Leinensack, der die paar armseligen Knochen, Kleidungsfetzen und Stücke abgerissener Kopfhaut enthält, die wir von unserem Fährtensucher Clarence finden konnten. Der Rest von ihm, sagt Johnny, ist für immer verloren. So ist es nun mal im Busch, wo jedes Lebewesen, das geboren wird, irgendwann gefressen wird, verdaut und als Kot ausgeschieden, in Erde und Gras umgewandelt. Und dann abgeweidet und wiedergeboren als ein ganz anderes Lebewesen. Als Prinzip klingt es wunderbar, doch wenn man hautnah mit der harten Realität konfrontiert wird und diesen Sack mit Clarence' Knochen vor sich sieht, versteht man, dass der Kreislauf des Lebens auch ein Kreislauf des Todes ist. Wir sind hier, um zu essen und gefressen zu werden, und wir sind nichts weiter als Frischfleisch auf zwei Beinen. Acht von uns sind jetzt noch übrig, umzingelt von hungrigen Räubern.

»Wenn wir jetzt zum Flugplatz zurückfahren«, sagt Richard, »dann können wir da nur rumhocken und tagelang auf das Flugzeug warten. Inwiefern soll das besser sein, als die Expedition wie geplant fortzusetzen?«

»Ich weigere mich, Sie noch weiter in den Busch hineinzuführen«, erwidert Johnny.

»Warum benutzen Sie nicht das Funkgerät?«, fragt Vivian. »Sie könnten den Piloten anfunken und ihm sagen, er soll uns früher abholen.«

Johnny schüttelt den Kopf. »Wir sind hier außerhalb der Funkreichweite. Es gibt keine Möglichkeit, mit ihm Kontakt aufzunehmen, bis wir wieder am Flugplatz sind, und das sind drei Tagesfahrten nach Westen. Und deshalb setzen wir unsere Fahrt jetzt in östlicher Richtung fort. Wenn wir zwei Tage durchfahren, ohne Fotopausen, dann schaffen wir es zu einer der Lodges im Wildreservat. Dort gibt es ein Telefon und eine Straße, die aus dem Busch rausführt. Ich organisiere Ihnen einen Wagen, der Sie nach Maun zurückbringt.«

»Warum?«, fragt Richard. »Ich will ja nicht gefühllos erscheinen, aber es gibt im Moment doch sowieso nichts, was wir für Clarence tun können. Ich sehe keinen Sinn darin, überstürzt umzukehren.«

»Sie bekommen Ihr Geld zurück, Mr. Renwick.«

»Es geht mir nicht ums Geld. Es geht mir darum, dass Millie und ich extra den langen Weg aus London gekommen sind. Elliot ist sogar aus Boston hergekommen. Ganz zu schweigen von der langen Flugreise, die die Matsunagas hinter sich haben.«

»Mein Gott, Richard«, unterbricht ihn Elliot. »Der Mann ist *tot*.«

»Ich weiß, aber nun sind wir schon mal hier. Da können wir ebenso gut weiterfahren.«

»Ich kann das nicht machen«, sagt Johnny.

»Warum nicht?«

»Ich kann nicht für Ihre Sicherheit garantieren, geschweige denn für Ihren Komfort. Ich kann nicht vierundzwanzig Stunden am Tag wach bleiben. Wir müssen immer zu zweit sein, um uns die Nachtwache zu teilen und das Feuer in Gang zu halten. Um das Lager abzubauen und wieder aufzuschlagen. Clarence hat nicht nur Ihre Mahlzeiten gekocht, er war ein zweites Augen- und Ohrenpaar. Ich brauche einen zweiten Mann, wenn ich Leute durch den Busch kutschiere, die ein Gewehr nicht von einem Spazierstock unterscheiden können.«

»Dann lernen Sie *mich* an. Ich helfe Ihnen Wache schieben.« Richard sieht uns alle an, als erwarte er eine Bestätigung, das nur er Manns genug für diese Aufgabe ist.

Mr. Matsunaga sagt: »Ich kann schießen. Ich kann auch Wachen übernehmen.«

Wir alle schauen den japanischen Banker an. Das Einzige, was wir ihn bis jetzt haben schießen sehen, waren die Fotos, die er mit seinem ellenlangen Teleobjektiv gemacht hat.

Richard kann sich ein ungläubiges Lachen nicht verkneifen. »Sie meinen, mit einem *echten* Gewehr, Isao?«

»Ich bin Mitglied im Tokioter Schützenverein«, sagt Mr. Matsunaga, unbeeindruckt von Richards abfälligem Ton. Er deutet auf seine Frau und fügt zu unserem Erstaunen hinzu: »Und Keiko, sie ist auch Mitglied.«

»Da bin ich aber froh, dass ich noch mal drum herumkomme«, meint Elliot. »Ich will das verdammte Ding nämlich nicht mal anfassen.«

»Also, Sie sehen, dass wir genug Leute haben, die bereit sind anzupacken«, sagt Richard zu Johnny. »Wir können uns mit der Wache ablösen und das Feuer die ganze Nacht brennen lassen. Darum geht's doch bei einer richtigen Safari, oder? Jeder Situation gewachsen zu sein. Sich zu beweisen, wenn's drauf ankommt.«

Oh ja – Richard, der Experte, der jahraus, jahrein heldenhaft an seinem Computer sitzt und seine testosteronbefeuerten Fantasien spinnt. Jetzt sind diese Fantasien Wirklichkeit geworden, und er kann den Helden seines eigenen Thrillers spielen. Und was das Beste ist: Er hat ein Publikum, zu dem auch zwei attraktive Blondinen gehören. Sie sind es, für die er diese Show in Wirklichkeit abzieht, denn mich kann er schon längst nicht mehr beeindrucken, und das weiß er auch.

»Gut gesprochen, aber das ändert nichts. Packen Sie Ihre Sachen, wir fahren nach Osten.« Johnny geht zu seinem Zelt, um es abzubauen.

»Gott sei Dank, dass er die Sache abbricht«, sagt Elliot.

»Was bleibt ihm anderes übrig?« Richard schnaubt verächtlich. »Nachdem er es so gründlich verbockt hat.«

»Sie können ihm nicht die Schuld geben an dem, was Clarence zugestoßen ist.«

»Wer ist denn letzten Endes verantwortlich? Er hat einen Fährtensucher engagiert, mit dem er noch nie zusammengearbeitet hat.« Richard wendet sich an mich. »Das hat Clarence dir doch erzählt. Er hat gesagt, dass er vor dieser Tour noch nie mit Johnny gearbeitet hat.«

»Aber sie hatten Beziehungen«, wende ich ein. »Und Clarence hatte vorher schon als Tracker gearbeitet. Johnny hätte ihn nicht genommen, wenn er keine Erfahrung gehabt hätte.«

»Das glaubst *du*, aber sieh doch, was passiert ist. Unser

angeblich so erfahrener Fährtensucher legt sein Gewehr hin und spaziert mitten in ein Rudel Hyänen hinein. Hört sich das nach jemandem an, der sein Handwerk versteht?«

»Worauf wollen Sie eigentlich hinaus, Richard?«, fragt Elliot mit matter Stimme.

»Worauf ich hinauswill, ist, dass wir seinem Urteil nicht vertrauen können. Das ist alles, was ich sagen will.«

»Also, ich finde, Johnny hat recht. Wir können nicht einfach die Expedition wie geplant fortsetzen, wie Sie es ausdrücken. Ein toter Mann ruiniert irgendwie die ganze Stimmung, wissen Sie?« Elliot wendet sich zu seinem Zelt um. »Es wird Zeit, dass wir hier verschwinden und nach Hause fahren.«

Nach Hause. Während ich Kleider und Toilettenartikel in meine Reisetasche stopfe, denke ich an London, an grauen Himmel und Cappuccino. In zehn Tagen wird Afrika nur noch wie ein in goldenes Licht getauchter Traum sein, ein Ort der Hitze und der sengenden Sonne, von Leben und Tod in all ihren grellen Farben. Gestern noch wünschte ich mir nichts weiter, als zu Hause in unserer Wohnung zu sein, im Land der heißen Duschen. Aber jetzt, wo wir im Begriff sind, den Busch zu verlassen, habe ich das Gefühl, dass er mich festhält, seine Ranken um meine Knöchel schlingt und droht, mich in diesem Boden zu verwurzeln. Ich ziehe den Reißverschluss meines Rucksacks zu, der die »Essentials« enthält, all die Dinge, von denen ich geglaubt habe, dass sie fürs Überleben in der Wildnis unverzichtbar seien: Energieriegel und Toilettenpapier, feuchte Hygienetücher und Sonnencreme, Tampons und mein Handy. Wie anders das Wort *Essentials* klingt, wenn man fernab von jedem Handymast ist.

Als Richard und ich endlich unser Zelt verpackt haben, hat Johnny schon den Jeep mit seiner eigenen Ausrüstung, dem Kochgeschirr und den Campingstühlen beladen. Wir waren alle erstaunlich schnell, sogar Elliot, der mühsam sein Zelt abgebaut hat und sich von Sylvia und Vivian helfen lassen musste, es zusammenzufalten. Clarence' Tod hängt wie ein Schatten über uns, bringt alle müßigen Plaudereien zum Verstummen und sorgt dafür, dass wir uns auf unsere Aufgaben konzentrieren. Als ich unser Zelt auf die Ladefläche des Jeeps packe, sehe ich den Leinensack mit Clarence' sterblichen Überresten neben Johnnys Rucksack stehen. Es macht mich ganz fertig zu sehen, wie er dort zusammen mit dem Rest unserer Ausrüstung verstaut ist. *Haben wir alles? Zelte? Campingkocher? Leiche?*

Ich klettere in den Jeep und setze mich neben Richard. Mein Blick fällt auf Clarence' leeren Sitz, der mir noch einmal jäh vor Augen führt, dass Clarence nicht mehr unter uns ist, seine Knochen verstreut, sein Fleisch verdaut. Johnny steigt als Letzter ein, und als er seine Tür zuschlägt, blicke ich mich zu unserem geräumten Lagerplatz um und denke: Bald wird nichts mehr daran erinnern, dass wir je hier waren. Für uns geht das Leben weiter, aber nicht für Clarence.

Plötzlich stößt Johnny einen Fluch aus und klettert vom Fahrersitz. Irgendetwas stimmt nicht.

Er stapft nach vorn und klappt die Motorhaube auf, um nachzusehen. Die Sekunden verstreichen. Sein Kopf ist von der geöffneten Haube verdeckt, sodass wir sein Gesicht nicht sehen können, aber sein Schweigen beunruhigt mich. Keine beschwichtigenden Worte, kein *Es ist nur ein loses Kabel* oder *Ah, ich sehe schon, woran es liegt.*

»Was ist denn jetzt schon wieder?«, brummt Richard. Er steigt ebenfalls aus, obwohl ich mir beim besten Willen nicht vorstellen kann, welchen Rat er geben könnte. Er versteht nichts von Autos, kann gerade mal die Tankanzeige ablesen. Ich höre, wie er Mutmaßungen vorbringt. Die Batterie? Die Zündkerzen? Ein loser Kontakt? Johnnys Antworten sind einsilbig und kaum zu verstehen, was mich nur noch mehr beunruhigt, denn ich habe die Erfahrung gemacht, dass Johnny umso stiller wird, je schlimmer die Lage ist.

Es ist heiß in dem offenen Jeep, wir haben fast Mittag, und die Sonne knallt auf uns herab. Wir Übrigen steigen ebenfalls aus und ziehen uns in den Schatten der Bäume zurück. Ich sehe, wie Johnnys Kopf kurz auftaucht, und höre ihn rufen: »Nicht zu weit weggehen!« Nicht, dass irgendjemand das vorhätte – wir haben gesehen, was passieren kann, wenn man das tut. Mr. Matsunaga und Elliot gesellen sich zu Richard am Jeep, um ihren Rat beizusteuern, weil natürlich jeder Mann etwas von Motoren und Maschinen versteht – oder zu verstehen glaubt, auch wenn er sich noch nie die Hände mit Schmiere versaut hat.

Wir Frauen warten im Schatten, schlagen nach Mücken und halten permanent Ausschau nach dem verräterischen Zittern im Gras, das vielleicht die einzige Warnung vor einem nahenden Raubtier sein könnte. Selbst im Schatten ist es heiß, und ich hocke mich auf den Boden. Durch die Zweige über mir sehe ich die Geier kreisen und uns beobachten. Sie sind eigenartig schön, wie sie mit ihren schwarzen Schwingen gemächlich ihre Schleifen am Himmel ziehen und auf ihre Mahlzeit warten. *Woraus wird sie bestehen?*

Richard marschiert auf uns zu. »Na, das wird ja immer heiterer. Das verdammte Ding springt nicht an – keinen Mucks gibt es von sich.«

Ich setze mich aufrecht. »Gestern war er doch noch in Ordnung.«

»Gestern war alles noch in Ordnung.« Richard schnaubt genervt. »Wir sitzen fest.«

Die Blondinen schnappen simultan nach Luft. »Das geht absolut *gar* nicht«, sprudelt Sylvia hervor. »Ich muss nächsten Donnerstag wieder arbeiten!«

»Ich auch!«, ruft Vivian.

Mr. Matsunaga schüttelt ungläubig den Kopf. »Wie kann das sein? Das ist unmöglich!«

Während ihre Stimmen sich zu einem aufgeregten Chor der Empörung vermischen, fällt mir auf, dass die Kreise der Geier über uns immer enger werden, als ob unsere Notlage sie anlockt.

»Alle mal herhören!«, kommandiert Johnny.

Wir drehen uns zu ihm um.

»Das ist jetzt nicht der Moment, in Panik zu verfallen«, sagt er. »Dazu gibt es absolut keinen Anlass. Wir sind in der Nähe des Flusses, haben also reichlich Wasser. Wir haben Zelte, wir haben Munition, und es gibt hier mehr als genug Wild, das wir schießen können, um nicht zu verhungern.«

Elliots Lachen klingt brüchig vor Angst. »Das heißt… was? Wir bleiben einfach hier und machen einen auf Steinzeit?«

»Das Flugzeug soll Sie in einer Woche am Landeplatz abholen. Wenn wir zum vereinbarten Termin nicht dort sind, wird man eine Suche starten. Es wird nicht lange dauern, bis sie uns finden. Deswegen sind Sie doch alle hier, oder nicht? Um ein echtes Abenteuer im Busch zu erleben.« Er sieht uns alle der Reihe nach an, taxiert uns, um herauszufinden, ob wir der Herausforderung gewachsen sind. Um zu sehen, wer von uns zusammenbrechen wird, und auf wen er sich verlassen kann. »Ich werde jetzt weiter am Jeep arbeiten. Vielleicht kann ich ihn reparieren, vielleicht auch nicht.«

»Wissen Sie denn überhaupt, was das Problem ist?«, fragt Elliot.

Johnny fixiert ihn mit einem harten Blick. »Er ist noch nie liegen geblieben. Ich kann es mir nicht erklären.« Wieder sieht er von einem zum anderen, als ob er die Antwort in unseren Gesichtern suchte. »Erst mal müssen wir das Lager wieder aufschlagen. Packen Sie die Zelte aus. Wir bleiben heute Nacht hier.«

6

Boston

Die Psychologen sprechen von »Widerstand«, wenn ein Patient zu spät zu seinem Termin kommt, weil er sich nicht wirklich mit seinen Problemen auseinandersetzen will. Das war auch die Erklärung dafür, dass Jane an diesem Morgen mit Verspätung das Haus verließ: Sie *wollte* eigentlich gar nicht bei der Obduktion von Leon Godts Leiche dabei sein. Sie ließ sich viel Zeit, als sie ihrer Tochter das Red-Sox-T-Shirt und die grasfleckige Latzhose anzog, auf der Regina nun schon den fünften Tag bestand. Sie trödelten zu lange bei Haferflocken und Toast am Frühstückstisch, und so verließen sie schon mit zwanzig Minuten Verspätung die Wohnung. Dann die Fahrt durch die verstopften Straßen nach Revere, wo Janes Mutter wohnte, und als sie endlich vor Angelas Haus ankamen, war Jane schon eine halbe Stunde in Verzug.

Das Haus ihrer Mutter kam ihr von Jahr zu Jahr kleiner vor, als ob es mit dem Alter schrumpfte. Als sie mit Regina im Schlepptau auf die Haustür zuging, sah sie, dass die Veranda einen neuen Anstrich nötig hatte, dass die Dachrinnen mit Herbstlaub verstopft waren und dass die Sträucher im Vorgarten noch für den Winter zurückgeschnitten werden mussten. Sie würde mit ihren Brüdern telefonieren und sie fragen müssen, ob sie alle an einem Wochenende mit

Hand anlegen könnten, da Angela ganz offensichtlich überfordert war.

Und sie müsste sich auch mal wieder richtig ausschlafen, dachte Jane, als Angela die Tür aufmachte. Jane war erschrocken, wie erschöpft ihre Mutter aussah. Alles an ihr wirkte matt und verbraucht, von der verwaschenen Bluse bis hin zu der ausgebeulten Jeans. Als Angela sich bückte, um Regina hochzunehmen, fiel Jane auf, dass die Haare ihrer Mutter grau nachwuchsen, was sie alarmierend fand, da Angela ihre Friseurtermine bisher immer ganz gewissenhaft eingehalten hatte. War dies dieselbe Frau, die erst letzten Sommer mit rotem Lippenstift und Stilettos in einem Restaurant aufgekreuzt war?

»Da ist ja mein kleiner Wonneproppen«, gurrte Angela, als sie Regina ins Haus trug. »Deine Nonna freut sich ja so, dich zu sehen. Lass uns heute mal zusammen einkaufen gehen, ja? Hast du die dreckige Latzhose nicht allmählich über? Wir kaufen dir was hübsches Neues.«

»*Mag* nix Hübsches!«

»Ein Kleidchen, was meinst du? Ein ganz tolles Prinzessinnen-Kleidchen!«

»*Mag* keine Prinzessin sein!«

»Aber jedes Mädchen will doch eine Prinzessin sein!«

»Ich glaube, sie wäre lieber ein Frosch«, sagte Jane.

»Ach herrje, sie ist genau wie du.« Angela seufzte frustriert. »Du wolltest dich auch nie in ein Kleid stecken lassen.«

»Nicht jedes Mädchen ist eine Prinzessin, Ma.«

»Oder findet am Ende ihren Traumprinzen«, murmelte Angela, als sie mit ihrer Enkelin im Arm vorausging.

Jane folgte ihr in die Küche. »Was ist los, Ma?«

»Ich mach noch mal Kaffee. Für dich auch?«

»Ma, ich merke doch, dass etwas nicht stimmt.«

»Du musst zur Arbeit.« Angela setzte Regina in ihren Hochstuhl. »Los, geh und fang ein paar Bösewichte.«

»Wird dir das Babysitten zu viel? Du musst das nicht machen, das weißt du. Sie ist jetzt alt genug für die Tagesstätte.«

»Meine Enkelin in einer Tagesstätte? Kommt überhaupt nicht infrage.«

»Ich habe mit Gabriel darüber gesprochen. Du hast schon so viel für uns getan, und wir denken, dass du dir ein bisschen Erholung verdient hast. Genieß einfach das Leben.«

»*Sie* ist doch das Einzige, worauf ich mich jeden Tag freue«, sagte Angela und wies auf ihre Enkeltochter. »Das Einzige, was mich ablenkt von...«

»Dad?«

Angela wandte sich ab und machte sich daran, Wasser in die Kaffeemaschine zu füllen.

»Seit er zu dir zurückgekehrt ist«, sagte Jane, »habe ich noch kein einziges Mal erlebt, dass du glücklich aussiehst. Nicht *einen* Tag.«

»Es ist so schwierig, eine Wahl treffen zu müssen. Ich bin so hin- und hergerissen, dass ich das Gefühl habe, es zerreißt mich irgendwann. Ich wünschte, irgendjemand würde mir einfach sagen, was ich machen soll, damit ich mich nicht zwischen den beiden entscheiden muss.«

»Du bist diejenige, die eine Wahl treffen muss. Dad oder Korsak. Ich finde, du solltest den Mann wählen, der dich glücklich macht.«

Angela drehte sich mit gequälter Miene zu ihr um. »Wie kann ich glücklich sein, wenn ich den Rest meines Lebens ein schlechtes Gewissen haben muss? Weil deine Brüder mir sagen, dass ich mich bewusst dafür entschieden habe, die Familie zu zerstören?«

»*Du* hast doch nicht beschlossen, Dad zu verlassen. Es war umgekehrt.«

»Und jetzt ist er wieder da und will, dass wir alle wieder zusammen sind.«

»Du hast ein Recht auf dein eigenes Leben.«

»Wenn meine Söhne darauf bestehen, dass ich deinem Vater eine zweite Chance gebe? Father Donnelly sagt, das ist die *Pflicht* einer guten Ehefrau.«

Na toll, dachte Jane. Katholische Schuldgefühle waren die Eliteklasse der Schuldgefühle.

Janes Handy klingelte. Sie warf einen Blick darauf, sah, dass es Maura war, und ließ den Anruf auf die Mailbox gehen.

»Und der arme Vince«, fuhr Angela fort. »Seinetwegen habe ich auch ein schlechtes Gewissen. Die ganzen Hochzeitspläne, die wir schon geschmiedet haben.«

»Ihr könnt es immer noch machen.«

»Jetzt wohl nicht mehr.« Angela lehnte sich erschöpft an den Küchentresen, während die Kaffeemaschine hinter ihr gurgelte und blubberte. »Gestern Abend habe ich es ihm endlich gesagt. Janie, in meinem ganzen Leben ist mir noch nie etwas so schwergefallen.« Und man sah es ihrem Gesicht an. Die verquollenen Augen, die hängenden Mundwinkel – war das die neue und zukünftige Angela Rizzoli, die lammfromme Ehefrau und Mutter?

Es gibt schon zu viele Märtyrer auf der Welt, dachte Jane. Der Gedanke, dass ihre Mutter sich freiwillig in diese Schar einreihen wollte, machte sie wütend.

»Ma, wenn diese Entscheidung dich unglücklich macht, musst du dich daran erinnern, dass es *deine* Entscheidung ist. Du entscheidest dich dafür, *nicht* glücklich zu sein. Niemand kann dich dazu zwingen.«

»Wie kannst du das sagen?«

»Weil es die Wahrheit ist. Es liegt allein bei dir. Du musst das Heft in die Hand nehmen.« Ihr Handy signalisierte den

Eingang einer SMS, und sie sah, dass es wieder Maura war. FANGE MIT OBDUKTION AN. KOMMST DU?

»Na los, fahr in die Arbeit.« Angela scheuchte sie hinaus. »Du musst dir über diese Geschichte nicht den Kopf zerbrechen.«

»Ich will, dass du glücklich bist, Ma.« Jane wandte sich zum Gehen, dann drehte sie sich noch einmal zu Angela um. »Aber du musst es auch wollen.«

Jane empfand es als Erleichterung, ins Freie zu treten, die frische Luft einzuatmen und die düstere Stimmung des Hauses aus ihrer Lunge zu waschen. Aber sie konnte die Verärgerung über ihren Vater nicht abschütteln, über ihre Brüder und Father Donnelly, über all die Männer, die sich anmaßten, einer Frau vorzuschreiben, was ihre Pflicht sei.

Als ihr Handy wieder klingelte, meldete sie sich mit einem gereizten »Rizzoli«.

»Äh, ich bin's«, sagte Frost.

»Ja, ich bin auf dem Weg in die Rechtsmedizin. Ich bin in zwanzig Minuten dort.«

»Du bist noch nicht da?«

»Ich bin bei meiner Mutter aufgehalten worden. Warum bist *du* nicht da?«

»Ich dachte, es wäre sinnvoller, wenn ich … äh … ein paar andere Dinge erledige.«

»Anstatt den ganzen Vormittag in ein Waschbecken zu kotzen. Gute Entscheidung.«

»Ich warte immer noch darauf, dass der Telefonanbieter Godts Verbindungsdaten freigibt. Inzwischen habe ich etwas Interessantes im Internet gefunden. Im Mai hat das *Hub Magazine* etwas über Leon Godt gebracht. Der Artikel ist überschrieben: ›Der Herr der Trophäen: Ein Interview mit Bostons Meister-Präparator.‹«

»Ja, ich habe eine gerahmte Kopie dieses Interviews in

seinem Haus hängen sehen. Da geht's hauptsächlich um seine Jagdabenteuer. Elefanten abknallen in Afrika, Wapitis abknallen in Montana.«

»Na, du solltest mal die Online-Kommentare zu diesem Artikel lesen. Sie stehen auf der Website der Zeitschrift. Offenbar hat er die ›Salatfresser‹ – so hat Godt die Jagdgegner tituliert – ganz schön in Rage gebracht. Ein anonymer Kommentar lautet: ›Leon Godt sollte aufgehängt und ausgeweidet werden wie das dreckige Schwein, das er ist!‹«

»*Aufgehängt und ausgeweidet*? Das klingt wie eine Drohung«, sagte sie.

»Genau. Und vielleicht hat jemand sie jetzt wahr gemacht.«

Als Jane sah, was da auf dem Seziertisch lag, war sie schwer versucht, kehrtzumachen und gleich wieder hinauszugehen. Auch der scharfe Formalingeruch konnte den Gestank der Gedärme nicht überdecken, die auf der Edelstahlplatte ausgebreitet waren. Maura trug keine Atemschutzhaube, nur ihren üblichen Mundschutz und eine Gesichtsmaske aus Plastik. So sehr war sie auf die intellektuelle Herausforderung konzentriert, die diese Innereien für sie bedeuteten, dass sie gegen den Geruch immun zu sein schien. Neben ihr stand ein großer Mann mit weißen Augenbrauen, den Jane nicht kannte. Wie Maura studierte er fasziniert die Ansammlung von Eingeweiden.

»Fangen wir mit dem Dickdarm hier an«, sagte er und strich mit einer behandschuhten Hand über das Organ. »Wir haben Blinddarm, Colon ascendens, transversum und descendens…«

»Aber der Sigmadarm fehlt«, bemerkte Maura.

»Stimmt. Hier ist das Rektum, aber kein Sigmoid. Das ist der erste Hinweis.«

»Und es unterscheidet dieses Exemplar von dem anderen, das einen Sigmoid aufweist.«

Der Mann lachte entzückt auf. »Ich bin wirklich froh, dass Sie mich gerufen haben, um mir das zu zeigen. So etwas Faszinierendes bekomme ich nicht alle Tage zu sehen. Diese Story wird mir noch monatelang Stoff für Tischgespräche liefern.«

»Also, auf solchen Gesprächsstoff beim Essen kann ich gut verzichten«, warf Jane ein. »Am Ende lesen Sie noch die Zukunft aus den Gedärmen wie die alten Römer.«

Maura drehte sich um. »Jane, wir vergleichen gerade die beiden Organsätze. Das ist Professor Guy Gibbeson. Professor Gibbeson, das ist Detective Rizzoli vom Morddezernat.«

Professor Gibbeson nickte Jane beiläufig zu und wandte sich dann wieder den Eingeweiden zu, die er offensichtlich viel interessanter fand.

»Professor für welches Fachgebiet?«, fragte Jane, die immer noch Abstand zum Tisch hielt. Zu dem Geruch.

»Vergleichende Anatomie. Harvard«, antwortete er, ohne sie anzusehen. Seine ganze Aufmerksamkeit war immer noch auf den Darm gerichtet. »Dieser zweite Organsatz, der mit dem Sigma, der stammt vom Opfer, nehme ich an?«, fragte er Maura.

»Es scheint so. Die Schnittkanten passen zusammen, aber wir brauchen noch einen DNS-Abgleich zur Bestätigung.«

»Also, wenn wir uns nun den Lungen zuwenden, lassen sich schon ein paar recht eindeutige Hinweise finden.«

»Hinweise worauf?«, fragte Jane.

»Darauf, wem diese erste Lunge gehört hat.« Er nahm die zwei Lungenflügel und hielt sie eine Weile in den Händen. Dann legte er sie ab und griff nach dem zweiten Paar. »Sie sind ungefähr gleich groß, weshalb ich von einer ähnlichen Körpermasse ausgehe.«

»Laut dem Führerschein des Getöteten war er eins zwei-
undsiebzig groß und wog vierundsechzig Kilo.«

»Nun, das dürfte dann seine gewesen sein«, sagte Gibbe-
son und betrachtete die Lunge, die er in den Händen hielt.
Er legte sie hin und wandte sich der zweiten zu. »Das ist die
Lunge, die mich eigentlich interessiert.«

»Und was ist so interessant daran?«, fragte Jane.

»Schauen Sie mal, Detective. Oh, Sie müssen aber schon
ein Stück näher kommen, um es zu sehen.«

Jane musste den Würgereflex unterdrücken, als sie sich
dem Haufen Gedärme näherte, der an Abfälle aus einem
Schlachthaus erinnerte. So isoliert von ihren Besitzern
sahen in Janes Augen alle Innereien gleich aus, bestehend
aus den gleichen austauschbaren Elementen, die auch Teil
ihres eigenen Körpers waren. Sie erinnerte sich an ein Pla-
kat, das im Biologiesaal ihrer Highschool gehangen hatte,
überschrieben *Die gläserne Frau*. Es hatte alle Organe in
ihrer anatomisch korrekten Lage gezeigt. Hässlich oder
schön, jede Frau ist im Grunde nur ein Organpaket in einer
Hülle aus Fleisch, Knochen und Haut.

»Können Sie den Unterschied sehen?«, fragte Gibbeson.
Er deutete auf die erste Lunge. »Dieser linke Lungenflügel
hat einen oberen und einen unteren Lappen. Der rechte Flügel besteht aus oberem, mittlerem und unterem Lappen.
Macht insgesamt wie viele Lappen?«

»Fünf«, sagte Jane.

»Das ist die normale menschliche Anatomie. Zwei Lungenflügel, fünf Lappen. Und jetzt schauen Sie sich diese
zweite Lunge an, die in demselben Abfalleimer gefunden
wurde. Von Größe und Gewicht her sind sie ähnlich, aber
mit einem entscheidenden Unterschied. Sehen Sie ihn?«

Jane runzelte die Stirn. »Sie hat mehr Lappen.«

»Zwei zusätzliche Lappen, um genau zu sein. Der rechte

Lungenflügel hat vier, der linke drei. Das ist keine anatomische Anomalie.« Er legte eine Kunstpause ein. »Sprich, die Lunge stammt nicht von einem Menschen.«

»Deswegen habe ich Professor Gibbeson angerufen«, sagte Maura. »Er soll mir helfen, die Spezies zu identifizieren, mit der wir es zu tun haben.«

»Auf jeden Fall ein großes Tier«, sagte Gibbeson. »Ungefähr so groß wie ein Mensch, würde ich sagen, nach dem Herz und der Lunge zu schließen. Nun lassen Sie uns sehen, ob die Leber uns irgendwelche Antworten liefern kann.« Er ging zum anderen Ende des Seziertischs, wo zwei Lebern nebeneinander platziert waren. »Exemplar Nummer eins hat einen linken und einen rechten Lappen. Dazu Lobus quadratus und Lobus caudatus…«

»Das ist eine menschliche Leber«, stellte Maura fest.

»Aber dieses zweite Exemplar…« Gibbeson nahm die zweite Leber, drehte sie um und betrachtete die Rückseite. »Sie hat sechs Lappen.«

Maura sah Jane an. »Wiederum nicht menschlich.«

»Wir haben also zwei Organsätze«, sagte Jane. »Einer gehört dem Opfer, nehmen wir an. Und der andere stammt von… was? Einem Hirsch? Einem Schwein?«

»Weder noch«, sagte Gibbeson. »Aufgrund des Fehlens eines Sigmoids, der siebenlappigen Lunge und der sechslappigen Leber glaube ich, dass diese Organe von einem Exemplar der Familie Felidae stammen.«

»Und das bedeutet?«

»Die Familie der Katzen.«

Jane sah die Leber an. »Das wäre aber ein verdammt großer Stubentiger.«

»Es ist eine weitverzweigte Familie, Detective. Dazu gehören auch Löwen, Tiger, Pumas, Leoparden und Geparden.«

»Aber wir haben am Tatort keinen solchen Kadaver gefunden.«

»Haben Sie in der Gefriertruhe nachgesehen?«, fragte Gibbeson. »War da irgendwelches Fleisch, das Sie nicht identifizieren konnten?«

Jane lachte verstört auf. »Wir haben keine Tigersteaks gefunden. Und überhaupt, wer würde denn so was essen wollen?«

»Es gibt durchaus einen Markt für exotisches Fleisch. Je ungewöhnlicher, desto besser. Es gibt Leute, die bezahlen für das Erlebnis, alles Mögliche einmal probiert zu haben, von Klapperschlange bis Bär. Die Frage ist: Woher kam dieses Tier? Wurde es illegal gejagt? Und vor allem: Wie ist es als ausgeweideter Kadaver in einem Haus in Boston gelandet?«

»Er war Präparator«, sagte Jane und blickte sich zu Leon Godts Leichnam um, der auf dem anderen Seziertisch lag. Maura war bereits mit Skalpell und Knochensäge zu Werke gegangen, und in der Nähe stand ein Eimer mit konservierender Lösung, in der Leon Godts Gehirn schwamm. »Er hat wahrscheinlich Hunderte, wenn nicht Tausende von Tieren ausgenommen. Hätte sich wahrscheinlich nicht träumen lassen, dass er einmal genauso enden würde wie sie.«

»Aber beim Präparieren geht man eigentlich ganz anders vor«, sagte Maura. »Ich habe gestern Abend noch ein bisschen zu dem Thema recherchiert und erfahren, dass Präparatoren es bei großen Tieren vorziehen, den Kadaver vor dem Abbalgen nicht auszunehmen, weil die Körperflüssigkeiten das Fell ruinieren können. Sie machen den ersten Einschnitt entlang der Wirbelsäule und ziehen die Haut in einem Stück ab. Das Ausweiden wäre also nach dem Entfernen des Fells erfolgt.«

»Faszinierend«, sagte Gibbeson. »Das habe ich nicht gewusst.«

»So ist sie, unsere Dr. Isles. Von ihr kann man immer spannende Fakten lernen«, meinte Jane. Sie deutete auf Godts Leiche. »Apropos Fakten, hast du die Todesursache schon ermittelt?«

»Ich glaube ja«, antwortete Maura und streifte ihre blutverschmierten Handschuhe ab. »Der ausgedehnte Tierfraß an Gesicht und Hals hat die Verletzungen, die ihm ante mortem zugefügt wurden, zunächst verdeckt. Aber die Röntgenaufnahmen haben uns Antworten geliefert.« Sie ging zum Computerbildschirm und klickte sich durch eine Reihe von Röntgenbildern. »Ich habe keine Fremdkörper entdeckt und auch nichts, was auf die Verwendung einer Schusswaffe hindeutet. Aber ich habe das hier gefunden.« Sie deutete auf das Radiogramm des Schädels. »Es ist eine lineare Fraktur des rechten Scheitelbeins. Sie ist sehr fein, weshalb ich sie durch Betasten nicht erkennen konnte. Kopfhaut und Haare dürften den Schlag so weit abgedämpft haben, dass es nicht zu einer konkaven Verformung kam, aber allein das Vorhandensein einer Fraktur verrät uns, dass es eine erhebliche Gewalteinwirkung gegeben haben muss.«

»Die Fraktur stammt also nicht von einem Sturz.«

»Die Seite des Schädels ist ein ungewöhnlicher Ort für eine Fraktur infolge eines Sturzes. Die Schulter federt normalerweise den Sturz ab, oder man streckt die Hände aus, um ihn abzufangen. Nein, ich neige zu der Annahme, dass die Fraktur von einem Schlag auf den Kopf herrührt. Hart genug, um ihn zu betäuben und zu Fall zu bringen.«

»Hart genug, um ihn zu töten?«

»Nein. Es findet sich zwar eine gewisse Menge subdurales Blut im Schädel, aber nicht in einem Ausmaß, das tödlich gewesen wäre. Daraus können wir auch schließen, dass sein Herz nach dem Schlag auf den Schädel noch gepumpt hat. Er hat zumindest noch einige Minuten gelebt.«

Jane sah die Leiche an, jetzt nur noch eine leere Hülle, ihrer inneren Maschinerie beraubt. »Du lieber Gott. Sag mir bitte nicht, dass er noch am Leben war, als der Täter angefangen hat, ihn auszuweiden.«

»Ich glaube auch nicht, dass das Ausweiden die Todesursache war.« Maura klickte weiter, und statt der Schädelaufnahmen erschienen zwei neue Bilder auf dem Computermonitor. »Sondern das hier.«

Die Knochen von Godts Hals leuchteten auf dem Bildschirm auf – Ansichten seiner Wirbel von vorn und von der Seite.

»Wir können Brüche und Verschiebungen der Oberhörner des Schildknorpels sowie des Zungenbeins erkennen. Der Kehlkopf ist massiv in Mitleidenschaft gezogen.« Maura hielt inne. »Der Hals dieses Mannes wurde zerquetscht, höchstwahrscheinlich, während er auf dem Rücken lag. Ein harter Schlag, vielleicht ein Tritt mit einem Schuh, direkt auf den Schildknorpel. Er hat Kehlkopf und Kehldeckel zerrissen und große Blutgefäße verletzt. Es wurde alles deutlich, als ich den Hals sezierte. Mr. Godt ist durch Aspiration gestorben – er ist an seinem eigenen Blut erstickt. Das Fehlen von arteriellen Blutspritzern an den Wänden deutet darauf hin, dass das Ausweiden post mortem vorgenommen wurde.«

Jane schwieg, den Blick auf den Bildschirm geheftet. Wie viel leichter war es doch, eine kalte, nüchterne Röntgenaufnahme zu betrachten als das, was dort auf dem Tisch lag. Röntgenbilder blendeten Haut und Fleisch einfach aus und zeigten nur die blutleere Architektur, das stützende Gerüst des menschlichen Körpers. Was, so dachte sie, konnte jemanden dazu bewegen, mit dem Absatz auf den ungeschützten Hals eines hilflosen Mannes zu treten? Und was hatte der Mörder empfunden, als der Kehlkopf unter seiner

Schuhsohle zerquetscht wurde und er das Bewusstsein aus Godts Augen schwinden sah? Wut? Triumph? Befriedigung?

»Da ist noch etwas«, sagte Maura und klickte eine weitere Röntgenaufnahme an, diesmal vom Brustkorb. Angesichts des verstümmelten und malträtierten Körpers war es verblüffend, wie normal die knöchernen Strukturen wirkten. Rippen und Brustbein, alles am richtigen Platz. Nur dass die Brusthöhle seltsam leer war, ohne die gewohnten nebligen Schatten von Herz und Lunge. »Das da«, sagte Maura.

Jane beugte sich weiter vor. »Diese leichten Kratzer an den Rippen?«

»Ja. Ich habe sie euch gestern an der Leiche gezeigt. Drei parallele Schnittwunden. Sie sind so tief, dass sogar der Knochen eingekerbt wurde. Und jetzt seht euch das an.« Maura klickte ein anderes Röntgenbild an, und das Gesichtsskelett erschien, mit den leeren Augenhöhlen und den schattenhaften Nebenhöhlen.

Jane runzelte die Stirn. »Wieder diese drei Kratzer.«

»Auf beiden Seiten des Gesichts. Drei parallele Kerben, bis auf den Knochen eingeritzt. Wegen der Schäden, die die Haustiere des Opfers an den Weichteilen angerichtet haben, konnte ich sie zuerst nicht sehen. Sie sind mir erst aufgefallen, als ich mir diese Röntgenaufnahmen angeschaut habe.«

»Was für ein Werkzeug könnte diese Verletzungen verursacht haben?«

»Ich weiß es nicht. In der Werkstatt habe ich nichts gesehen, was solche Spuren hinterlassen haben könnte.«

»Du sagtest gestern, dass es sich anscheinend um postmortale Verletzungen handelt.«

»Ja.«

»Aber was hat der Täter dann damit bezweckt, wenn es weder darum ging, das Opfer zu töten, noch ihm Schmerzen zuzufügen?«

Maura dachte darüber nach. »Ein Ritual«, sagte sie.

Einen Moment lang war es ganz still im Sektionssaal. Jane dachte an andere Tatorte, andere Rituale. Sie dachte an die Narben, die sie für immer an den Händen tragen würde, Andenken an einen Mörder, der seine eigenen Rituale hatte. Und sie spürte, wie die Schmerzen in diesen Narben wieder aufflammten.

Das Summen der Gegensprechanlage ließ sie zusammenfahren.

»Dr. Isles?«, ertönte die Stimme von Mauras Sekretärin. »Ein Anruf für Sie von einem Dr. Mikovitz. Er sagt, Sie hätten heute Morgen bei einem Kollegen von ihm eine Nachricht hinterlassen.«

»Oh, natürlich.« Maura griff nach dem Hörer. »Dr. Isles hier ...«

Jane wandte sich wieder zu der Röntgenaufnahme um, zu diesen drei parallelen Kerben im Wangenknochen. Sie versuchte, sich vorzustellen, was eine solche Verletzung verursacht haben könnte. Es war ein Werkzeug, das weder ihr noch Maura je begegnet war.

Maura legte auf und wandte sich zu Dr. Gibbeson um. »Sie hatten vollkommen recht«, sagte sie. »Das war der Suffolk Zoo. Kovos Kadaver wurde Leon Godt am Sonntag geliefert.«

»Moment mal«, sagte Jane. »Wer oder was ist Kovo?«

Maura deutete auf den unidentifizierten Organsatz auf dem Seziertisch. »Das ist Kovo. Ein Schneeleopard.«

7

»Kovo war eine unserer größten Attraktionen. Er war fast achtzehn Jahre lang bei uns, deshalb waren wir alle untröstlich, als er eingeschläfert werden musste.« Dr. Mikovitz sprach mit gedämpfter Stimme, wie ein trauernder Angehöriger, und nach den vielen Fotos zu schließen, welche die Wände seines Büros schmückten, waren die Tiere im Suffolk Zoo tatsächlich wie eine Familie für ihn. Mit seinen krausen roten Haaren und dem dünnen Ziegenbärtchen sah Dr. Mikovitz selbst aus wie ein Zoobewohner, vielleicht irgendeine exotische Affenart mit klugen dunklen Augen, die jetzt Jane und Frost über seinen Schreibtisch hinweg ansahen. »Wir haben noch keine Presseerklärung darüber herausgegeben, deswegen war ich überrascht, als Dr. Isles sich erkundigte, ob wir in jüngster Zeit eine unserer Großkatzen verloren hätten. Woher hat sie das bloß gewusst?«

»Dr. Isles ist gut darin, alle möglichen obskuren Informationen zutage zu fördern«, sagte Jane.

»Tja, uns hat sie jedenfalls kalt erwischt. Es ist nämlich ein … nun ja, ein recht heikles Thema.«

»Der Tod eines Zootiers? Wieso?«

»Weil er eingeschläfert werden musste. Das löst immer negative Reaktionen aus. Und Kovo gehörte zu einer sehr seltenen Art.«

»An welchem Tag war das?«

»Am Sonntagmorgen. Unser Tierarzt Dr. Oberlin ist gekommen, um ihm die tödliche Spritze zu setzen. Kovos Nieren hatten schon eine Weile nicht mehr richtig gearbeitet, und er hatte stark abgenommen. Dr. Rhodes hatte ihn vor einem Monat aus dem Freigehege genommen, um ihm den Stress durch den Kontakt mit den Besuchern zu ersparen. Wir hatten gehofft, wir könnten ihn durchbringen, aber Dr. Oberlin und Dr. Rhodes waren sich letztlich einig, dass es an der Zeit war, ihn zu erlösen. So sehr es sie beide auch schmerzte.«

»Ist Dr. Rhodes auch Tierarzt?«

»Nein. Alan ist Experte für das Verhalten von Großkatzen. Er kannte Kovo besser als irgendjemand sonst. Er war es auch, der Kovo zu dem Präparator brachte.« Dr. Mikovitz blickte auf, als es an seiner Tür klopfte. »Ah, da ist ja Alan.«

Die Bezeichnung *Experte für Großkatzen* beschwor das Bild eines raubeinigen Naturburschen in Safarikluft herauf. Der Mann, der jetzt das Büro betrat, trug tatsächlich eine Kakiuniform mit staubiger Hose und einer Fleecejacke, an der Kletten hingen, als ob er geradewegs von einer Wanderung käme, doch Rhodes' angenehm offenes Gesicht hatte ganz und gar nichts Derbes. Er war Ende dreißig, mit krausem, dunklem Haar und einem kantigen Schädel, der an Frankensteins Monster erinnerte, allerdings in einer freundlichen Version.

»Entschuldigen Sie die Verspätung«, sagte Rhodes und klopfte sich den Staub von den Hosenbeinen. »Wir hatten einen Zwischenfall im Löwengehege.«

»Nichts Ernstes, hoffe ich?«, fragte Dr. Mikovitz.

»Die Löwen konnten nichts dafür. Es sind diese verdammten Jugendlichen. Irgendein Teenager musste unbedingt seine Männlichkeit unter Beweis stellen, also ist er über den äußeren Zaun geklettert und in den Graben gefallen. Ich musste reingehen und ihn herausziehen.«

»Großer Gott! Wird es Probleme wegen der Haftung geben?«

»Kann ich mir kaum vorstellen. Er war zu keinem Zeitpunkt wirklich in Gefahr, und ich glaube, ihm war das Ganze so peinlich, dass er es nie einer Menschenseele erzählen wird.« Rhodes sah Jane und Frost an und lächelte gequält. »Wieder so ein lustiger Tag mit idiotischen Exemplaren der Spezies Mensch. Meine Löwen haben mehr gesunden Menschenverstand als manche unserer Besucher.«

»Das sind Detective Rizzoli und Detective Frost«, sagte Mikovitz.

Rhodes streckte ihnen eine schwielige Hand entgegen. »Ich bin Dr. Alan Rhodes. Zoologe und Spezialist für das Verhalten von Katzen aller Art.« Er sah Mikovitz an. »Sie haben Kovo also gefunden?«

»Ich weiß es nicht, Alan. Sie sind gerade erst gekommen, und wir haben das Thema noch nicht angesprochen.«

»Aber wir müssen das wissen.« Rhodes wandte sich wieder an Jane und Frost. »Tierfelle verderben nach dem Tod sehr schnell. Wenn es nicht sofort abgezogen und verarbeitet wird, verliert es seinen Wert.«

»Wie wertvoll ist denn das Fell eines Schneeleoparden?«, fragte Frost.

»Wenn man bedenkt, wie wenige Tiere es auf der ganzen Welt noch gibt...« Rhodes schüttelte den Kopf. »Unbezahlbar, würde ich sagen.«

»Und deswegen wollten Sie das Tier ausstopfen lassen.«

»*Ausstopfen* ist ein ziemlich uneleganter Ausdruck«, entgegnete Mikovitz. »Wir wollten Kovo in seiner ganzen Schönheit erhalten wissen.«

»Und deshalb haben Sie ihn zu Leon Godt gebracht.«

»Zum Abbalgen und Präparieren. Mr. Godt ist – war – einer der besten Präparatoren im ganzen Land.«

»Kannten Sie ihn persönlich?«, fragte Jane.

»Nur seinen Ruf.«

Jane sah den Katzenexperten an. »Und Sie, Dr. Rhodes?«

»Ich bin ihm das erste Mal begegnet, als Debra und ich Kovo bei ihm zu Hause ablieferten«, antwortete Rhodes. »Ich war schockiert, als ich heute Morgen hörte, er sei ermordet worden. Ich meine, wir hatten ihn schließlich erst am Sonntag gesehen, da war er noch quicklebendig.«

»Erzählen Sie mir von diesem Tag. Was haben Sie in dem Haus gesehen und gehört?«

Rhodes sah Mikovitz an, wie um sich zu vergewissern, dass er die Fragen wirklich beantworten sollte.

»Nur zu, Alan«, sagte Mikovitz. »Es ist schließlich eine Mordermittlung.«

»Okay.« Rhodes holte tief Luft. »Am Sonntagmorgen hat Greg – Dr. Oberlin, unser Tierarzt – Kovo eingeschläfert. Entsprechend der Vereinbarung mussten wir den Kadaver unverzüglich an den Präparator übergeben. Kovo wog fast fünfzig Kilo, also hat eine unserer Tierpflegerinnen, Debra Lopez, mir geholfen. Es war eine sehr traurige Fahrt. Ich habe zwölf Jahre mit dieser Katze gearbeitet, und wir beide hatten eine enge Bindung. Das klingt jetzt verrückt, weil man einem Leoparden nie wirklich vertrauen kann. Selbst ein vermeintlich zahmes Tier kann einen jederzeit töten, und Kovo war auf jeden Fall groß genug, um einen erwachsenen Mann zu überwältigen. Aber ich habe mich von ihm nie bedroht gefühlt. Ich habe bei ihm nie die geringste Aggressivität gespürt. Es war fast so, als hätte er begriffen, dass ich sein Freund war.«

»Um welche Zeit sind Sie am Sonntag bei Mr. Godt eingetroffen?«

»So gegen zehn Uhr morgens, würde ich sagen. Debra und ich haben ihn gleich hingefahren, weil der Kadaver so bald wie möglich gehäutet werden musste.«

»Haben Sie viel mit Mr. Godt gesprochen?«

»Wir sind eine Weile geblieben. Er war ganz begeistert, an einem Schneeleoparden arbeiten zu können. Es sind so seltene Tiere, und er hatte noch nie zuvor einen präpariert.«

»Wirkte er irgendwie beunruhigt?«

»Nein. Er war ganz einfach aus dem Häuschen über diese einmalige Gelegenheit. Wir haben Kovo in seine Garage getragen, und dann hat er uns ins Haus gebeten, um uns die Tiere zu zeigen, die er im Lauf der Jahre präpariert hatte.« Rhodes schüttelte den Kopf. »Ich weiß, er war stolz auf seine Arbeit, aber ich fand es nur traurig. All diese wunderschönen Geschöpfe, die sterben mussten, nur um Trophäen zu liefern. Aber ich bin nun mal Biologe.«

»Ich bin kein Biologe«, bemerkte Frost, »aber ich fand es auch traurig.«

»Das ist nun mal die Weltsicht der Präparatoren. Die meisten sind auch Jäger, und sie verstehen nicht, warum irgendjemand etwas dagegen haben kann. Debra und ich haben nur höflich genickt. So gegen elf haben wir sein Haus verlassen, und das war alles. Ich weiß nicht, was ich Ihnen sonst noch sagen könnte.« Er sah Jane und Frost abwechselnd an. »Also, was ist nun mit dem Fell? Ich wüsste wirklich gerne, ob Sie es gefunden haben, denn es ist schließlich von unschätzbarem Wert für …«

»Alan«, sagte Mikovitz.

Die beiden Männer wechselten einen Blick, und beide verstummten. Ein paar Sekunden lang sagte niemand etwas, und die Pause war so bedeutungsschwer, dass es einen geradezu anschrie: *Hier stimmt etwas nicht. Die beiden haben irgendetwas zu verbergen.*

»Für wen ist dieses Fell von unschätzbarem Wert?«, fragte Jane.

Mikovitz antwortete allzu prompt: »Für alle. Diese Tiere sind extrem selten.«

»Wie selten genau?«

»Kovo war ein Schneeleopard«, sagte Rhodes. »*Panthera uncia*, aus den Bergregionen Zentralasiens. Ihr Fell ist dichter und heller als das des Afrikanischen Leoparden, und es gibt auf der ganzen Welt nicht einmal mehr fünftausend Exemplare. Sie sind wie Phantome, Einzelgänger, die man kaum je zu Gesicht bekommt, und sie werden von Tag zu Tag seltener. Die Einfuhr von Schneeleopardenfellen ist verboten. Es ist sogar illegal, ein Fell, ob neu oder alt, über Staatsgrenzen hinweg zu verkaufen. Sie können die Felle auf dem offenen Markt weder kaufen noch verkaufen. Deswegen sind wir so daran interessiert. Haben Sie Kovos Fell gefunden?«

Jane antwortete mit einer Gegenfrage: »Dr. Rhodes, Sie sagten vorhin etwas von einer Vereinbarung.«

»Was?«

»Sie sagten, Sie hätten Kovo aufgrund der Vereinbarung an den Präparator geliefert. Welche Vereinbarung haben Sie damit gemeint?«

Rhodes und Mikovitz wichen ihrem Blick aus.

»Meine Herren, es geht hier um einen Mordfall«, sagte Jane. »Wir werden es so oder so herausfinden, und Sie wollen mich ganz bestimmt nicht von meiner unangenehmen Seite erleben.«

»Sag's ihnen«, forderte Rhodes Mikovitz auf. »Sie müssen es wissen.«

»Wenn das rauskommt, Alan, wird die Presseberichterstattung uns ruinieren.«

»Sag's ihnen.«

»Na schön, von mir aus.« Mikovitz sah Jane mit unglücklicher Miene an. »Letzten Monat bekamen wir von einem potenziellen Spender ein Angebot, das wir nicht ablehnen konnten. Er wusste, dass Kovo krank war und wahrscheinlich eingeschläfert werden müsste. Im Tausch gegen den frischen, unversehrten Kadaver des Tiers würde er dem Suffolk Zoo eine beträchtliche Summe spenden.«

»Wie beträchtlich?«

»Fünf Millionen Dollar.«

Jane starrte ihn an. »Ist ein Schneeleopard wirklich so viel wert?«

»Diesem einen Spender, ja. Es ist eine Win-win-Situation. Kovo war ohnehin nicht mehr zu retten. Wir bekommen eine große Geldspritze, die uns hilft, uns über Wasser zu halten, und der Spender bekommt eine seltene Kostbarkeit für seine Trophäensammlung. Seine einzige Bedingung war, dass über den Deal Stillschweigen gewahrt würde. Und er bestand auf Leon Godt als Präparator, weil Godt einer der besten seiner Zunft ist. Und ich glaube, dass die beiden sich schon kannten.« Mikovitz seufzte. »Jedenfalls ist das der Grund, warum ich gezögert habe, es zu erwähnen. Das Arrangement ist heikel. Es könnte unsere Einrichtung in ein schlechtes Licht rücken.«

»Weil Sie seltene Tiere an den Meistbietenden verkaufen?«

»Ich war von Anfang an gegen diesen Deal«, sagte Rhodes an Mikovitz gewandt. »Ich habe dir gesagt, diese Sache wird uns noch auf die Füße fallen. Jetzt können wir uns auf einen Shitstorm in den Medien gefasst machen.«

»Also, wenn wir verhindern können, dass die Sache an die große Glocke gehängt wird, ist noch nicht alles verloren. Ich muss nur wissen, dass das Fell in Sicherheit ist. Dass es pfleglich behandelt und korrekt aufbewahrt wird.«

»Es tut mir leid, Ihnen das sagen zu müssen, Dr. Mikovitz«, sagte Frost, »aber wir haben kein Fell gefunden.«

»Was?«

»In Godts Haus war kein Leopardenfell.«

»Sie meinen – es wurde *gestohlen*?«

»Das wissen wir nicht. Es war einfach nicht da.«

Mikovitz sank fassungslos auf seinem Stuhl zusammen. »Oh nein. Das ist die Katastrophe. Jetzt werden wir ihm das Geld zurückzahlen müssen.«

»Wer ist Ihr Spender?«

»Die Information darf nicht an die Öffentlichkeit gelangen.«

»Wer ist er?«

Es war Rhodes, der antwortete. In seiner Stimme lag unverhohlene Verachtung. »Jerry O'Brien.«

Jane und Frost tauschten einen überraschten Blick. »Sie meinen *den* Jerry O'Brien? Den Typen vom Radio?«, fragte Frost.

»Genau – Bigmouth O'Brien, die größte Klappe von ganz Boston. Was glauben Sie, was unsere tierlieben Besucher denken werden, wenn sie hören, dass wir einen Deal mit einem so umstrittenen Radiomoderator gemacht haben? Mit dem Typen, der mit seinen Jagdexpeditionen nach Afrika prahlt? Der den Leuten erzählt, was für ein Spaß es ist, Elefanten abzuknallen? Sein ganzes Image besteht in der Glorifizierung von Tierquälerei als Zeitvertreib.« Rhodes schnaubte verächtlich. »Wenn diese armen Tiere doch nur zurückschießen könnten.«

»Manchmal müssen wir eben einen Deal mit dem Teufel machen, Alan«, sagte Mikovitz.

»Tja, der Deal ist jetzt geplatzt, da wir ihm nichts zu bieten haben.«

Mikovitz stöhnte. »Das ist ein Desaster.«

»Hab ich nicht gesagt, dass es so kommen würde?«

»Du kannst leicht über allem thronen! Du musst dich ja bloß um deine verdammten Katzen kümmern. Ich bin für das Überleben dieser Institution verantwortlich.«

»Tja, das ist der Vorteil, wenn man mit Katzen arbeitet. Ich *weiß*, dass ich ihnen nicht vertrauen kann. Und sie versuchen auch nicht, mich vom Gegenteil zu überzeugen.« Rhodes senkte den Blick auf sein Handy, das zu läuten begann. Fast im gleichen Augenblick flog die Bürotür auf, und die Sekretärin stürzte herein.

»Dr. Rhodes! Sie müssen *sofort* ins Leopardengehege kommen!«

»Was ist passiert?«

»Es hat einen Unfall gegeben – eine der Pflegerinnen. Sie brauchen das Gewehr!«

»Nein. *Nein.*« Rhodes sprang auf und stürmte an ihr vorbei aus dem Büro.

Jane brauchte nur einen Moment, um ihren Entschluss zu fassen. Sie sprang auf und folgte ihm. Bis sie die Treppe hinunter und zur Tür hinaus war, hatte Rhodes schon einen großen Vorsprung. Er rannte an den verdutzten Zoobesuchern vorbei, und Jane musste einen Sprint einlegen, um zu ihm aufzuschließen. Als sie um eine Kurve bog, stieß sie auf eine dichte Wand aus Menschen, die vor dem Leopardengehege standen.

»Mein Gott«, stieß jemand aus und stöhnte. »Ist sie *tot*?«

Jane bahnte sich einen Weg durch die Menge, bis sie den Zaun erreichte. Im ersten Moment konnte sie durch die Gitterstäbe nur wuchernde Grünpflanzen und künstliche Felsen erkennen. Und dann bewegte sich etwas, halb verborgen hinter den Zweigen. Hoch oben auf einem Felsvorsprung sah sie einen Schwanz zucken.

Jane trat einen Schritt zur Seite, um das Tier besser sehen zu können. Erst als sie ganz am Rand des Geheges angekommen war, entdeckte sie das Blut. Hellrot schimmernd floss es an den Steinen herab. Über die Felskante hing ein menschlicher Arm. Der Arm einer Frau. Der Leopard, der über seiner Beute kauerte, starrte Jane unverwandt an, als wollte er sagen: *Versuch nur, sie mir abzujagen.*

Jane hob ihre Waffe und hielt inne, den Finger am Abzug. War das Opfer in der Schusslinie? Sie konnte nicht über die Felskante hinaussehen, konnte nicht einmal sagen, ob die Frau überhaupt noch lebte.

»Nicht schießen!«, hörte sie Dr. Rhodes an der Rückseite des Geheges schreien. »Ich werde ihn in den Nachtkäfig locken!«

»Dazu ist keine Zeit, Rhodes. Wir müssen sie da rausholen!«

»Ich will nicht, dass er getötet wird.«

»Und was ist mit *ihr*?«

Rhodes schlug gegen die Gitterstäbe. »Rafiki, Fleisch! Komm her, komm in den Nachtkäfig!«

Das ist mir doch zu dumm, dachte Jane und hob wieder ihre Waffe. Das Tier war deutlich zu sehen, die Schussbahn auf den Kopf frei. Es bestand die Gefahr, dass die Kugel die Frau auch treffen würde, aber wenn sie sie nicht bald dort herausholten, wäre sie sowieso tot. Jane packte den Griff fest mit beiden Händen und presste langsam den Finger gegen den Abzug. Doch bevor sie abdrücken konnte, ließ ein Gewehrschuss sie zusammenzucken.

Der Leopard kippte um, rollte vom Felsen und fiel ins Gebüsch.

Sekunden später lief ein blonder Mann in Zoo-Uniform durch den Käfig auf die Felsen zu. »Debbie?«, rief er. »*Debbie!*«

Jane sah sich nach einem Zugang zum Käfig um und entdeckte einen Seitenweg mit einem Schild NUR FÜR PERSONAL. Sie folgte dem Pfad um das Gehege herum und sah an der Rückseite eine Tür offen stehen.

Sie ging hinein und erblickte eine Blutlache neben einem

Eimer und einer fallen gelassenen Harke. Der Fußweg aus Beton war mit Blut verschmiert, die ominösen Schleifspuren mit Tatzenabdrücken durchsetzt. Die Spur führte zu den künstlichen Felsen im hinteren Teil des Käfigs.

Am Fuß eines dieser Felsen kauerten Rhodes und der blonde Mann über der Frau, die sie von dem Felsvorsprung heruntergezogen hatten.

»Atme, Debbie«, flehte der blonde Mann. »*Bitte*, atme!«

»Ich taste keinen Puls«, sagte Rhodes.

»Wo ist der Krankenwagen?« Der Blonde blickte sich voller Panik um. »Wir brauchen einen Krankenwagen!«

»Er kommt gleich. Aber Greg, ich glaube nicht, dass wir noch etwas für sie…«

Der Blonde legte beide Hände flach auf den Brustkorb der Frau und begann verzweifelt in hektischen Stößen zu pumpen, um das Herz wieder in Gang zu bringen. »Hilf mir, Alan. Los, übernimm die Mund-zu-Mund-Beatmung. Wir müssen das zusammen machen!«

»Ich glaube, es ist zu spät«, sagte Rhodes. Er legte dem blonden Mann eine Hand auf die Schulter. »Greg.«

»Geh weg, Alan! Ich mach das allein!« Er drückte den Mund auf die blassen Lippen der Frau, um Luft in ihre Lunge zu blasen, und begann dann wieder mit der Herzdruckmassage. Doch die Augen der Frau wurden bereits trüb.

Rhodes blickte zu Jane auf und schüttelte den Kopf.

8

Maura hatte den Suffolk Zoo zuletzt an einem warmen Sommerwochenende besucht, als die Wege von Kindern mit tropfenden Eistüten und jungen, Kinderwagen schiebenden Eltern bevölkert waren. Doch an diesem empfindlich kalten Novembertag war weit und breit kein Besucher zu sehen. Im Flamingogehege putzten die Vögel sich in aller Ruhe. Pfauen stolzierten auf den Wegen herum, ungestört von fotografierenden Besuchern und tapsigen Kleinkindern. Wie schön wäre es gewesen, hier allein zu schlendern und lange vor jedem Gehege zu verweilen, doch heute hatte der Tod sie hierhergerufen, und sie hatte keine Zeit, den Besuch zu genießen. Die Zoomitarbeiterin führte sie in zügigem Tempo an den Primatenkäfigen vorbei und auf das Wildhundgehege zu. Hier begann das Reich der Fleischfresser. Mauras Begleiterin, eine junge Frau namens Jen, trug eine Kakiuniform, und mit ihrem blonden Pferdeschwanz und ihrer gesunden Sonnenbräune hätte sie in jeder Natur-Doku von *National Geographic* eine gute Figur gemacht.

»Wir haben den Zoo gleich nach dem Zwischenfall geschlossen«, sagte Jen. »Es hat ungefähr eine Stunde gedauert, bis wir alle Besucher draußen hatten. Ich kann immer noch nicht glauben, dass das wirklich passiert ist. So etwas hat es bei uns noch nie gegeben.«

»Wie lange arbeiten Sie schon hier?«, fragte Maura.

»Fast vier Jahre. Als kleines Mädchen habe ich schon davon geträumt, in einem Zoo zu arbeiten. Ich wollte eigentlich Tiermedizin studieren, aber meine Noten waren einfach nicht gut genug. Trotzdem ist das hier ein Traumjob für mich. Man muss die Arbeit aber wirklich lieben, denn wegen des Geldes macht man es bestimmt nicht.«

»Kannten Sie das Opfer?«

»Ja, wir sind hier eine ziemlich verschworene Gemeinschaft.« Sie schüttelte den Kopf. »Ich begreife einfach nicht, wie Debbie so ein Fehler unterlaufen konnte. Dr. Rhodes hat uns immer vor Rafiki gewarnt. *Kehrt ihm nie den Rücken zu. Man darf einem Leoparden niemals vertrauen*, hat er uns eingeschärft. Und ich dachte noch, er übertreibt.«

»Macht es Ihnen keine Angst, so eng mit großen Raubtieren zu arbeiten?«

»Bisher habe ich mir keine Gedanken darüber gemacht. Aber das ändert alles.« Sie bogen um eine Kurve, und Jen sagte: »In diesem Gehege ist es passiert.«

Die Erklärung wäre eigentlich nicht nötig gewesen – die ernsten Gesichter der Menschen, die sich am Zaun versammelt hatten, verrieten Maura, dass sie ihr Ziel erreicht hatte. Jane löste sich aus der Gruppe, um Maura zu begrüßen.

»So einen Fall wirst du so bald nicht mehr zu sehen bekommen«, sagte Jane.

»Ermittelst du in diesem Todesfall?«

»Nein, ich wollte gerade gehen. Nach allem, was ich mitbekommen habe, war es ein Unfall.«

»Was genau ist passiert?«

»Wie es aussieht, hat das Opfer gerade den Käfig gereinigt, als der Leopard angriff. Sie muss vergessen haben, die Tür des Nachtkäfigs richtig zu sichern, und das Tier ist ins Freigehege entwichen. Als ich hier ankam, war es schon zu spät.« Jane schüttelte den Kopf. »Da wird man wieder daran erinnert, wo wir in der Nahrungskette stehen.«

»Und es war ein Leopard?«

»Ja, ein Afrikanischer. Es war nur dieses eine große Männchen im Käfig.«

»Hat man ihn eingefangen?«

»Er ist tot. Dr. Oberlin – das ist der Blonde da drüben – hat versucht, ihn mit dem Betäubungsgewehr zu erwischen, hat ihn aber zweimal verfehlt. Da musste er ihn erschießen.«

»Man kann jetzt also gefahrlos hineingehen?«

»Ja, aber es ist eine üble Bescherung da drin. Eimerweise Blut.« Jane sah auf ihre ruinierten Schuhe hinunter und seufzte. »Die habe ich eigentlich ganz gerne getragen. Na, kann man nichts machen. Ich ruf dich später an.«

»Wer kann mir den Tatort zeigen?«

»Alan Rhodes kann das übernehmen.«

»Wer ist das?«

»Er ist hier der Experte für Großkatzen.« Jane rief zu der Gruppe von Männern hinüber, die sich vor dem Gehege versammelt hatten. »Dr. Rhodes? Dr. Isles ist hier, die Rechtsmedizinerin. Sie muss die Leiche untersuchen.«

Der dunkelhaarige Mann, der auf sie zukam, wirkte immer noch zutiefst geschockt von der Tragödie. Die Hose seiner Zoo-Uniform war blutbefleckt, und sein angedeutetes Lächeln konnte die Anspannung in seiner Miene nicht kaschieren. Automatisch streckte er die Hand aus, um Maura zu begrüßen, doch dann merkte er, dass an seinen Fingern getrocknetes Blut klebte, und er ließ den Arm wieder sinken. »Es tut mir leid, dass wir Ihnen diesen Anblick nicht ersparen können«, sagte er. »Ich weiß, Sie haben wahrscheinlich schon viel Schlimmes gesehen, aber das hier ist einfach entsetzlich.«

»Mit einem Großkatzenangriff hatte ich tatsächlich noch nie zu tun«, sagte Maura.

»Für mich ist es auch das erste Mal. Und ich kann nur

hoffen, dass es auch das letzte Mal war.« Er zog einen Schlüsselbund aus der Tasche. »Ich bringe Sie nach hinten zum Mitarbeiterbereich. Dort ist der Eingang.«

Maura winkte Jane zum Abschied zu und folgte Rhodes über den von Büschen gesäumten Fußweg, der mit NUR FÜR PERSONAL gekennzeichnet war. Er führte an dem benachbarten Gehege vorbei zur Rückseite, die für Besucher nicht einzusehen war.

Rhodes schloss das Tor auf. »Dieser Zugang führt durch den Quetschkäfig. Er hat zwei Ausgänge, der eine führt zum Freigehege, der andere in den Nachtkäfig.«

»Wieso heißt er ›Quetschkäfig‹?«

»Es ist ein zusammenschiebbarer Käfig, mit dem wir die Katze für tierärztliche Behandlungen ruhigstellen können. Wenn er hier durchkommt, müssen wir nur gegen die Käfigwand drücken, dann wird er zwischen den Gitterstäben eingeklemmt. Dann kann man ihn problemlos impfen oder ihm andere Medikamente in die Schulter spritzen, mit minimalem Stress für das Tier und maximaler Sicherheit für die Mitarbeiter.«

»Ist das Opfer auch hier hineingegangen?«

»Ihr Name war Debra Lopez.«

»Entschuldigung. Ist Debra Lopez hier durchgekommen?«

»Es ist einer von zwei Zugängen. Es gibt noch einen separaten Eingang zum Nachtraum, wo das Tier außerhalb der Zoo-Öffnungszeiten gehalten wird.«

Sie betraten den Käfig, und Rhodes schloss das Tor hinter ihnen, sodass Sie in dem beklemmend engen Durchgang gefangen waren. »Wie Sie sehen können, gibt es Türen an beiden Enden. Bevor Sie durch eine davon gehen, müssen Sie sich immer vergewissern, dass das Tier in dem anderen Bereich eingesperrt ist. Das ist das kleine Einmaleins der

Sicherheit im Zoo: Sie müssen immer wissen, wo die Katze ist. Besonders im Fall von Rafiki.«

»War er besonders gefährlich?«

»Jeder Leopard ist potenziell gefährlich, ganz besonders *Panthera pardus*, der Afrikanische Leopard. Er ist kleiner als ein Löwe oder ein Tiger, aber er ist lautlos, unberechenbar und stark. Ein Leopard kann einen Kadaver, der viel schwerer ist als er selbst, auf einen Baum schleppen. Rafiki war im besten Alter, und er war extrem aggressiv. Er wurde einzeln gehalten, weil er das Weibchen, das wir zu ihm ins Gehege setzen wollten, angegriffen hatte. Debbie wusste, wie gefährlich er war. Das wussten wir alle.«

»Aber wie konnte ihr dann ein solcher Fehler unterlaufen? War sie neu in dem Job?«

»Debbie war seit mindestens sieben Jahren hier, es lag also bestimmt nicht an mangelnder Erfahrung. Aber selbst altgediente Tierpfleger werden manchmal unvorsichtig. Sie versäumen es nachzusehen, wo das Tier sich gerade aufhält, oder sie vergessen, eine Tür zu schließen. Greg hat mir erzählt, er habe die Tür zum Nachtkäfig weit offen vorgefunden, als er hier ankam.«

»Greg?«

»Dr. Greg Oberlin, unser Tierarzt.«

Maura sah sich die Tür zum Nachtkäfig an. »Und dieser Riegel war nicht defekt?«

»Ich habe ihn überprüft. Und Detective Rizzoli auch. Er funktioniert einwandfrei.«

»Dr. Rhodes, es fällt mir sehr schwer zu verstehen, wie eine so erfahrene Tierpflegerin die Tür eines Leopardenkäfigs weit offen stehen lassen konnte.«

»Es ist schwer zu glauben, ich weiß. Aber ich kann Ihnen eine Aufstellung von ähnlichen Zwischenfällen mit Großkatzen zeigen. So etwas ist schon in Zoos auf der ganzen Welt vorgekommen. Seit 1990 hat es allein in den USA siebenhundert Fälle gegeben, mit insgesamt zweiundzwanzig Toten. Erst letztes Jahr wurden in Deutschland und in Großbritannien erfahrene Tierpfleger von Tigern getötet. In beiden Fällen hatten sie schlicht vergessen, die Käfigtür abzuschließen. Die Leute lassen sich ablenken oder sind einen Moment lang unvorsichtig. Oder sie beginnen zu glauben, dass die Katzen ihre Freunde sind, die ihnen nie etwas antun würden. Ich schärfe es unseren Mitarbeitern immer wieder ein, dass sie *nie* einer Großkatze vertrauen dürfen. Man darf ihnen nie den Rücken zukehren. Das sind keine Schmusekatzen.«

Maura dachte an den grauen Tigerkater, den sie gerade adoptiert hatte – den Kater, dessen Zuneigung sie mit teuren Sardinen und Schüsseln voll Kaffeesahne zu gewinnen suchte. Auch er war im Grunde nur ein raffinierter Räuber, der sich Maura als persönliche Dosenöffnerin ausgesucht hatte. Wäre er vierzig Kilo schwerer, dann würde er sie zweifellos nicht als Freundin, sondern als schmackhafte Fleischmahlzeit betrachten. Konnte man einer Katze je wirklich vertrauen?

Rhodes schloss die innere Tür auf, die zum Freigehege führte. »Auf diesem Weg dürfte Debbie hineingegangen sein«, sagte er. »Wir haben eine große Menge Blut neben dem Eimer und der Harke gefunden, also hat er sie wahrscheinlich während der morgendlichen Käfigreinigung angefallen.«

»Und wann findet die statt?«

»So zwischen acht und neun Uhr. Der Zoo wird um neun für Besucher geöffnet. Rafiki wurde im Nachtraum gefüttert, bevor er ins Freigehege gelassen wurde.«

»Gibt es hier hinten Überwachungskameras?«

»Leider nein, wir haben also keine Aufnahmen von dem Vorfall oder dem, was vorausging.«

»Was können Sie zu Debbies seelischer Verfassung sagen? War sie deprimiert? Hatte sie irgendwelche Probleme?«

»Detective Rizzoli hat die gleiche Frage gestellt. War es so etwas wie *suicide by cat*?« Rhodes schüttelte den Kopf. »Sie war so eine positiv denkende, optimistische Frau. Ich kann mir nicht vorstellen, dass sie sich das Leben genommen hätte, auch wenn es in ihrem Privatleben mal nicht so lief.«

»War das denn der Fall?«

Er hielt inne, die Hand noch an der Türklinke. »Ist das nicht normal, dass nicht immer alles so glatt läuft? Ich weiß, dass sie sich gerade von Greg getrennt hatte.«

»Sie meinen Dr. Oberlin, den Tierarzt?«

Er nickte. »Debbie und ich haben uns am Sonntag darüber unterhalten, als wir Kovos Kadaver zum Präparator brachten. Es schien ihr nicht allzu viel auszumachen. Sie wirkte eher… erleichtert. Ich glaube, Greg hat es viel schwerer genommen. Es war nicht gerade einfach für ihn, da sie schließlich beide hier arbeiteten und sich mindestens einmal die Woche sahen.«

»Aber sie sind nach wie vor miteinander ausgekommen?«

»Soweit ich das beurteilen konnte, ja. Detective Rizzoli hat mit Greg gesprochen, und er ist völlig am Boden zerstört. Und bevor Sie die naheliegende Frage stellen: Er war nicht einmal in der Nähe des Käfigs, als es passierte. Er sagte, er sei hingerannt, als er die Schreie hörte.«

»Debbies Schreie?«

Rhodes' Miene war gequält. »Ich bezweifle, dass sie noch lange genug gelebt hat, um einen Laut von sich zu geben. Nein, es war eine Besucherin, die geschrien hat. Sie sah das Blut und fing gleich an, um Hilfe zu schreien.« Er stieß die Tür zum Freigehege auf. »Sie liegt da hinten bei den Felsen.«

Nach nur drei Schritten blieb Maura stehen, verstört

durch die Hinweise auf das Gemetzel, das hier stattgefunden hatte. Das hatte Jane gemeint, als sie von »eimerweise Blut« gesprochen hatte – es hatte die Blätter bespritzt und sich in Lachen auf dem Betonweg gesammelt. Aus den zerrissenen Arterien war es bogenförmig in verschiedene Richtungen gespritzt, aus dem Körper gepumpt von den letzten verzweifelten Herzschlägen des Opfers.

Rhodes blickte auf den umgekippten Eimer und die Harke hinunter. »Sie hat ihn wahrscheinlich bis zum letzten Moment nicht kommen sehen.«

Der menschliche Körper enthält rund fünf Liter Blut, und hier hatte Debbie Lopez den größten Teil des ihren vergossen. Es war noch nass gewesen, als andere Personen hineingetreten waren – Maura sah mehrere verschmierte Fußabdrücke auf den Betonplatten. »Wenn er sie hier angefallen hat«, sagte sie, »warum hat er sie dann zum hinteren Teil des Geheges geschleppt? Warum hat er sie nicht an Ort und Stelle aufgefressen?«

»Weil ein Leopard instinktiv versucht, seine Beute in Sicherheit zu bringen. In freier Wildbahn gibt es Aasfresser, die sie ihm streitig machen könnten, etwa Löwen oder Hyänen. Deshalb schaffen Leoparden ihre Beute immer außer Reichweite ihrer Konkurrenten.«

Blutige Schleifspuren zeigten an, wo der Leopard seine menschliche Beute über den Betonweg gezogen hatte. In dieser verschmierten und verwischten Bahn hob sich ein einzelner Tatzenabdruck ganz scharf ab, ein erschreckender Hinweis auf die Größe und Stärke dieses Räubers. Die Spur führte zum hinteren Teil des Geheges. Am Fuß eines mächtigen künstlichen Felsens lag die Leiche, verhüllt mit einer olivgrünen Decke. Daneben streckte der tote Leopard alle viere von sich, das Maul weit aufgerissen.

»Er hat sie auf den Felsvorsprung hochgeschleppt«, sagte

Rhodes. »Wir haben sie heruntergezogen und versucht, sie wiederzubeleben.«

Maura blickte zu dem Felsen auf und sah das Rinnsal von getrocknetem Blut, das daran herabgeflossen war. »Er hat sie da hinaufgezogen?«

Rhodes nickte. »Da sehen Sie, wie stark diese Tiere sind. Sie können eine schwere Kuduantilope auf einen Baum schleppen. Sie bringen ihre Beute instinktiv an einen möglichst hoch gelegenen Ort und lassen sie zum Beispiel über einen Ast hängen, wo sie dann ungestört fressen können. Das wollte Rafiki gerade machen, als Greg ihn erschossen hat. Aber da war Debbie schon tot.«

Maura streifte Handschuhe über und ging in die Hocke, um die Decke zurückzuschlagen. Ein Blick auf das, was vom Hals des Opfers übrig war, verriet ihr, dass der Angriff sofort tödlich gewesen sein musste. In betroffenem Schweigen starrte sie den zerdrückten Kehlkopf an, die freigelegte Luftröhre, den Hals, der so weit aufgerissen war, dass der fast völlig abgetrennte Kopf nach hinten gekippt war.

»So machen sie es«, sagte Rhodes. Er hatte das Gesicht abgewandt, und seine Stimme zitterte. »Katzen sind von der Natur zum Töten geschaffen, und sie gehen immer direkt auf die Kehle. Sie brechen dem Opfer das Genick, reißen die Halsschlagader und die Drosselvene auf. Wenigstens sorgen sie dafür, dass ihre Beute tot ist, bevor sie anfangen zu fressen. Soweit ich weiß, ist es ein schneller Tod. Das Opfer verblutet.«

Nicht schnell genug. Maura stellte sich Debbie Lopez' Todeskampf vor, die Sekunden, in denen das Blut aus den durchtrennten Arterien geschossen war wie aus einem Wasserwerfer. Es war auch in ihre aufgerissene Luftröhre geströmt und hatte die Lunge geflutet. Ein schneller Tod, ja, aber dem Opfer mussten diese letzten Sekunden der Panik und des qualvollen Erstickens wie eine Ewigkeit vorgekommen sein.

Sie schlug die Decke wieder über das Gesicht der toten Frau und wandte ihre Aufmerksamkeit dem Leoparden zu. Es war ein prächtiges Tier, mit massigem Brustkorb und glänzendem Fell, das im diffusen Sonnenlicht schimmerte. Sie starrte die messerscharfen Zähne an und malte sich aus, wie mühelos sie die Kehle einer Frau zerdrücken und zerfetzen könnten. Mit einem Schauder richtete sie sich auf und sah durch die Gitterstäbe des Geheges, dass der Leichenwagen der Rechtsmedizin eingetroffen war.

»Sie hat diese Katze geliebt«, sagte Rhodes und sah auf Rafiki hinunter. »Nachdem er hier geboren wurde, hat sie ihn mit der Flasche gefüttert wie ein Baby. Sie hätte sicher niemals gedacht, dass er ihr so etwas antun könnte. Und das hat sie letztlich das Leben gekostet. Sie hat vergessen, dass er ein Raubtier ist und wir für ihn Beute sind.«

Maura streifte ihre Handschuhe ab. »Sind ihre Angehörigen schon informiert?«

»Ihre Mutter wohnt in St. Louis. Unser Direktor, Dr. Mikovitz, hat sie schon angerufen.«

»Mein Büro braucht dann noch ihre Kontaktdaten. Für die Organisation der Beisetzung nach der Obduktion.«

»Ist denn eine Obduktion wirklich nötig?«

»Die Todesursache scheint offensichtlich, aber es gibt immer Fragen, die beantwortet werden müssen. Warum hat sie diesen tödlichen Fehler gemacht? War sie durch Drogen oder Alkohol beeinträchtigt, oder durch irgendwelche gesundheitlichen Probleme?«

Er nickte. »Natürlich. Daran hatte ich gar nicht gedacht. Aber ich wäre schockiert, wenn Sie bei ihr Spuren von Drogen finden würden. Das würde einfach nicht zu der Frau passen, die ich gekannt habe.«

Die du zu kennen glaubtest, dachte Maura, als sie das Gehege verließ. Jeder Mensch hat seine Geheimnisse. Sie dachte an ihre eigenen, die sie so eifersüchtig hütete, und daran, wie verblüfft ihre Kollegen wären, wenn sie davon erführen. Selbst Jane, die sie am besten von allen kannte.

Während die Mitarbeiter des Leichenschauhauses die Rolltrage in das Gehege schoben, stand Maura auf dem Fußweg und blickte über den Zaun, um zu sehen, was die Zoobesucher gesehen hatten. Die Stelle, wo der Leopard zuerst zugeschlagen hatte, war von einer Mauer verdeckt, und der Weg, über den er sein Opfer geschleift hatte, war von Büschen gesäumt. Doch der Felsvorsprung, auf dem er seine Beute bewacht hatte, war deutlich zu sehen, einschließlich der grausigen Spur des Bluts, das am Fels herabgeflossen war.

Kein Wunder, dass die Leute geschrien hatten.

Ein Schauder überlief Maura, und sie glaubte, den heißen Atem eines Raubtiers im Nacken zu spüren. Sie blickte sich um, sah Dr. Rhodes mit Mitgliedern der Zooverwaltung, wie sie besorgt die Köpfe zusammensteckten. Sah zwei Tierpflegerinnen, die einander trösteten. Niemand schaute in Mauras Richtung, niemand schien überhaupt ihre Anwesenheit zu bemerken. Aber sie konnte das Gefühl nicht abschütteln, dass jemand sie beobachtete.

Und dann entdeckte sie ihn, durch die Gitterstäbe eines nahen Freigeheges. Sein hellbraunes Fell hob sich kaum von dem sandfarbenen Felsen ab, vor dem er kauerte. Die kräftigen Muskeln zum Sprung gespannt, verharrte er regungslos und fixierte Maura. Seine Beute.

Maura las das Schild, das am Zaun befestigt war. *Puma concolor. Puma oder Berglöwe.*

Und sie dachte: Ich hätte ihn auch nicht kommen sehen.

9

»Jerry O'Brien ist ein Brandstifter. Oder zumindest gibt er sich im Radio so«, sagte Frost, als sie in nordwestlicher Richtung nach Middlesex County fuhren. Jane saß am Steuer. »Letzte Woche hat er in seiner Sendung über die Tierrechtsbewegung hergezogen. Hat sie mit grasfressenden Mümmelmännern verglichen und gefragt, wie es sein kann, dass dumme Karnickel so bösartig werden.« Frost lachte, während er die Audiodatei auf seinem Laptop anklickte. »Hier ist die Stelle, die du dir anhören musst, da geht es um die Jagd.«

»Meinst du, dass er den Mist, den er verzapft, wirklich glaubt?«, fragte sie.

»Wer weiß? Jedenfalls gewinnt er damit viele Hörer, denn seine Show wird von Radiosendern im ganzen Land gekauft.« Frost tippte auf seiner Tastatur herum. »Okay, das ist die Sendung von letzter Woche. Hör dir das an.«

Vielleicht essen Sie Hähnchen oder lassen sich ab und zu mal ein Steak schmecken. Sie kaufen es im Supermarkt, schön in Plastikfolie verpackt. Was bringt Sie auf die Idee, dass Sie ein besserer Mensch sind als der Jäger, der sich um vier Uhr morgens aus dem Bett quält, der Kälte und Erschöpfung trotzt, wenn er mit einem schweren Gewehr auf der Schulter durch den Wald streift? Der geduldig im Gebüsch wartet, vielleicht stundenlang? Der ein Leben lang an seinen Schießkünsten feilt – und glaubt mir, Leute, es ist eine Kunst, ein bewegtes Ziel mit einer Waffe zu treffen. Wer auf Gottes

grüner Erde darf einem Jäger das Recht absprechen,
seiner uralten, ehrenwerten Tätigkeit nachzugehen,
die seit Anbeginn der Menschheitsgeschichte Familien
ernährt hat? Diese metrosexuellen Snobs, die kein
Problem damit haben, in einem schicken französischen
Restaurant ihr Chateaubriand zu verzehren, besitzen
die Dreistigkeit, uns gestandenen Jägern Grausamkeit
vorzuwerfen, wenn wir einen Hirsch schießen. Was
glauben die denn, wo das Fleisch herkommt?
Und kommt mir gar nicht erst mit diesen durchgeknall-
ten Vegetariern. He, ihr Tierfreunde, ihr habt doch alle
eine Katze oder einen Hund, oder? Und was gebt ihr
eurem geliebten Bello oder eurer Mieze zu fressen?
Fleisch. F-L-E-I-S-C-H. Da könnt ihr eure Wut auch
gleich an euren Schmusetigern auslassen!

Frost stoppte die Aufnahme. »Apropos, ich habe heute Morgen in Godts Haus vorbeigeschaut. Die weiße Katze hab ich nicht gesehen, aber das Futter, das ich gestern Abend hingestellt hatte, war komplett aufgefressen. Ich habe die Schüssel aufgefüllt und die Katzenstreu gewechselt.«

»Und deshalb bekommt Detective Frost jetzt einen Orden für besondere Verdienste um das Wohl von Haustieren.«

»Was sollen wir mit ihr machen? Meinst du, Dr. Isles würde noch eine Katze nehmen?«

»Ich glaube, sie bedauert schon, dass sie überhaupt eine genommen hat. Warum adoptierst du sie nicht?«

»Ich bin ein Mann.«

»Na und?«

»Das wäre doch irgendwie komisch, wenn ich eine Katze hätte.«

»Was denn, hast du Angst, deine Männlichkeit einzubüßen?«

»Es geht ums Image, verstehst du? Wenn ich eine Frau mit nach Hause bringe, was soll die denken, wenn sie sieht, dass ich eine flauschige weiße Katze habe?«

»Ach ja, und deine Goldfische machen natürlich einen *viel* besseren Eindruck.« Sie deutete auf seinen Laptop. »Also, was hat O'Brien noch zu sagen?«

»Hör dir mal diese Passage an«, sagte Frost und klickte auf Abspielen.

... aber nein, diese grasfressenden Mümmelmänner, diese bösartigen Karnickel, die sich tagaus, tagein von Salat ernähren, die sind blutrünstiger als jeder Fleischfresser. Und glaubt mir, Freunde, ich höre von diesen Leuten. Sie drohen, mich aufzuhängen und auszuweiden wie einen Hirsch. Sie drohen, mich zu verbrennen, zu verstümmeln, zu erdrosseln, zu zerquetschen. Könnt ihr euch vorstellen, dass solche Drohungen aus den Mündern von Vegetariern *kommen? Freunde, hütet euch vor den Salatfressern. Es gibt auf der ganzen Welt keine gefährlichere Spezies als diese sogenannten* Tierfreunde.

Jane sah Frost an. »Vielleicht sind sie sogar noch gefährlicher, als er ahnt«, sagte sie.

Mit einer wöchentlichen Radioshow, die von sechshundert Sendern übernommen wurde und über zwanzig Millionen Hörer erreichte, konnte Jerry »Bigmouth« O'Brien sich das Beste vom Besten leisten – eine Tatsache, die Jane und Frost überdeutlich vor Augen geführt wurde, als sie an dem bewachten Pförtnerhaus vorbei auf O'Briens Anwesen fuhren. Die grünen Weiden mit grasenden Pferden hätten zu einer Farm irgendwo in Virginia oder Kentucky gehören können –

eine ländliche Idylle, wie man sie nur eine Autostunde von Boston entfernt kaum erwartet hätte. Sie kamen an einem Ententeich vorbei und erklommen einen grasbewachsenen Hang, gesprenkelt mit weißen Schafen, bis sie das riesige Blockhaus oben auf dem Hügel erreichten. Mit seinen breiten Veranden und massiven Holzsäulen erinnerte es eher an eine überdimensionierte Jagdhütte als an ein Wohnhaus.

Sie waren gerade vor dem Haus vorgefahren, als sie die ersten Schüsse hörten.

»Was ist da los?«, rief Frost, während sie beide nach ihren Waffen griffen.

Weitere Gewehrschüsse krachten in rascher Folge, dann Stille. Eine allzu lange Stille.

Jane und Frost sprangen aus dem Wagen und stürmten bereits die Verandastufen hinauf, als die Haustür plötzlich aufging.

Ein pausbäckiger Mann begrüßte sie mit einem aufgesetzten Lächeln, das einfach zu strahlend war, um echt zu sein. Er sah die zwei Glocks, die auf seine Brust gerichtet waren, und sagte lachend: »Immer mit der Ruhe, die können Sie ruhig wieder einstecken. Sie müssen Detective Rizzoli und Detective Frost sein.«

Jane hielt ihre Waffe auf ihn gerichtet. »Wir haben Schüsse gehört.«

»Das sind nur Schießübungen. Jerry hat unten im Keller einen hübschen kleinen Schießstand. Ich bin sein Privatsekretär, Rick Dolan. Kommen Sie doch rein.«

Wieder krachte eine Gewehrsalve. Jane und Frost wechselten einen Blick und steckten dann gleichzeitig ihre Waffen ins Holster zurück.

»Klingt ja wie eine ganze Kompanie«, bemerkte Jane.

»Sie können sich gerne selbst überzeugen. Jerry liebt es, mit seinem Arsenal anzugeben.«

Sie traten in eine weiträumige Eingangshalle, deren Wände aus unbehandeltem Kiefernholz mit Indianerdecken behängt waren. Dolan nahm zwei Gehörschutz-Sets aus einem Schrank und warf sie seinen Gästen zu.

»Jerry besteht darauf«, sagte er, während er selbst einen Gehörschutz aufsetzte. »Er ist als Jugendlicher ein paarmal zu oft zu Rockkonzerten gegangen, und wie er zu sagen pflegt: *Taubheit ist ein bleibendes Andenken.*«

Dolan stieß eine Tür auf, die mit einer dicken Schallisolierung verkleidet war. Jane und Frost zögerten, als aus dem Untergeschoss Gewehrschüsse heraufdonnerten.

»Oh, keine Angst, Sie sind da unten sicher wie in Abrahams Schoß«, sagte Dolan. »Jerry hat keine Kosten gescheut, als er die Schießanlage entworfen hat. Die Kellerwände bestehen aus mit Sand gefüllten Hohlblocksteinen, die Decke ist aus Spannbeton mit einer zehn Zentimeter dicken Stahlplatte darüber. Er hat voll ummantelte Geschossfanganlagen, und die Lüftungsanlage saugt den Rauch und die Rückstände vollständig ab. Ich sag's Ihnen, das ist das Beste vom Besten. Das müssen Sie gesehen haben.«

Jane und Frost setzten ihren Gehörschutz auf und folgten ihm nach unten.

Im harten Licht der Leuchtstoffröhren stand Jerry O'Brien mit dem Rücken zu ihnen. Seine Aufmachung schien nicht so recht zur Umgebung zu passen – er trug eine Bluejeans und ein grellbuntes Hawaiihemd, das seinen massigen Rumpf großzügig mit geblümtem Stoff umhüllte. Er wandte sich nicht sofort seinen Besuchern zu, sondern fixierte weiter eine Zielscheibe in Form einer menschlichen Silhouette, während er noch mehrere Schüsse abgab. Erst nachdem er sein Magazin geleert hatte, wandte er sich zu Jane und Frost um.

»Ah, das Boston PD ist hier.« O'Brien nahm seinen Gehörschutz ab. »Willkommen in meinem kleinen Winkel des Paradieses.«

Frost ließ den Blick über das Sortiment von Handfeuerwaffen und Gewehren auf dem Tisch wandern. »Wow. Eine beeindruckende Sammlung haben Sie da.«

»Glauben Sie mir, die sind alle legal. Kein Magazin mit mehr als zehn Schuss. Ich bewahre sie alle in einem abschließbaren Waffenschrank auf, und ich habe einen Waffenschein mit Lizenz zum Tragen verdeckter Waffen. Sie können sich das gerne von unserem hiesigen Polizeichef bestätigen lassen.« Er griff nach einer anderen Pistole und hielt sie Frost hin. »Die da ist meine Lieblingswaffe. Möchten Sie sie mal ausprobieren, Detective?«

»Äh, nein danke.«

»Juckt es Sie denn gar nicht in den Fingern? So schnell bekommen Sie sicher nicht noch eine Gelegenheit, eins von diesen Schätzchen abzufeuern.«

»Wir sind hier, um mit Ihnen über Leon Godt zu sprechen«, sagte Jane.

O'Brien wandte seine Aufmerksamkeit ihr zu. »Detective Rizzoli, nicht wahr? Haben Sie denn etwas für Waffen übrig?«

»Wenn ich sie brauche.«

»Jagen Sie?«

»Nein.«

»Haben Sie mal gejagt?«

»Nur Menschen. Das ist spannender, weil die auch zurückschießen.«

O'Brien lachte. »Sie sind ganz mein Typ. Anders als alle meine verdammten Exfrauen.« Er nahm das Magazin heraus und vergewisserte sich, dass keine Kugeln mehr in der Kammer waren. »Dann will ich Ihnen mal was über Leon erzählen. Er hätte sich mit allen Kräften gewehrt. Ich weiß, wenn er auch nur den Hauch einer Chance gehabt hätte, dann hätte er dem Mistkerl das Hirn weggepustet.« Er sah Jane an. »Und hatte er den Hauch einer Chance?«

»Wie schwerhörig war er?«

»Was hat das denn damit zu tun?«

»Er hat seine Hörgeräte nicht getragen.«

»Oh. Na, das ändert allerdings einiges. Ohne seine Hörgeräte hätte er nicht mal mitbekommen, wenn ein Elch die Treppe raufgetrampelt wäre.«

»Klingt, als ob Sie ihn recht gut kannten.«

»Gut genug, um ihm als Jäger zu vertrauen. Ich habe ihn zweimal nach Kenia mitgenommen. Letztes Jahr hat er ein Prachtexemplar von einem Wasserbüffel erlegt, mit einem einzigen Schuss. Kein Zögern, kein Blinzeln. Sie lernen eine Menge über einen Menschen, wenn Sie mit ihm auf die Jagd gehen. Sie finden heraus, ob er nur große Worte macht oder ob auch was dahinter ist. Ob Sie ihm so weit vertrauen können, dass Sie ihm den Rücken zukehren. Ob er das Rückgrat hat, sich einem angreifenden Elefantenbullen in den Weg zu stellen. Leon hat sich bewährt, und ich habe ihn respektiert. Das sage ich nicht über viele Menschen.« O'Brien legte die Pistole auf den Tisch und sah Jane an. »Warum unterhalten wir uns nicht oben weiter? Ich habe immer frischen Kaffee da, rund um die Uhr, falls Sie eine Tasse möchten.« Er warf seinem Privatsekretär einen Schlüssel zu. »Rick, kannst du die Waffen für mich einschließen? Wir sind im Freizeitraum.«

O'Brien ging voran, langsam und schwerfällig erklomm er die Stufen in seinem knallbunten, zeltartigen Hemd. Als er in der Eingangshalle ankam, schnaufte er schwer. Er hatte gesagt, dass sie im Freizeitraum weiterreden würden, doch der Raum, in den er sie führte, war kein schlichtes Hobbyzimmer, sondern eine zweigeschossige Halle mit massiven Eichenbalken und einem gemauerten Kamin. Wohin Jane blickte, sah sie ausgestopftes Jagdwild – die vom Präparator hergerichteten Belege für O'Briens Treffsicherheit. Leon Godts Sammlung hatte Jane schon in Erstaunen versetzt, aber was sie hier sah, verschlug ihr schier den Atem.

»Haben Sie die alle selbst geschossen?«, fragte Frost.

»Fast alle«, antwortete O'Brien. »Einige wenige von diesen Tieren sind vom Aussterben bedroht und dürfen nicht gejagt werden, also habe ich sie mir auf die altmodische Art und Weise besorgen müssen – indem ich meine Brieftasche öffnete. Dieser Amurleopard zum Beispiel.« Er deutete auf einen ausgestopften Kopf mit einem übel zerfetzten Ohr. »Er ist wahrscheinlich vierzig Jahre alt, und heute bekommen Sie so was gar nicht mehr. Ich habe einem Sammler eine Stange Geld für dieses ramponierte Exemplar bezahlt.«

»Und wozu soll das alles gut sein?«, fragte Jane.

»Was denn, hatten Sie als Kind nie Stofftiere, Detective? Nicht mal einen Teddybären?«

»Meinen Teddybären musste ich aber nicht schießen.«

»Nun ja, dieser Amurleopard ist *mein* Stofftier. Ich wollte ihn, weil er ein beeindruckender Räuber ist. Ein wunderschönes und gefährliches Geschöpf. Von der Natur mit tödlichen Instinkten ausgestattet.« Er wies auf die Trophäenwand, vor der sie standen, eine Galerie von Köpfen mit messerscharfen Reißzähnen, Hauern und Stoßzähnen. »Ich schieße immer noch ab und zu einen Hirsch, weil es einfach nichts Köstlicheres gibt als ein feines Hirschfilet. Aber was ich wirklich schätze, sind die Tiere, die mir Angst machen. Ich würde zu gerne einen Königstiger in die Finger bekommen. Und dieser Schneeleopard war auch so ein Tier, das ich unbedingt haben wollte. Eine wahre Schande, dass das Fell verschwunden ist. Es war mir eine Menge wert und dem Dreckschwein, das Leon umgebracht hat, offensichtlich auch.«

»Sie glauben, das war das Motiv?«, fragte Frost.

»Ganz bestimmt. Sie und Ihre Kollegen müssen nur den Schwarzmarkt beobachten, und wenn ein Fell zum Verkauf angeboten wird, haben Sie Ihren Täter. Ich helfe Ihnen gerne dabei. Es ist meine Bürgerpflicht, und ich bin es Leon schuldig.«

»Wer wusste, dass er an einem Schneeleoparden arbeiten sollte?«

»Eine Menge Leute. Nur ganz wenige Präparatoren bekommen die Gelegenheit, an einem so seltenen Tier zu arbeiten, und er hatte in den Jagdforen im Internet damit geprahlt. Wir sind alle fasziniert von Großkatzen. Von Tieren, die uns töten können. Von mir kann ich das jedenfalls sagen.« Er blickte zu seinen Trophäen auf. »Und so zolle ich ihnen meine Anerkennung.«

»Indem Sie sich ihre Köpfe an die Wand hängen?«

»Das ist auch nicht schlimmer als das, was sie mit mir machen würden, wenn sie die Chance dazu bekämen. So ist das Leben im Dschungel, Detective. Jeder gegen jeden, nur der Stärkste überlebt.« Er blickte sich in seinem Trophäenraum um, ein König, der seine unterworfenen Untertanen inspiziert. »Das Töten liegt in unserer Natur. Das wollen viele Leute nicht wahrhaben. Wenn ich hier auch nur mit der Steinschleuder auf ein Eichhörnchen schieße, können Sie wetten, dass meine durchgeknallten Nachbarn von der Müslifraktion einen Aufstand veranstalten. Diese Irre von nebenan hat mich schon mal angeschrien, ich solle doch meine Sachen packen und mich nach Wyoming verziehen.«

»Das könnten Sie doch auch«, bemerkte Frost.

O'Brien lachte. »Nix da, ich bleibe lieber hier und bin ein Stachel in ihrem Fleisch. Und überhaupt, warum sollte ich wegziehen? Ich bin in Lowell aufgewachsen, hier ganz in der Nähe. In einem Elendsviertel gleich neben der Baumwollspinnerei. Ich bleibe hier, weil es mich daran erinnert, wie weit ich es gebracht habe.« Er ging zu einer Hausbar und entkorkte eine Flasche Whiskey. »Kann ich Ihnen einen anbieten?«

»Nein, danke«, sagte Frost.

»Ja, schon klar. Kein Alkohol im Dienst und so.« Er schenkte sich zwei Fingerbreit ein. »Ich bin mein eigener Herr, also kann ich auch meine eigenen Regeln aufstellen. Und ich sage, die Cocktailstunde beginnt um drei.«

Frost trat näher an die Galerie der Raubtiere heran und bewunderte das Ganzkörperpräparat eines Leoparden. Das Tier saß auf einem Baumast, in gekrümmter Haltung, als ob es zum Sprung ansetzte. »Ist das ein Afrikanischer Leopard?«

O'Brien drehte sich mit dem Glas in der Hand um. »Ja. Hab ich vor ein paar Jahren in Simbabwe geschossen. Leoparden sind ganz durchtriebene Burschen. Verschlagene Einzelgänger. Wenn sie sich in einer Baumkrone verstecken, können sie einen böse überraschen. Im Vergleich mit anderen Raubkatzen sind sie nicht allzu groß, aber sie sind stark genug, um einen Menschen auf einen Baum zu zerren.« Er nahm einen Schluck Whiskey, während er das Tier bewunderte. »Leon hat den da für mich präpariert. Da können Sie die Qualität seiner Arbeit sehen. Er hat auch diesen Löwen dort gemacht und den Grizzly da drüben. Er war gut, aber auch nicht gerade billig.« O'Brien ging auf das Ganzkörperpräparat eines Pumas zu. »Das war seine erste Arbeit für mich, vor rund fünfzehn Jahren. Er sieht so echt aus, dass er mir immer noch einen Schrecken einjagt, wenn ich ihn im Dunkeln sehe.«

»Leon Godt war also Ihr Jagdkamerad und Ihr Präparator«, sagte Jane.

»Nicht nur *irgendein* Präparator. Seine Arbeiten sind legendär.«

»Wir haben einen Artikel über ihn im *Hub Magazine* gesehen. ›Der Herr der Trophäen‹.«

O'Brien lachte. »Der hat ihm gefallen. Er hat ihn sich gerahmt und an die Wand gehängt.«

»Zu diesem Artikel gab es sehr viele Kommentare, darunter auch sehr unschöne zum Thema Jagd.«

O'Brien zuckte mit den Achseln. »Das gehört zum Geschäft. Ich bekomme auch Drohungen. Die Leute rufen im Sender an und sagen, sie würden mich am liebsten abstechen wie ein Schwein.«

»Ja, ich habe ein paar von diesen Anrufen gehört«, sagte Frost.

O'Brien spitzte die Ohren wie eine Bulldogge, die auf eine Ultraschallpfeife reagiert. »Sie hören meine Sendung, hm?«

Er hätte sich wohl gewünscht, dass Frost antwortete: *Aber natürlich! Ich liebe Ihre Sendung, und ich bin Ihr größter Fan!* Ein Mann, der auf so großem Fuß lebte und einen so ostentativen Lebensstil pflegte, ein Mann, der seine Freude daran zu haben schien, allen, die ihn verachteten, den Mittelfinger zu zeigen, war auch ein Mann, der nach Bestätigung gierte.

»Erzählen Sie uns von diesen Leuten, die Sie bedroht haben«, forderte Jane ihn auf.

O'Brien lachte wieder. »Meine Sendung erreicht sehr viele Hörer, und manchen von denen gefällt nun mal nicht, was ich zu sagen habe.«

»Finden Sie nicht manche von diesen Drohungen beunruhigend? Etwa die von den Jagdgegnern?«

»Sie haben meine Waffensammlung gesehen. Die sollen nur versuchen, mich abzuknallen.«

»Leon Godt hatte auch eine Waffensammlung.«

Er hielt inne, das Whiskeyglas an den Lippen. Dann ließ

er es sinken und sah Jane stirnrunzelnd an. »Sie glauben, es war so ein durchgeknallter Tierschützer?«

»Wir ziehen alle Möglichkeiten in Betracht. Deswegen würden wir gerne etwas über die Drohungen hören, die Sie erhalten.«

»Welche? Jedes Mal, wenn ich den Mund aufmache, trete ich irgendwelchen Hörern auf den Schlips.«

»Hat von denen schon mal einer gesagt, dass er Sie gerne aufgehängt und ausgeweidet sehen würde?«

»Na klar, das ist ja auch so furchtbar originell. Was Neues fällt ihr anscheinend nicht ein.«

»Ihr?«

»Eine von den Idioten, die mich regelmäßig belästigen. Suzy Sowieso, ruft ständig an. *Tiere haben eine Seele! Die Menschen sind die wahren Bestien!* Bla, bla, bla.«

»Hat sonst noch jemand diese spezielle Drohung geäußert? Das mit dem Aufhängen und Ausweiden?«

»Doch, und es sind fast immer die Weiber. Sie malen alles schön detailliert und blutrünstig aus, wie es nur Frauen können.« Er hielt inne, als ihm plötzlich die Bedeutung von Janes Frage aufging. »Sie wollen doch nicht sagen, dass das mit Leon gemacht wurde? Wurde er wirklich ausgeweidet?«

»Wie wär's, wenn Sie für uns diese Anrufer im Auge behalten? Wenn Sie das nächste Mal solche Drohungen erhalten, notieren Sie die Telefonnummern und leiten Sie sie an uns weiter.«

O'Brien wandte sich an seinen Privatsekretär, der soeben das Zimmer betreten hatte. »Rick, kannst du das übernehmen? Ihnen die Namen und Nummern besorgen?«

»Klar doch, Jerry.«

»Aber ich kann mir nicht vorstellen, dass einer von diesen Spinnern seine Drohung wahr machen würde«, sagte O'Brien. »Für mich ist das alles nur leeres Geschwätz.«

»Ich würde jede Drohung ernst nehmen«, sagte Jane.

»Oh, ich nehme sie todernst.« Er zog den Saum seines wallenden Hawaiihemds hoch und zeigte ihnen die Glock, die im Holster unter dem Hosenbund steckte. »Wozu die Lizenz, wenn ich keinen Gebrauch davon mache, nicht wahr?«

»Hat Leon erzählt, dass er irgendwelche Drohungen erhalten hätte?«, fragte Frost.

»Nichts, was ihn beunruhigt hätte.«

»Hatte er Feinde? Gibt es Kollegen oder Familienmitglieder, die von seinem Tod profitieren könnten?«

O'Brien schwieg einen Moment und schob die Lippen vor wie ein Ochsenfrosch. Er hatte sein Whiskeyglas wieder in die Hand genommen und starrte es eine Weile an. »Das einzige Familienmitglied, über das er je geredet hat, war sein Sohn.«

»Sein verstorbener Sohn.«

»Genau. Auf unserer letzten Keniareise hat er viel von ihm erzählt. Wenn man mit einer Flasche Whiskey am Lagerfeuer sitzt, redet man über alles Mögliche. Erst der Abschuss, dann Bushmeat zum Abendessen und Gespräche unter dem Sternenhimmel. Für Männer ist es das, was zählt.« Er warf seinem Privatsekretär einen Blick zu. »Stimmt's, Rick?«

»Du sagst es, Jerry«, antwortete Dolan und schenkte seinem Boss dezent Whiskey nach.

»Sind bei diesen Reisen keine Frauen dabei?«, fragte Jane.

O'Brien sah sie an, als hätte sie den Verstand verloren. »Warum sollte ich mir dieses Vergnügen ruinieren? Frauen verderben einem nur den Spaß.« Er nickte. »Anwesende natürlich ausgeschlossen. Ich war viermal verheiratet, und alle vier nehmen mich immer noch aus. Leon hatte auch eine beschissene Ehe hinter sich. Seine Frau hat ihn verlassen und den Jungen gegen ihn aufgebracht. Das hat Leon das Herz gebrochen. Selbst nachdem das Miststück tot war, hat dieser Sohn immer noch alles getan, um Leon zu ärgern. Da bin ich nur froh, dass ich nie Kinder hatte.« Er nippte an seinem Whiskey und schüttelte den Kopf. »Verdammt, er wird mir fehlen. Wie kann ich Ihnen helfen, das Schwein zu schnappen, das ihn auf dem Gewissen hat?«

»Beantworten Sie einfach weiter unsere Fragen.«

»Ich bin doch nicht irgendwie verdächtig, oder doch?«

»Sollten Sie das sein?«

»Keine Spielchen, okay? Stellen Sie einfach Ihre Fragen.«

»Der Suffolk Zoo sagt, Sie hätten eingewilligt, als Gegenleistung für die Überlassung des Leoparden fünf Millionen Dollar zu spenden.«

»Stimmt genau. Ich habe ihnen gesagt, dass ich nur einen Präparator an ihn ranlassen würde, nämlich Leon Godt.«

»Und wann haben Sie das letzte Mal mit Mr. Godt gesprochen?«

»Wir haben am Sonntag von ihm gehört. Da rief er an, um uns zu sagen, dass er das Tier abgebalgt und ausgenommen hätte, und er fragte, ob wir den Kadaver wollten.«

»Um wie viel Uhr war dieser Anruf?«

»So um Mittag herum.« O'Brien hielt inne. »Ich bitte Sie, Sie haben doch bestimmt schon die Verbindungsdaten. Sie wissen von dem Anruf.«

Jane und Frost wechselten irritierte Blicke. Sie hatten zwar einen gerichtlichen Beschluss, doch der Anbieter hatte die Daten noch nicht geliefert. Bei annähernd tausend Anfragen, die täglich von Polizeidienststellen im ganzen Land eingingen, konnte es Tage, wenn nicht Wochen dauern, bis ein Telefonprovider die Anordnung befolgte.

»Er hat Sie also wegen des Kadavers angerufen«, sagte Frost. »Wie ging es dann weiter?«

»Ich bin hingefahren und habe ihn abgeholt«, antwortete O'Briens Sekretär. »Ich bin so gegen zwei Uhr nachmittags bei Leon angekommen, hab das Tier auf meinen Pick-up geladen und es gleich hergebracht.«

»Warum eigentlich? Sie wollten das Leopardenfleisch doch nicht etwa *essen*, oder?«

»Ich würde jedes Fleisch wenigstens ein Mal probieren«, sagte O'Brien. »Mann, ich würde sogar einen saftigen Menschenbraten nicht verschmähen, wenn ich ihn angeboten bekäme. Aber nein, ich würde kein Tier essen, das mit Medikamenten eingeschläfert wurde. Es ging mir um das Skelett. Nachdem Rick ihn gebracht hatte, haben wir ein Loch gebuddelt und ihn vergraben. Ein paar Monate, dann haben Mutter Natur und die Würmer ihr Werk getan, und ich habe die Knochen für ein Ganzkörperpräparat.«

Und das war der Grund, weshalb sie nur die inneren Organe des Leoparden gefunden hatten, dachte Jane. Weil der Kadaver schon hier auf O'Briens Grundstück war und in der Erde vermoderte.

»Haben Sie mit Mr. Godt gesprochen, als Sie am Sonntag dort waren?«, wollte Jane von Dolan wissen.

»Kaum. Er telefonierte gerade. Ich habe noch ein paar Minuten gewartet, aber er hat mich nur weggescheucht. Also habe ich den Kadaver genommen und bin gefahren.«

»Mit wem hat er gesprochen?«

»Ich weiß es nicht. Er sagte, glaube ich, dass er noch mehr von Elliots Fotos aus Afrika wollte. ›Alles, was Sie haben‹, sagte er.«

»Elliot?« Jane sah O'Brien an.

»Das war sein verstorbener Sohn«, erklärte O'Brien. »Wie ich schon sagte, er hatte in letzter Zeit viel über Elliot gesprochen. Es passierte vor sechs Jahren, aber ich denke, die Schuldgefühle haben ihn letztlich doch eingeholt.«

»Warum hätte Leon Schuldgefühle haben sollen?«

»Weil er nach der Scheidung so gut wie keinen Kontakt mehr mit ihm hatte. Seine Exfrau hat den Jungen großgezogen, und sie hat ihn zu einem *Weichei* gemacht, meinte Leon. Der Junge hat mit so einer verrückten PETA-Tussi angebandelt, wahrscheinlich nur, um seinen Alten zu ärgern. Leon hat versucht, mit ihm Kontakt aufzunehmen, aber sein Sohn wollte nichts davon wissen. Deswegen hat es Leon sehr getroffen, als Elliot starb. Ein Foto war alles, was ihm von seinem Sohn geblieben war. Er hatte es in seinem Haus hängen, eine der letzten Aufnahmen, die es von Elliot gab.«

»Wie ist Elliot gestorben? Sie sagten, es war vor sechs Jahren?«

»Ja, der dumme Junge hatte es sich in den Kopf gesetzt, nach Afrika zu fliegen. Er wollte die Tiere sehen, bevor sie von Jägern wie mir ausgerottet würden. Interpol sagt, er habe in Kapstadt zwei Mädchen getroffen, und die drei seien dann zusammen nach Botswana gefahren, um auf Safari zu gehen.«

»Und was ist dann passiert?«

O'Brien leerte sein Whiskeyglas und sah sie an. »Sie wurden nie wieder gesehen.«

10

Botswana

Johnny drückt die Spitze seines Messers gegen den Bauch der
Impala und schneidet durch Fell und Fett bis auf das glit-
schige Netz, das die Organe umhüllt. Erst vor wenigen Au-
genblicken hat er das Tier mit einem einzigen Gewehrschuss
niedergestreckt, und während er es ausweidet, sehe ich zu,
wie das Auge der Antilope sich trübt, als ob der Tod es mit
einem kalten Nebel behaucht und mit einer Reifschicht
überzogen hätte. Johnny arbeitet schnell und behände wie
ein Jäger, der diese Arbeit schon viele Male gemacht hat. Mit
einer Hand schlitzt er den Bauch auf, mit der anderen schiebt
er die Eingeweide von der Klinge weg, damit er nicht aus Ver-
sehen die Innereien ansticht und das Fleisch verdirbt. Es ist
eine scheußliche Arbeit, die zugleich viel Geschick erfordert.
Mrs. Matsunaga wendet sich angewidert ab, aber wir Übrigen
schauen gebannt zu. Deswegen sind wir nach Afrika gekommen, um dies zu erleben: das Leben und Sterben im Busch.
Heute Abend werden wir uns die Bäuche mit Impalafleisch
vollschlagen, geröstet über dem Lagerfeuer, und der Preis für
unsere Mahlzeit ist der Tod dieses Tieres, das da ausgeweidet
wird. Der Geruch des Bluts steigt von dem warmen Kadaver
auf, ein so mächtiges Lockmittel, dass sich ringsum schon
die Aasfresser regen. Ich glaube sie schon zu hören, wie sie
sich im raschelnden Gras anschleichen.

Über uns kreisen die allgegenwärtigen Geier.

»Der Darm ist voller Bakterien, deshalb entferne ich ihn, damit das Fleisch nicht kontaminiert wird«, erklärt Johnny, während er schneidet. »Das reduziert auch das Gewicht, sodass wir nicht so schwer zu tragen haben. Nichts wird vergeudet, es wird alles aufgefressen. Die Aasfresser werden alles wegputzen, was wir zurücklassen. Es ist besser, es gleich hier draußen zu machen, damit wir sie nicht ins Lager locken.« Er greift in die Brusthöhle der Antilope, um an Herz und Lunge zu zerren. Mit ein paar Schnitten durchtrennt er die Luftröhre und die großen Blutgefäße, und die Brustorgane gleiten heraus wie ein Neugeborenes, über und über mit Blut verschmiert.

Vivian stöhnt. »Oh Gott!«

Johnny blickt auf. »Sie essen doch Fleisch, oder nicht?«

»Nachdem ich das mit angesehen habe? Ich weiß nicht, ob ich das fertigbringe.«

»Ich glaube, wir alle *müssen* uns das ansehen«, sagt Richard. »Wir müssen wissen, wo unser Essen herkommt.«

Johnny nickt. »Ganz genau. Als Fleischesser haben wir die Pflicht, uns darüber zu informieren, was alles erforderlich ist, bis das Steak schließlich auf unserem Teller landet. Das Anschleichen, der Abschuss. Das Abziehen, Ausweiden und Zerlegen. Der Mensch ist ein Jäger, und das ist es, was wir von Anbeginn an getan haben.« Er greift in die Beckenhöhle, um Blase und Uterus herauszureißen, dann packt er die Eingeweide mit beiden Händen und wirft sie aufs Gras. »Der moderne Mensch hat den Bezug zu alldem verloren, was zum Überleben notwendig ist. Er geht in den Supermarkt und öffnet seine Brieftasche, um für ein Steak zu bezahlen. Aber das ist nicht die wahre Bedeutung von Fleisch.« Er steht auf und blickt auf die ausgeweidete Impala hinunter, seine nackten Arme mit Blut verschmiert. »Sondern *das* da.«

Wir stehen im Kreis um die Beute herum, während der letzte Rest Blut aus dem offenen Rumpf rinnt. Schon beginnen die weggeworfenen Organe, in der Sonne zu trocknen, und die Geier kreisen dichter über uns, begierig, sich auf diesen dampfenden Aashaufen zu stürzen.

»Die Bedeutung von Fleisch«, sagt Elliot. »So habe ich das noch nie gesehen.«

»Der Busch zeigt dir, wo dein Platz auf der Welt wirklich ist«, sagt Johnny. »Hier werden wir daran erinnert, was wir wirklich sind.«

»Tiere«, murmelt Elliot.

Johnny nickt. »Tiere.«

Und das ist es, was ich sehe, als ich mich an diesem Abend am Lagerfeuer umblicke. Einen Kreis von Raubtieren, die ihre Beute verzehren, die mit ihren Zähnen Fetzen von geröstetem Impalafleisch vom Knochen reißen. Einen Tag erst sitzen wir im Busch fest, und schon haben wir uns in verwilderte Versionen unserer selbst verwandelt, wir essen mit bloßen Händen, während der Fleischsaft uns übers Kinn rinnt, unsere Gesichter geschwärzt vom angebrannten Fett. Wenigstens müssen wir keine Angst haben, hier im Busch zu verhungern, denn überall wimmelt es von Essbarem, Fleisch auf Hufen und Fleisch mit Flügeln. Mit seinem Gewehr und seinem Abbalgmesser wird Johnny dafür sorgen, dass wir nicht darben müssen.

Er sitzt im Schatten, ein Stück außerhalb unseres Kreises, und sieht zu, wie wir schlingen. Ich wünschte, ich könnte sein Gesicht lesen, aber heute Abend verrät es mir nichts. Liegt in seinem Blick Verachtung für uns, seine ahnungslosen Kunden, hilflos wie junge Vögel, denen er das Futter in den Rachen stopfen muss? Gibt er uns irgendwie die Schuld an Clarence' Tod? Er hebt die leere Whiskeyflasche auf, die

Sylvia gerade weggeworfen hat, und steckt sie in den Leinensack, in dem wir unseren Abfall sammeln. Er besteht darauf, dass wir alles mitnehmen. Keine Spuren hinterlassen, sagt er – so zeigen wir unseren Respekt für das Land. Schon klirren mehrere leere Flaschen in dem Sack, aber wir müssen nicht befürchten, dass uns der Schnaps so bald ausgehen wird. Mrs. Matsunaga ist allergisch gegen Alkohol, Elliot trinkt nur ganz wenig, und Johnny ist offenbar fest entschlossen, stocknüchtern zu bleiben, bis wir gerettet sind.

Er kehrt zum Feuer zurück, und zu meiner Überraschung setzt er sich neben mich.

Ich sehe ihn an, aber sein Blick bleibt auf die Flammen gerichtet, als er leise sagt: »Sie gehen gut mit der Situation um.«

»Wirklich? Finde ich eigentlich nicht. Nicht besonders jedenfalls.«

»Ich war dankbar für Ihre Hilfe heute. Beim Häuten der Impala, beim Aufbrechen des Wilds. Sie sind ein Naturtalent im Busch.«

Ich muss lachen. »Ich bin doch diejenige, die gar nicht hier sein wollte. Die immer auf heißen Duschen und richtigen Toiletten besteht. Ich bin ja nur mitgekommen, weil ich ein guter Kumpel sein wollte.«

»Richard zuliebe.«

»Wem sonst?«

»Ich hoffe, er ist beeindruckt.«

Ich werfe einen Seitenblick auf Richard, der nicht in meine Richtung schaut. Er ist zu sehr damit beschäftigt, auf Vivian einzureden, deren eng anliegendes T-Shirt keinen Zweifel daran lässt, dass sie darunter keinen BH trägt. Ich starre wieder ins Feuer. »Wenn man immer nur ein guter Kumpel sein will, bringt man es nicht weit im Leben.«

»Richard hat mir erzählt, dass Sie Buchhändlerin sind.«

»Ja. Ich führe eine Buchhandlung in London. Im richtigen Leben.«

»Ist das hier denn nicht das richtige Leben?«

Ich lasse den Blick über die schattenhaften Gestalten wandern, die ums Feuer sitzen. »Das hier ist eine Fantasie, Johnny. Wie aus einem Hemingway-Roman. Ich garantiere Ihnen, die Geschichte wird eines Tages in einem von Richards Thrillern auftauchen.« Ich lache. »Wundern Sie sich nicht, wenn er Sie zum Schurken des Stücks macht.«

»Welche Rolle spielen Sie in seinen Romanen?«

Ich betrachte die Flammen. Und sage wehmütig: »Ich war immer die Geliebte des Helden.«

»Sind Sie es denn nicht mehr?«

»Nichts bleibt, wie es ist.«

Nein, jetzt bin ich der Klotz am Bein. Die lästige Freundin, die der Schurke aus dem Weg räumen muss, damit der Held sich in neue romantische Abenteuer stürzen kann. Oh, ich weiß genau, wie diese Thriller für Männer gestrickt sind, schließlich verkaufe ich solche Romane zu Dutzenden an blasse, unsportliche Typen, die alle davon träumen, James Bond zu sein. Richard versteht es, aus ihren Fantasien zu schöpfen, weil er sie mit ihnen teilt. Selbst in diesem Augenblick, als er sich vorbeugt, um mit seinem silbernen Feuerzeug Mr. Matsunagas Zigarette anzuzünden, spielt er den weltgewandten Helden. James Bond würde sich niemals mit einem popeligen Streichholz abgeben.

Johnny hebt einen Stock auf und stochert im Feuer herum, schiebt ein Stück Holz tiefer in die Flammen. »Für Richard mag das hier nur eine Fantasie sein. Aber diese hier hat echte Zähne und Klauen.«

»Ja, da haben Sie natürlich recht. Es ist keine Fantasie. Es ist ein verdammter Albtraum.«

»Dann haben Sie die Situation erfasst«, murmelt er.

»Ich verstehe, dass jetzt alles anders ist. Das hier ist keine Urlaubsreise mehr.« Leise füge ich hinzu: »Und ich habe Angst.«

»Das ist nicht nötig, Millie. Sie müssen wachsam sein, ja, aber Sie müssen keine Angst haben. Ich meine, in einer Stadt wie Johannesburg, da kann man wirklich Angst um sein Leben haben. Aber hier?« Er schüttelt den Kopf und lächelt. »Hier versucht jede Kreatur einfach nur zu überleben. Wenn Sie das begriffen haben, werden Sie auch überleben.«

»Sie haben gut reden. Sie sind in dieser Welt aufgewachsen.«

Er nickt. »Meine Eltern hatten eine Farm in der Provinz Limpopo. Jeden Tag bin ich auf meinem Weg hinaus auf die Felder an Bäumen vorbeigekommen, auf denen Leoparden saßen und mich beobachteten. Nach einer Weile kannte ich sie alle, und sie kannten mich.«

»Sie haben Sie nie angegriffen?«

»Ich denke, wir hatten eine Vereinbarung, diese Leoparden und ich. Es war so etwas wie Respekt unter Raubtieren. Aber das heißt nicht, dass wir einander je vertraut hätten.«

»Ich hätte Angst, überhaupt vor die Tür zu gehen. Hier gibt es so viele Möglichkeiten, den Tod zu finden. Löwen. Leoparden. Schlangen.«

»Ich habe einen gesunden Respekt vor all diesen Tieren, weil ich genau weiß, wozu sie fähig sind.« Er starrt ins Feuer, grinst. »Als ich vierzehn war, wurde ich von einer Viper gebissen.«

Ich starre ihn an. »Und da lächeln Sie, wenn Sie das erzählen?«

»Es war einzig und allein mein Fehler. Ich habe als Junge Schlangen gesammelt. Hab sie selbst gefangen und in verschiedenen Behältern in meinem Zimmer gehalten. Aber eines Tages bin ich übermütig geworden, und meine Viper hat mich gebissen.«

»Du lieber Gott. Was ist dann passiert?«

»Zum Glück war es ein trockener Biss, ohne Gift. Aber das hat mich gelehrt, dass Unachtsamkeit immer bestraft wird.« Er schüttelt bedauernd den Kopf. »Das Schlimmste war, dass meine Mutter von mir verlangte, die Schlangen aufzugeben.«

»Ich kann nicht glauben, dass sie Ihnen überhaupt erlaubt hat, sie zu sammeln. Oder dass sie Sie auch nur einen Schritt vor die Tür machen ließ, wenn es draußen von Leoparden wimmelte.«

»Aber so haben es schon unsere Vorfahren gemacht, Millie. Das ist unser aller Ursprung. Irgendein Teil von Ihnen, irgendeine uralte Erinnerung tief in Ihrem Gehirn erkennt diesen Kontinent als Heimat wieder. Die meisten Menschen haben den Bezug dazu verloren, aber die Instinkte sind alle noch vorhanden.« Er hebt die Hand und berührt behutsam meine Stirn. »So bleiben Sie hier am Leben, indem Sie diese uralten Erinnerungen aus den tiefsten Tiefen hervorholen. Ich werde Ihnen helfen, sie zu finden.«

Plötzlich spüre ich, dass Richards Augen auf uns gerichtet sind.

Johnny spürt es auch, und sofort zaubert er ein strahlendes Lächeln auf seine Lippen. Es ist, als hätte jemand einen Schalter umgelegt. »Wildfleisch am offenen Feuer geröstet. Einfach unübertrefflich, was, Leute?«, ruft er.

»Viel zarter, als ich gedacht hatte«, sagt Elliot und leckt sich den Saft von den Fingern. »Ich habe das Gefühl, dass mein innerer Höhlenmensch zum Leben erwacht!«

»Wie wär's, wenn Sie und Richard nächstes Mal das Ausweiden und Zerlegen übernehmen?«

Elliot sieht ihn verdutzt an. »Ähm … ich?«

»Sie haben doch gesehen, wie es gemacht wird.« Johnny sieht Richard an. »Denken Sie, Sie kriegen das hin?«

»Klar kriegen wir das hin«, sagt Richard und starrt unverwandt zurück. Ich sitze zwischen den beiden, und obwohl Richard mich während des Essens fast durchgehend ignoriert hat, legt er mir jetzt den Arm um die Schultern, wie um seinen Besitzanspruch zu markieren. Als ob er in Johnny einen Rivalen sähe, der mich ihm wegnehmen könnte.

Von dem Gedanken wird mir ganz heiß im Gesicht.

»Und überhaupt«, fährt Richard fort, »wir packen doch alle gerne mit an. Wir können heute Nacht damit anfangen, indem wir Wache halten.« Er streckt die Hände nach dem Gewehr aus, das immer an Johnnys Seite ist. »Sie müssen ja schließlich auch irgendwann mal schlafen.«

»Aber du hast doch noch nie mit so einem Gewehr geschossen«, gebe ich zu bedenken.

»Das lerne ich schon.«

»Findest du nicht, dass Johnny das entscheiden sollte?«

»Nein, Millie. Ich finde *nicht*, dass er als Einziger die Kontrolle über das Gewehr haben sollte.«

»Was tust du da, Richard?«, flüstere ich.

»Dasselbe könnte ich auch dich fragen.« Sein Blick ist wie ein Laserstrahl. Die Gespräche am Lagerfeuer verstummen, und in der Stille hören wir das ferne Geheul der Hyänen, die sich an den von uns zurückgelassenen Eingeweiden gütlich tun.

Johnny sagt mit ruhiger Stimme: »Ich habe schon Isao gebeten, heute Nacht die zweite Wache zu übernehmen.«

Richard sieht Mr. Matsunaga verblüfft an. »Wieso *ihn*?«

»Ich bin der beste Schütze im Tokioter Schützenverein«, erklärt Mr. Matsunaga mit stolzem Lächeln. »Um wie viel Uhr soll ich Wache stehen?«

»Ich wecke Sie um zwei, Isao«, sagt Johnny. »Sie sollten sich lieber zeitig schlafen legen.«

Der Zorn in unserem Zelt ist wie ein lebendes Wesen, ein Monster mit glühenden Augen, das darauf wartet zuzuschlagen. Und ich bin es, die es sich auserkoren hat, das Opfer, in das es seine Klauen schlagen wird. Ich versuche, leise und ruhig zu sprechen, in der Hoffnung, dass die Klauen mich verschonen werden, dass die Glut in diesen Augen irgendwann verlöschen wird. Doch Richard lässt das nicht zu.

»Was hat er dir gesagt? Worüber habt ihr zwei euch so liebevoll unterhalten?«, will er wissen.

»Was glaubst du denn, worüber wir geredet haben? Wie wir diese Woche lebend überstehen können.«

»Es ging also nur ums Überleben, wie?«

»Ja.«

»Und Johnny ist so gut darin, dass wir jetzt festsitzen.«

»Du gibst *ihm* die Schuld daran?«

»Er hat bewiesen, dass wir ihm nicht vertrauen können. Aber das kannst du natürlich nicht sehen.« Er lacht. »Es gibt einen Ausdruck dafür: Kakifieber.«

»Was?«

»So nennt man es, wenn Frauen scharf auf ihren Safari-Guide sind. Sie müssen nur einen Mann in Kaki sehen, und schon machen sie für ihn die Beine breit.«

Eine gröbere Beleidigung hätte er mir nicht an den Kopf werfen können. Und doch gelingt es mir, ruhig zu bleiben, denn inzwischen kann mich nichts, was er sagt, mehr verletzen. Stattdessen lache ich nur. »Weißt du was, mir ist gerade etwas klar geworden: Du bist tatsächlich ein Arschloch.«

»Wenigstens bin ich nicht derjenige, der mit dem Safari-Guide vögeln will.«

»Woher willst du wissen, dass wir es nicht schon getan haben?«

Er dreht sich abrupt auf die Seite und kehrt mir den Rücken zu. Ich weiß, dass er am liebsten aus dem Zelt stürmen würde, genau wie ich, aber es ist einfach zu gefährlich. Und wo sollten wir auch hingehen? Ich kann nur so weit wie möglich von ihm wegrücken und mich still verhalten. Ich kenne diesen Mann nicht mehr. Irgendetwas in ihm hat sich verändert, irgendeine Wandlung ist mit ihm vorgegangen, als ich nicht hingesehen habe. Der Busch hat das bewirkt. Afrika hat das bewirkt. Richard ist jetzt ein Fremder, oder vielleicht war er das immer schon. Kann man einen Menschen je wirklich kennen? Ich habe einmal von einer Frau gelesen, die zehn Jahre lang mit einem Mann verheiratet war, ehe sie dahinterkam, dass er ein Serienmörder war. Wie hat sie das nicht wissen können?, dachte ich, als ich den Artikel las.

Aber jetzt ist mir klar, wie so etwas passieren kann. Ich liege in einem Zelt mit einem Mann, den ich seit vier Jahren kenne, einem Mann, den ich zu lieben glaubte, und ich komme mir vor wie die Frau des Serienmörders, nachdem die Wahrheit über ihren Mann endlich ans Licht gekommen ist.

Vor unserem Zelt ist ein Poltern zu hören, dann ein Knistern, und das Feuer strahlt heller. Johnny hat gerade Holz nachgelegt, um die Tiere fernzuhalten. Hat er uns reden hören? Weiß er, dass es bei diesem Streit um ihn geht? Vielleicht hat er das bei früheren Safaris schon unzählige Male erlebt. Beziehungskrisen, gegenseitige Anschuldigungen. *Kakifieber.* Ein Phänomen, das so häufig auftritt, dass es schon einen eigenen Namen bekommen hat.

Ich schließe die Augen, und ein Bild kommt mir in den Sinn. Ich sehe Johnny am frühen Morgen im hohen Gras stehen, die Silhouette seiner Schultern vor dem Hintergrund der aufgehenden Sonne. Habe ich mich tatsächlich ein bisschen mit dem Fieber angesteckt? Er ist derjenige, der uns beschützt, der uns am Leben hält. In dem Moment, als er die Impala erspähte, stand ich direkt neben ihm, so nahe, dass ich sah, wie die Muskeln in seinem Arm sich spannten, als er das Gewehr hob. Ich spüre wieder die Erregung im Moment des Schusses, als ob ich selbst abgedrückt hätte, als ob ich die Antilope geschossen hätte. Ein gemeinsamer Beutezug, der eine Art Blutbande zwischen uns geschaffen hat.

Oh ja, Afrika hat auch mich verändert.

Ich halte den Atem an, als Johnnys Silhouette vor unserem Zelt verharrt. Dann geht er weiter, sein Schatten gleitet davon. Als ich einschlafe, ist es nicht Richard, von dem ich träume, sondern Johnny, seine hohe, gerade Gestalt im Gras. Johnny, der mir ein Gefühl der Sicherheit gibt.

Bis zum nächsten Morgen, als ich aufwache und erfahre, dass Isao Matsunaga verschwunden ist.

11

Keiko kniet im Gras und schluchzt leise, während sie mit dem Oberkörper wippt wie ein Metronom, das im Rhythmus der Verzweiflung tickt. Wir haben das Gewehr gefunden – es lag gleich hinter dem mit Glöckchen behängten Absperrdraht –, aber ihren Mann haben wir noch nicht gefunden. Sie weiß, was das bedeutet. Wir wissen es alle.

Ich stehe hinter Keiko und streichle ihr hilflos die Schulter, weil ich nicht weiß, was ich sonst tun soll. Im Trösten war ich noch nie besonders gut. Als mein Vater gestorben war und meine Mutter weinend in seinem Zimmer im Krankenhaus saß, konnte ich nur immer wieder ihren Arm reiben, hin und her und hin und her, bis sie schließlich rief: »Hör auf damit, Millie! Das macht mich noch ganz kirre!« Ich glaube, Keiko ist zu verstört, um überhaupt zu bemerken, dass ich sie berühre. Als ich auf ihren gesenkten Kopf schaue, sehe ich weiße Wurzeln in ihrem schwarzen Haar aufblitzen. Mit ihrer hellen, glatten Haut wirkte sie so viel jünger als ihr Mann, aber jetzt wird mir klar, dass sie ganz und gar nicht jung ist. Dass ein paar Monate hier draußen im Busch ihr wahres Alter zum Vorschein bringen würden: Ihr schwarzes Haar würde sich silbergrau färben, ihre Haut in der Sonne dunkel und runzlig werden. Schon jetzt scheint sie vor meinen Augen zu schrumpfen.

»Ich werde am Fluss suchen«, erklärt Johnny und hebt das Gewehr auf. »Sie bleiben hier und warten im Jeep.«

»Im *Jeep*?«, wiederholt Richard. »Sie meinen diese Schrottkiste, die Sie noch nicht mal starten können?«

»Wenn Sie im Auto bleiben, kann Ihnen nichts passieren. Ich kann nicht nach Isao suchen und Sie gleichzeitig beschützen.«

»Moment mal, Johnny«, melde ich mich. »Ist es wirklich eine gute Idee, wenn Sie ganz allein losziehen?«

»Er hat die verdammte Knarre, Millie«, sagt Richard. »Wir haben gar nichts.«

»Es muss ihn doch jemand sichern, während er nach Spuren sucht«, wende ich ein.

Johnny nickt knapp. »Okay, Sie sind meine Späherin. Halten Sie sich dicht hinter mir.«

Als ich über den Absperrdraht steige, bleibe ich mit dem Schuh hängen, und die Glöckchen läuten. So ein liebliches Gebimmel wie ein Windspiel in einem lauen Lüftchen, aber hier draußen bedeutet es, dass der Feind eingedrungen ist, und mein Herz beginnt reflexartig zu pochen, als ich das Geräusch höre. Ich hole tief Luft und folge Johnny durch das Gras.

Es ist gut, dass ich mitgekommen bin. Seine Aufmerksamkeit ist ganz auf den Boden gerichtet, den er nach Spuren absucht, und er könnte sehr leicht das Zucken eines Löwenschwanzes im Unterholz übersehen. Während wir weiter vorrücken, suche ich ständig nach allen Seiten die Umgebung ab. Das Gras ist hoch, es reicht mir bis zur Hüfte, und ich denke an Puffottern, stelle mir vor, wie leicht ich auf eine treten könnte, ohne es zu merken, bis es zu spät ist und die Giftzähne sich in mein Bein bohren.

»Hier«, sagt Johnny leise.

Ich inspiziere die Stelle, wo das Gras platt gedrückt ist, und entdecke einen Fleck kahler Erde mit Furchen darin – hier ist etwas über den Boden geschleift worden. Johnny geht schon wieder weiter und folgt der Spur aus niedergedrückten Grashalmen.

»Haben die Hyänen ihn angefallen?«

»Keine Hyänen. Diesmal nicht.«

»Woher wissen Sie das?«

Er antwortet nicht, sondern geht weiter auf eine Gruppe von Bäumen zu, die ich inzwischen als Maulbeerfeigen und Jackalberry-Bäume identifizieren kann. Obwohl ich den Fluss nicht sehen kann, höre ich ihn irgendwo ganz in der Nähe rauschen, und ich denke an Krokodile. Wohin man auch blickt, in den Bäumen, im Wasser, im Gras, überall lauern Kreaturen mit scharfen Zähnen darauf zuzubeißen, und Johnny verlässt sich darauf, dass ich sie rechtzeitig entdecke. Die Angst schärft meine Sinne, und ich registriere Details, die mir zuvor nie aufgefallen wären. Die Berührung des kühlen Winds, der vom Fluss her weht, an meiner Wange. Der Geruch des frisch zertrampelten Grases, der an Zwiebeln erinnert. Ich beobachte, lausche, wittere. Wir sind ein Team, Johnny und ich, und ich werde ihn nicht im Stich lassen.

Plötzlich spüre ich die Veränderung in ihm. Das leise Einatmen, dann das reglose Verharren. Er blickt nicht mehr auf den Boden, sondern richtet sich zu voller Größe auf, die Schultern gestrafft.

Ich sehe sie nicht gleich. Dann folge ich seinem Blick zu dem Baum, der vor uns aufragt. Es ist eine mächtige Maulbeerfeige, ein majestätisches Exemplar mit weit ausladenden Ästen und dichtem Laubwerk, die Art Baum, in dem man sich gerne ein Baumhaus bauen würde.

»Da bist du ja«, flüstert Johnny. »So ein hübsches Mädchen.«

Da erst entdecke ich sie. Die Leopardin hat sich auf einem hohen Ast ausgestreckt, wo sie fast unsichtbar ist, so vollkommen verschmelzen ihre Flecken mit dem Spiel aus Licht und Schatten im Laubwerk. Die ganze Zeit schon hat sie uns beobachtet, hat geduldig gewartet, während wir näher kamen, und jetzt verfolgt sie uns mit wacher Intelligenz in den Augen, wägt ihren nächsten Schritt ab, so wie Johnny den seinen abwägt. Träge zuckt sie mit dem Schwanz, doch Johnny rührt sich nicht von der Stelle. Er tut genau das, wozu er uns immer geraten hat. *Lasst die Katze euer Gesicht sehen. Zeigt ihr, dass eure Augen nach vorn gerichtet sind, dass ihr auch Raubtiere seid.*

Ein Augenblick verstreicht. Nie habe ich solche Angst verspürt und mich zugleich so lebendig gefühlt wie in diesen Sekunden. Sekunden, in denen jeder Herzschlag einen Schwall Blut meinen Hals hinaufjagt, der in meinen Ohren pfeift wie der Wind. Der Blick der Leopardin ruht auf Johnny. Er hält das Gewehr immer noch gesenkt. Warum legt er nicht an? Warum schießt er nicht?

»Zurück«, flüstert er. »Für Isao können wir nichts mehr tun.«

»Sie glauben, die Leopardin hat ihn getötet?«

»Ich weiß es.« Er hebt den Kopf, eine sparsame Geste, die ich fast übersehen hätte. »Oberster Ast. Links.«

Er hat die ganze Zeit dort gehangen, aber ich habe ihn nicht bemerkt. So, wie ich auch die Leopardin im ersten Moment nicht bemerkt hatte. Der Arm baumelt herab wie die bizarre Frucht eines Leberwurstbaums, die Hand bis auf einen fingerlosen Stumpf abgefressen. Der Rest von Isaos Körper ist durch das Laub verdeckt, doch durch die Blätter hindurch kann ich die Form seines Rumpfs erahnen, in einer Astgabel verkeilt, als ob er vom Himmel gefallen und wie eine leblose Puppe in diesem Baum gelandet wäre.

»Oh Gott«, flüstere ich. »Wie sollen wir ihn da …«

»Still. Nicht bewegen.«

Die Leopardin hat sich in eine kauernde Haltung erhoben, die Hinterbeine zum Sprung angespannt. *Ich bin es, die* sie anstarrt, ihre Augen fixieren meine. Sofort hat Johnny das Gewehr oben und legt an, doch er drückt nicht ab.

»Worauf warten Sie noch?«, zische ich.

»Zurück. Beide zugleich.«

Wir weichen einen Schritt zurück. Und noch einen. Die Leopardin lässt sich wieder auf ihren Ast sinken, ihr Schwanz zuckt.

»Sie verteidigt nur ihre Beute«, sagt er. »So machen es die Leoparden. Sie bewahren ihre Beute in einem Baum auf, wo die Aasfresser nicht hinkommen. Sehen Sie sich die Muskeln in ihren Schultern an. In ihrem Nacken. Das ist wahre Kraft. Die Kraft, einen toten Körper, der mehr wiegt als sie selbst, bis zu diesem hohen Ast hinaufzuziehen.«

»Um Gottes willen, Johnny, wir müssen ihn dort runterholen.«

»Er ist schon tot.«

»Wir können ihn aber doch nicht dort oben lassen!«

»Wenn wir noch einen Schritt näher rangehen, wird sie uns anspringen. Und ich werde keinen Leoparden erschießen, nur um eine Leiche zu bergen.«

Ich erinnere mich an das, was er uns vor einer Weile gesagt hat: dass er niemals eine Großkatze töten würde; dass sie für ihn heilige Tiere sind, zu selten, als dass man sie opfern könnte, ganz gleich, aus welchem Grund, und sei es, um sein eigenes Leben zu retten. Jetzt steht er zu diesen Worten, in diesem Moment, als Isaos Leiche dort über uns hängt und die Leopardin ihr Mahl bewacht. Johnny kommt mir plötzlich so fremd vor wie nur irgendein Tier, dem ich in dieser Wildnis begegnet bin, ein Mann, dessen Ehrfurcht vor dem Land so tief verwurzelt ist wie diese Bäume. Ich denke an Richard mit seinem metallicblauen BMW, seiner schwarzen Lederjacke und der Fliegerbrille, alles Dinge, die ihn in meinen Augen männlich erscheinen ließen, als wir uns kennenlernten. Aber sie waren nur Staffage, wie die Dekoration einer Schaufensterpuppe. Und genauso kommt er mir jetzt vor – hohl wie eine Puppe, ohne Fleisch und Blut. Es kommt mir vor, als hätte ich bis jetzt nur solche Männer kennengelernt, Schaufensterpuppen, die wie echte Männer aussahen, aber nur aus Plastik waren. Ich werde nie wieder einen Mann wie Johnny finden, nicht in London und auch nirgendwo sonst, und diese Erkenntnis bricht mir das Herz. Die Erkenntnis, dass ich den Rest meines Lebens mit Suchen verbringen werde, dass ich immer auf diesen Moment zurückblicken werde, als ich genau wusste, welchen Mann ich wollte.

Einen Mann, den ich niemals haben kann.

Ich strecke die Hand nach ihm aus und flüstere: »Johnny.«

Der Gewehrknall ist ein solcher Schock, dass ich rückwärts taumele, als ob ich getroffen wäre. Johnny steht so regungslos da wie die Statue eines Schützen, die Waffe immer noch auf das Ziel gerichtet. Mit einem tiefen Seufzer lässt er sie sinken. Er senkt den Kopf, als betete er um Vergebung, hier im Tempel des Buschs, wo Leben und Tod zwei Seiten desselben Wesens sind.

»Oh Gott«, murmele ich und starre auf die Leopardin hinab, die zwei Schritte vor mir tot liegen geblieben ist, scheinbar mitten im Sprung, die ausgestreckten Krallen der Vordertatzen nur einen Sekundenbruchteil davon entfernt, sich in mein Fleisch zu senken. Ich kann das Einschussloch nicht sehen, das Einzige, was ich sehe, ist ihr Blut, das ins Gras rinnt und in der heißen Erde versickert. Ihr Fell glänzt wie die eleganten Pelze, die bei den aufgedonnerten Gespielinnen der Tycoons von Knightsbridge so begehrt sind, und ich würde es am liebsten streicheln, doch es kommt mir irgendwie falsch vor, als ob ich damit vorgeben würde, dass sie im Tod nur noch ein harmloses Kätzchen sei. Noch vor wenigen Sekunden hätte sie mich fast getötet, und sie verdient meinen Respekt.

»Wir lassen sie hier«, sagt Johnny leise.

»Die Hyänen werden sie holen.«

»Das tun sie immer.« Er atmet tief durch und blickt zu der Maulbeerfeige auf, doch sein Blick scheint in die Ferne gerichtet, als sähe er über diesen Baum hinaus, vielleicht gar über diesen Tag hinaus. »Jetzt kann ich ihn herunterholen.«

»Sie haben mir gesagt, Sie würden nie einen Leoparden töten. Nicht einmal, um Ihr eigenes Leben zu retten.«

»Das werde ich auch nicht.«

»Aber Sie haben die hier getötet.«

»Da ging es auch nicht um mein Leben.« Er sieht mich an. »Sondern um Ihres.«

In dieser Nacht schlafe ich in Mrs. Matsunagas Zelt, damit sie nicht allein ist. Den ganzen Tag war sie wie erstarrt, hat die Arme um den Leib geschlungen und auf Japanisch vor sich hin gewimmert. Die Blondinen haben auf sie eingeredet, sie solle doch wenigstens ein paar Happen essen, aber Keiko hat nichts zu sich genommen außer ein paar Tassen Tee. Sie hat sich in irgendeinen unerreichbaren Winkel in ihrem Kopf zurückgezogen, und für den Moment sind wir alle nur erleichtert, dass sie so ruhig und gefügig ist. Wir haben sie Isaos Leichnam nicht sehen lassen, den Johnny aus dem Maulbeerfeigenbaum heruntergeholt und eilig begraben hat.

Aber ich habe ihn gesehen. Ich weiß, wie er gestorben ist.

»Eine Großkatze tötet durch einen Kehlbiss«, hat Johnny mir erklärt, während er das Grab aushob. Er schaufelte unermüdlich, rammte den Spaten immer wieder in die sonnenverbrannte Erde. Insekten umschwirrten uns, doch er scheuchte sie nicht weg, so konzentriert war er darauf, Isaos letzte Ruhestätte zu graben. »Eine Katze geht immer direkt auf den Hals. Sie umschließt mit ihren Kiefern die Luftröhre und reißt die Arterien und Venen auf. Das Opfer stirbt durch Ersticken am eigenen Blut.«

Und das konnte ich sehen, als ich Isao anschaute. Obwohl die Leopardin schon zu fressen begonnen hatte, obwohl Bauch- und Brusthöhle aufgerissen waren, war es die zerfetzte Kehle, die mir verriet, wie Isaos letzte Sekunden ausgesehen hatten, wie er nach Luft gerungen hatte, während das Blut in seiner Lunge gluckerte.

Keiko kennt keines dieser Details. Sie weiß nur, dass ihr Mann tot ist und dass wir ihn begraben haben.

Ich höre sie im Schlaf seufzen, ein leises Wimmern der Verzweiflung, und dann ist sie wieder still. Sie bewegt sich kaum, liegt nur auf dem Rücken wie eine in weiße Laken gehüllte Mumie. Das Zelt der Matsunagas riecht anders als meines. Es hat einen angenehm exotischen Geruch, als ob ihre Kleider mit asiatischen Kräutern imprägniert wären. Isaos Hemden, die er nie wieder tragen wird, sind fein säuberlich in seinem Koffer verpackt, zusammen mit seiner goldenen Armbanduhr, die wir von seiner Leiche abgenommen haben. Alles ist an seinem Platz, alles ist harmonisch. So völlig anders als in dem Zelt, das ich mit Richard teile, wo das Gegenteil von Harmonie herrscht.

Es ist eine Befreiung, ihn nicht mehr in meiner Nähe zu haben, und deshalb habe ich mich so schnell bereit erklärt, Keiko Gesellschaft zu leisten. Überall würde ich heute Nacht lieber schlafen als mit Richard in diesem Zelt, wo die Feindseligkeit in der Luft hängt wie ein erstickender Schwefeldunst. Er hat den ganzen Tag kaum zwei Sätze mit mir gesprochen. Stattdessen hockt er die ganze Zeit mit Elliot und den Blondinen zusammen. Die vier scheinen jetzt ein Team zu sein, als ob wir hier *Survivor Botswana* spielten und ihr Stamm gegen unseren antreten müsste.

Aber eigentlich habe ich überhaupt niemanden, der zu meinem Stamm gehört, abgesehen vielleicht von der armen, gebrochenen Keiko – und Johnny. Doch Johnny gehört nicht wirklich zu irgendeinem Team, er ist sein eigener Mann, und seit er heute die Leopardin getötet hat, ist er in aufgewühlter und grüblerischer Stimmung. Er hat seitdem kaum mit mir geredet.

Hier bin ich also, die Frau, mit der niemand spricht, und ich liege in einem Zelt mit einer Frau, die mit niemandem spricht. Hier drin herrscht Stille, doch draußen hat unterdessen die nächtliche Sinfonie eingesetzt, in der die Insekten die Piccoloflöten sind und die Flusspferde die Fagotte. Inzwischen liebe ich diese Geräusche, und ich werde sicher von ihnen träumen, wenn ich wieder zu Hause bin.

Am Morgen werde ich von Vogelgesang geweckt. Endlich einmal keine Schreie, keine Alarmrufe, nur die lieblichen Melodien der Morgendämmerung. Draußen hocken die vier Mitglieder von Richards Team am Lagerfeuer und trinken Kaffee. Johnny sitzt allein unter einem Baum. Die Erschöpfung scheint seine Schultern nach unten zu ziehen, und sein Kopf kippt nach vorn, während er gegen den Schlaf kämpft. Ich möchte zu ihm gehen, möchte seine Müdigkeit wegmassieren, aber die anderen beobachten mich. Also geselle ich mich stattdessen zu ihnen.

»Wie geht es Keiko?«, fragt Elliot mich.

»Sie schläft noch. Sie war die ganze Nacht still.« Ich schenke mir Kaffee ein. »Freut mich zu sehen, dass wir alle heute Morgen so lebendig sind.« Es ist eine geschmacklose Bemerkung, und ich bereue sie, kaum dass ich die Worte ausgesprochen habe.

»Ich frage mich, ob *er* sich auch darüber freut«, murmelt Richard mit einem Blick in Johnnys Richtung.

»Was soll das denn heißen?«

»Ich wundere mich nur über diese erstaunliche Pech-
strähne. Erst erwischt es Clarence. Dann Isao. Und der
Jeep – wie kann es sein, dass so ein Auto plötzlich keinen
Mucks mehr von sich gibt?«

»Du gibst Johnny die Schuld?«

Richard sieht die drei anderen an, und ich begreife plötzlich, dass er nicht der Einzige ist, der glaubt, dass es Johnnys
Schuld ist. Haben sie deswegen die Köpfe zusammenge-
steckt? Um ihre Theorien auszutauschen, ihrer Paranoia
Nahrung zu geben?

Ich schüttle den Kopf. »Das ist einfach lächerlich.«

»Klar, dass sie so reagiert«, murmelt Vivian. »Ich hab's
euch doch gesagt.«

»Was wollen Sie damit sagen?«

»Das sieht doch jeder, dass Sie Johnnys Liebling sind. Ich
wusste, dass Sie sich auf seine Seite stellen würden.«

»Er hat es nicht nötig, dass irgendjemand sich auf seine
Seite stellt. Er ist derjenige, der uns am Leben hält.«

»Ist er das?« Vivian sieht argwöhnisch in Johnnys Richtung. Er ist zu weit weg, um uns zu hören, aber sie senkt
dennoch die Stimme. »Sind Sie sich da ganz sicher?«

Das ist absurd. Ich versuche, in ihren Gesichtern zu lesen,
und frage mich, wer diese Flüsterkampagne gestartet hat.
»Wollen Sie mir vielleicht erzählen, dass Johnny Isao getötet und auf diesen Baum geschleppt hat? Oder hat er ihn
vielleicht nur der Leopardin vorgeworfen und sie den Rest
erledigen lassen?«

»Was wissen wir denn wirklich über ihn?«, fragt Elliot.

»Oh Gott. Nicht auch noch Sie.«

»Ich muss Ihnen sagen, die Sachen, die sie erzählen…«
Elliot wirft einen Blick über die Schulter, und obwohl er
nur flüstert, kann ich seine Panik hören. »Da wird mir echt
ganz anders.«

»Denk doch darüber nach«, sagt Richard. »Wie sind wir alle zu dieser Safari gekommen?«

Ich starre ihn wütend an. »Der einzige Grund, warum ich hier bin, bist *du*. *Du* wolltest dein Abenteuer in Afrika, und jetzt hast du es. Entspricht es nicht deinen Erwartungen? Oder wird es selbst *dir* inzwischen zu abenteuerlich?«

»Wir haben ihn im Internet gefunden«, sagt Sylvia, die bis jetzt geschwiegen hat. Ich bemerke, dass die Kaffeetasse in ihren Händen zittert. So sehr, dass sie sie absetzen muss, um nichts zu verschütten. »Vivian und ich, wir wollten eine Campingtour in den Busch unternehmen, aber wir konnten uns nichts Teures leisten. Da sind wir auf seine Website gestoßen, ›Lost in Botswana‹.« Sie lacht, und es klingt ein wenig hysterisch. »Und jetzt *sind* wir verloren.«

»Ich hab mich den beiden angeschlossen«, sagt Elliot. »Sylvia und Viv und ich, wir hocken zusammen in einer Bar in Kapstadt. Und sie erzählen mir von dieser fantastischen Safari, auf die sie gehen.«

»Es tut mir so leid, Elliot«, sagt Sylvia. »Es tut mir leid, dass wir uns in dieser Bar überhaupt begegnet sind. Und dass wir dich dazu überredet haben mitzukommen.« Sie holt zitternd Luft, und ihre Stimme wird brüchig. »Mein Gott, ich will nur noch nach *Hause*.«

»Die Matsunagas haben diese Tour auch über die Website gefunden«, sagt Vivian. »Isao hat mir erzählt, er habe nach etwas gesucht, wo man Afrika hautnah erleben kann. Keine dieser Touristen-Lodges, sondern eine Gelegenheit, wirklich den Busch zu erkunden.«

»So sind wir auch hierhergekommen«, sagt Richard. »Über die gleiche verdammte Website. ›Lost in Botswana‹.«

Ich erinnere mich an den Abend, als Richard sie mir auf seinem Computer gezeigt hat. Tagelang hatte er im Internet gesurft und verzückt die Fotos von Safari-Lodges, von Zeltlagern und üppig gedeckten Tafeln mit Kerzenlicht bewundert. Ich kann mich nicht erinnern, warum er sich letztlich für die Website »Lost in Botswana« entschieden hat. Vielleicht war es das Versprechen eines unverfälschten Naturerlebnisses. Echte Wildnis, so wie Hemingway sie erfahren und beschrieben hat – wobei Hemingway vermutlich nur ein besonders überzeugender Aufschneider und Geschichtenerzähler war. Ich hatte mit der Planung dieses Urlaubs nichts zu tun, es war Richards Entscheidung, Richards Traum. Der jetzt zum Albtraum geworden ist.

»Worauf wollt ihr eigentlich hinaus?«, frage ich. »Dass seine Website eine Fälschung ist? Dass er uns hierhergelockt hat? Hört ihr überhaupt, was ihr da redet?«

»Die Leute kommen aus aller Herren Länder hierher, um Großwild zu jagen«, sagt Richard. »Was ist, wenn *wir* diesmal das Wild sind?«

Wenn er auf eine Reaktion aus war, kann er zufrieden sein. Elliot sieht aus, als müsse er sich gleich übergeben. Sylvia schlägt sich die Hand vor den Mund, wie um ein Schluchzen zu unterdrücken.

Aber ich reagiere mit einem verächtlichen Schnauben. »Du glaubst, dass Johnny Posthumus uns *jagt*? Mein Gott, Richard, mach aus dieser Geschichte nicht einen von deinen Thrillern.«

»Johnny ist derjenige mit dem Gewehr«, erwidert Richard. »Er hat uns alle in der Hand. Wenn wir nicht zusammenhalten, *und zwar alle miteinander*, dann sind wir alle tot.«

Jetzt ist es heraus. Ich höre es in seinem verbitterten Ton. Ich sehe es in den argwöhnischen Blicken, mit denen sie mich alle mustern. Ich bin der Judas in ihrer Mitte, ich bin diejenige, die zu Johnny laufen und petzen wird. Es ist alles so albern, dass ich eigentlich laut lachen müsste, aber dafür bin ich zu wütend. Als ich aufstehe, gelingt es mir kaum, meine Stimme ruhig zu halten. »Wenn das hier vorbei ist, wenn wir alle nächste Woche wieder in diesem Flugzeug nach Maun sitzen, werde ich euch daran erinnern. Und ihr werdet euch alle wie Idioten vorkommen.«

»Ich hoffe, Sie haben recht«, flüstert Vivian. »Ich hoffe bei Gott, dass wir alle Idioten sind. Ich hoffe, dass wir nächste Woche alle tatsächlich in diesem Flugzeug sitzen und nicht als Haufen blutiger Knochen irgendwo im ...« Sie verstummt, als plötzlich ein Schatten auf sie fällt.

Johnny hat sich so lautlos bewegt, dass wir ihn nicht haben kommen hören, und jetzt steht er direkt hinter Vivian und blickt sich in unserer Runde um. »Wir brauchen Wasser und Brennholz«, sagt er. »Richard, Elliot, kommen Sie mit, wir gehen runter zum Fluss.«

Als die beiden Männer aufstehen, sehe ich die Angst in Elliots Augen. Die gleiche Angst, die in den Augen der Blondinen aufblitzt. Johnny steht ruhig da und hält das Gewehr locker vor dem Körper. Allein das Vorhandensein dieses Gewehrs in seinen Händen kehrt die Kräfteverhältnisse um.

»Was ist – was ist mit den Mädchen?«, fragt Elliot und blickt sich nervös zu den Blondinen um. »Sollte ich ... äh ... sollte ich nicht hierbleiben und auf sie aufpassen?«

»Sie können im Jeep warten. Jetzt brauche ich erst mal ein paar Leute, die anpacken können.«

»Wenn Sie mir das Gewehr geben«, schlägt Richard vor, »kann ich mit Elliot das Holz und das Wasser holen gehen.«

»Niemand verlässt das Lager ohne mich. Und ich tue keinen Schritt über die Absperrung ohne dieses Gewehr.« Johnnys Miene ist grimmig. »Wenn Sie am Leben bleiben wollen, müssen Sie mir einfach vertrauen.«

12

Gabriels Steak wurde perfekt à point serviert, so wie er es immer bestellte, wenn sie in Matteo's Restaurant speisten. Heute Abend jedoch, als sie an ihrem Lieblingstisch saßen, konnte sie den Anblick des Bluts kaum ertragen, das aus dem Fleisch rann, als ihr Mann es anschnitt. Es erinnerte sie an Debra Lopez' Blut, das an dem Felsen herabgeflossen war. An Leon Godts Leiche, aufgehängt wie eine Rinderhälfte. *Ob Rind oder Mensch, wir sind alle nur Frischfleisch.*

Gabriel bemerkte, dass sie ihr Schweinekotelett noch kaum angerührt hatte, und sah sie forschend an. »Du denkst immer noch daran, nicht wahr?«

»Ich kann nichts dafür. Geht es dir nicht auch manchmal so? Dass du bestimmte Bilder nicht mehr aus dem Kopf bekommst, und wenn du dir noch so viel Mühe gibst?«

»Versuch's trotzdem, Jane.« Er nahm ihre Hand und drückte sie. »Es ist so lange her, dass wir zusammen essen waren.«

»Ich geb mir ja Mühe, aber dieser Fall...« Sie sah sein Steak an und schüttelte sich. »Der könnte mich noch zur Vegetarierin machen.«

»Ist es so schlimm?«

»Wir haben beide ziemlich schlimme Dinge gesehen. Wir haben zu viel Zeit in Obduktionssälen verbracht. Aber diese

Geschichte hier, die geht mir echt unter die Haut. Ausgeweidet und an der Garagendecke aufgehängt. Von den eigenen verdammten Haustieren angeknabbert.«

»Deswegen sollten wir uns lieber keinen Hund zulegen.«

»Gabriel, das ist nicht witzig.«

Er griff nach seinem Weinglas. »Ich versuche doch nur, unseren romantischen Abend ein bisschen aufzulockern. Wir kommen so selten dazu, und der hier artet auch schon wieder in eine Fallbesprechung aus. Wie üblich.«

»Das liegt an dem Job, den wir beide machen. Worüber sollen wir sonst reden?«

»Über unsere Tochter vielleicht? Oder darüber, wo wir den nächsten Urlaub verbringen wollen?« Er stellte sein Glas ab und sah sie an. »Es gibt noch andere Dinge im Leben als Mord.«

»Es ist das, was uns zusammengebracht hat.«

»Aber es ist nicht das Einzige.«

Nein, dachte sie, als ihr Mann wieder nach seinem Messer griff und mit ruhiger Hand zu schneiden begann wie ein geschickter Chirurg. An dem Tag, als sie sich das erste Mal begegnet waren, an einem Tatort in der Stony Brook Reservation, hatte sie seine unerschütterliche Ruhe als einschüchternd empfunden. Im Chaos jenes Nachmittags, als Polizisten und Kriminaltechniker um eine verwesende Leiche herumwuselten, hatte Gabriel eine ruhige, natürliche Autorität ausgestrahlt – der distanzierte Beobachter, dem nichts entging. Es hatte sie nicht überrascht, als sie erfuhr, dass er vom FBI war. Sie hatte ihn auf den ersten Blick als Eindringling identifiziert und erkannt, dass er gekommen war, um ihre Autorität infrage zu stellen. Doch das, was sie anfangs zu Konkurrenten gemacht hatte, war es auch, was sie später einander näherbrachte. Das Spiel der Gegensätze, die sich anzogen. Auch jetzt, als sie ihren Mann ansah, der sie mit seiner Unerschütterlichkeit manchmal auf die Palme treiben konnte, wusste sie noch genau, warum sie sich in ihn verliebt hatte.

Er sah sie an und seufzte resigniert. »Okay, sieht so aus, als müssten wir uns über Mord unterhalten, ob es mir passt oder nicht. Also…« Er legte Messer und Gabel beiseite. »Glaubst du wirklich, dass Bigmouth O'Brien der Schlüssel zu diesem Fall ist?«

»Diese hässlichen Anrufe bei seinem Sender hatten eine geradezu unheimliche Ähnlichkeit mit den Kommentaren zu dem Artikel über Leon Godt. Es war da die Rede von Aufhängen und Ausweiden.«

»Ich finde diese Symbolik nicht so ungewöhnlich. So machen es Jäger nun mal. Ich habe es selbst schon gemacht, wenn ich einen Hirsch geschossen habe.«

»Eine Anruferin namens Suzy hat sich als Mitglied der Vegan Action Army identifiziert. Auf deren Website wird behauptet, dass sie in Massachusetts fünfzig Mitglieder hätten.«

Gabriel schüttelte den Kopf. »Diese Organisation sagt mir nichts. Ich kann mich nicht erinnern, dass sie auf einer der Beobachtungslisten des FBI aufgetaucht wäre.«

»Beim Boston PD sind sie auch nicht aktenkundig. Aber vielleicht sind sie so schlau, nicht aufzufallen. Indem sie sich nicht zu ihren Taten bekennen.«

»Jäger aufhängen und ausweiden? Hört sich das nach Veganern an?«

»Denk an die Earth Liberation Front. Die legen Brandsätze.«

»Aber die ELF tut alles, damit keine Menschen zu Schaden kommen.«

»Trotzdem, schau dir doch die Symbolik an. Leon Godt war Großwildjäger und Präparator. Das *Hub Magazine* bringt einen Artikel über ihn mit dem Titel ›Der Herr der Trophäen‹. Ein paar Monate später wird er tot aufgefunden, an den Fußknöcheln aufgehängt, von vorn bis achtern aufgeschlitzt und ausgenommen. Genau in der richtigen Höhe aufgehängt, um von seinen Haustieren angeknabbert zu werden. Gibt es eine passendere Methode, die Leiche eines Jägers zu beseitigen, als sie von Mieze und Bello zerfleischen zu lassen?« Sie hielt inne, als ihr bewusst wurde, dass es im Restaurant ganz still geworden war. Sie riskierte einen Seitenblick und sah, dass das Paar am Nebentisch sie anstarrte.

»Das ist weder die Zeit noch der Ort dafür, Jane«, sagte Gabriel.

Sie starrte auf ihr Schweinekotelett. »Schönes Wetter heute.«

Erst als die Gespräche um sie herum wieder in Gang gekommen waren, sagte sie mit leiserer Stimme: »Ich glaube, die Symbolik spricht für sich.«

»Aber vielleicht hat es auch gar nichts damit zu tun, dass er Jäger war. Raub kommt auch als Motiv infrage.«

»Wenn es ein Raubüberfall war, dann ein sehr gezielter. Seine Brieftasche mit dem ganzen Bargeld lag noch unberührt im Schlafzimmer. Soweit wir wissen, ist das Einzige, was aus dem Haus entwendet wurde, das Schneeleopardenfell.«

»Und du hast mir erzählt, dass es äußerst wertvoll ist.«

»Aber ein so seltenes Fell wäre verdammt schwer an den Mann zu bringen. Es könnte höchstens für irgendeine Privatsammlung bestimmt sein. Und wenn Raub das einzige Motiv war, wozu dann das blutige Ritual des Ausweidens?«

»Mir scheint, dass wir es hier mit zwei spezifischen symbolischen Elementen zu tun haben. Erstens der Diebstahl eines seltenen Tierfells. Zweitens die Art, wie die Leiche des Opfers zur Schau gestellt wurde.« Gabriel starrte in die Kerzenflamme und runzelte die Stirn, während er über das Problem nachdachte. Er hatte sich endlich doch in das Rätsel verbissen und war jetzt ganz bei der Sache. Heute mochte ihr romantischer Abend sein, der eine Abend im Monat, an dem sie sich schworen, nicht über die Arbeit zu sprechen, und doch kamen sie immer auf das Thema Mord zurück. Wie konnte es auch anders sein? Es war schließlich ihrer beider hauptsächlicher Lebensinhalt. Sie sah zu, wie sich das flackernde Kerzenlicht auf seinem Gesicht spiegelte, während er im Stillen die Fakten durchging. Was für ein Glück es doch war, dass sie diese Fakten mit ihm teilen konnte. Sie stellte sich vor, wie es wäre, hier mit einem Ehemann zu sitzen, der nicht bei einer Polizeibehörde arbeitete, und kein Wort darüber verlieren zu dürfen, was sie beschäftigte, auch wenn es ihr noch so sehr auf den Nägeln brannte. Sie teilte mit Gabriel nicht nur ein Heim und ein Kind, sondern auch das bitterernste Wissen darum, wie ein Leben sich von einer Sekunde auf die andere vollkommen verändern – oder ausgelöscht werden konnte.

»Ich werde mal sehen, was wir über die Vegan Action Army haben«, sagte er. »Aber ich würde mich eher auf das Leopardenfell konzentrieren, da es der einzige Wertgegenstand ist, von dem ihr wisst, dass er gestohlen wurde.« Nach einer Pause fuhr er fort: »Was hältst du von Jerry O'Brien?«

»Abgesehen davon, dass er ein chauvinistisches Arschloch ist?«

»Ich meinte als Verdächtigen. Könnte er ein Motiv gehabt haben, Leon Godt zu ermorden?«

Sie schüttelte den Kopf. »Sie waren Jagdkameraden. Er hätte ihn ganz einfach irgendwo im Wald erschießen und das Ganze als Unfall tarnen können. Aber ja, ich habe über O'Brien nachgedacht. Und über seinen Privatsekretär. Godt war ein solcher Einzelgänger, dass kaum Verdächtige zur

Auswahl stehen. Zumindest keine, von denen wir wissen.« Aber wenn man nur tief genug im Leben eines Menschen grub, förderte man immer Überraschungen zutage. Sie dachte an andere Opfer, andere Ermittlungen, bei denen heimliche Liebhaber oder geheime Bankkonten aufgetaucht waren, oder auch all die verbotenen Gelüste, die erst ans Tageslicht kommen, wenn durch ein gewaltsames Ende ein ganzes Leben offengelegt wird.

Und sie dachte an ihren eigenen Vater, der auch seine Geheimnisse hatte, und dessen Affäre mit einer anderen Frau seine Ehe zerstört hatte. Selbst der Mann, den sie so gut zu kennen geglaubt hatte, der Mann, mit dem sie jedes Jahr Weihnachten und sämtliche Geburtstage verbrachte, hatte sich letzten Endes als Fremder entpuppt.

Später an diesem Abend wurde sie mit diesem Fremden konfrontiert, als sie mit Gabriel vor Angelas Haus hielt, um ihre Tochter abzuholen. Jane sah das wohlbekannte Auto in der Einfahrt stehen und fragte: »Was macht Dad denn hier?«

»Es ist sein Haus.«

»Es *war* sein Haus.« Sie stieg aus und beäugte den Chevy, der auf seinem Stammplatz parkte, als ob er nie weg gewesen wäre. Als ob Frank Rizzoli einfach in sein altes Leben zurückkehren könnte, und alles wäre wieder so wie früher. Der Chevy hatte eine neue Beule im linken vorderen Kotflügel. Sie fragte sich, ob das Franks Tussi gewesen war, und ob er sie deswegen angebrüllt hatte, so wie er einmal Angela angebrüllt hatte, als sie mit einem Kratzer in der Autotür heimgekommen war. Wenn man lange genug mit einem Mann zusammen war, zeigte irgendwann auch der strahlendste neue Liebhaber seine Schattenseiten. Wann war der Tussi aufgefallen, dass auch Frank Nasenhaare und morgendlichen Mundgeruch hatte wie jeder andere Mann?

»Schnappen wir uns einfach nur Regina und fahren nach

Hause«, flüsterte Gabriel, als sie die Verandastufen hinaufgingen.

»Was glaubst du denn, was ich vorhabe?«

»Dich nicht an dem üblichen Familiendrama zu beteiligen, hoffe ich.«

»Eine Familie ohne Drama«, entgegnete sie, während sie die Klingel drückte, »wäre nicht meine Familie.«

Ihre Mutter öffnete die Tür. Zumindest sah die Frau aus wie Angela, doch es war eine abgestumpfte Zombie-Version, die sie mit einem leblosen Lächeln begrüßte, als sie ins Haus traten. »Sie schläft fest, und sie ist ganz brav gewesen. Habt ihr zwei schön gegessen?«

»Ja. Wieso ist Dad hier?«, fragte Jane.

»Ich sitze in meinem eigenen Haus, weiter nichts«, rief Frank von hinten. »Was ist denn das für eine Frage?«

Jane trat ins Wohnzimmer und sah ihren Vater breitbeinig in seinem alten Sessel sitzen, der König, der nach seiner Irrfahrt zurückgekehrt ist, um seinen Anspruch auf den Thron geltend zu machen. Seine Haare waren auffallend schwarz wie Schuhcreme – wann hatte er sie gefärbt? Und es gab noch andere Veränderungen: das offene Seidenhemd, die protzige Armbanduhr. Er wirkte damit wie eine Las-Vegas-Version von Frank Rizzoli. Hatte sie sich in der Tür geirrt und ein Paralleluniversum betreten, mit einer Androiden-Mutter und einem Disco-Vater?

»Ich hole Regina«, sagte Gabriel und zog sich dezent in den Flur zurück.

Feigling.

»Deine Mutter und ich haben uns endlich geeinigt«, verkündete Frank.

»Will sagen?«

»Wir werden die Sache wieder ins Lot bringen. Es soll alles wieder so sein wie früher.«

»Wäre das dann mit oder ohne Blondie?«

»Was zum Teufel geht dich das an? Willst du alles ruinieren?«

»Was das betrifft, hast du selbst ja schon ganze Arbeit geleistet.«

»Angela! Sag's ihr.«

Jane wandte sich ihrer Mutter zu, die auf den Boden starrte. »Ist es das, was du willst, Ma?«

»Es ist schon okay, Janie«, sagte Angela leise. »Es wird funktionieren.«

»Na, das klingt ja wirklich *sehr* begeistert.«

»Ich liebe deine Mutter«, sagte Frank. »Wir sind eine Familie, das hier ist unser Zuhause, und wir bleiben zusammen. Das ist das Wichtigste.«

Jane blickte entgeistert zwischen ihren Eltern hin und her. Ihr Vater starrte zurück, mit funkelnden Augen und geröteten Wangen. Ihre Mutter wich ihrem Blick aus. Es gab so vieles, was sie gerne gesagt hätte, so vieles, was sie hätte sagen *sollen*, doch es war spät, und Gabriel stand schon an der Haustür mit ihrer schlafenden Tochter im Arm.

»Danke fürs Babysitten, Ma«, sagte Jane. »Ich ruf dich an.«

Sie verließen das Haus und gingen zum Auto. Gabriel hatte gerade Regina in ihrem Kindersitz angeschnallt, da ging die Haustür auf, und Angela kam heraus. Sie schwenkte Reginas Stoffgiraffe.

»Sie wird Zeter und Mordio schreien, wenn ihr Benny vergesst«, sagte sie, während sie Jane die Giraffe in die Hand drückte.

»Ist alles okay, Ma?«

Angela verschränkte die Arme und blickte sich zum Haus um, als ob sie darauf wartete, dass jemand anderes die Frage für sie beantwortete.

»Ma?«

Angela seufzte. »Es gehört sich nun mal so. Frankie will es. Und Mike auch.«

»Meine Brüder haben da gar nichts zu bestimmen. Sondern nur du allein.«

»Er hat nie die Scheidungspapiere unterschrieben, Jane. Wir sind immer noch verheiratet, und das hat etwas zu bedeuten. Es bedeutet, dass er uns nie wirklich aufgegeben hat.«

»Es bedeutet, dass er auf zwei Hochzeiten gleichzeitig tanzen wollte.«

»Er ist dein Vater.«

»Ja, und ich liebe ihn. Aber ich liebe dich auch, und du siehst nicht glücklich aus.«

Im Schein der Außenbeleuchtung sah Jane, wie ihre Mutter versuchte, ein tapferes Lächeln aufzusetzen. »Wir sind eine Familie. Ich werde das schon hinkriegen.«

»Und was ist mit Vince?«

Allein die Erwähnung von Korsaks Namen ließ das Lächeln ihrer Mutter ebenso schnell wieder ersterben. Sie schlug sich die Hände vor den Mund und wandte sich ab. »Oh, mein Gott…« Als sie zu schluchzen begann, nahm Jane sie in den Arm. »Er fehlt mir«, sagte Angela. »Er fehlt mir jeden Tag. Das hat er nicht verdient.«

»Liebst du Vince?«

»Ja!«

»Liebst du Dad?«

Angela zögerte. »Natürlich liebe ich ihn.« Aber die wahre Antwort lag in jener Pause, in den Sekunden des Schweigens, bevor sie leugnen konnte, was ihr Herz bereits wusste. Sie löste sich von Jane, atmete tief durch und richtete sich auf. »Mach dir keine Sorgen um mich. Es wird alles gut. Jetzt fahrt nach Hause und bringt die Kleine ins Bett, okay?«

Jane sah ihrer Mutter nach, als sie ins Haus zurückging. Durch das Fenster beobachtete sie, wie Angela auf dem Wohnzimmersofa gegenüber von Frank Platz nahm, der immer noch in seinem Sessel thronte. Ganz wie früher, dachte Jane. Mom in ihrer Ecke, und Dad in seiner.

13

Maura blieb in der Einfahrt stehen und blickte auf, als sie das Krächzen einer Krähe vernahm. Zu Dutzenden saßen sie in der Baumkrone wie ominöse Früchte, und sie sah ihre schwarzen Flügel vor dem Hintergrund des grauen Himmels flattern. Krähen galten in vielen Kulturen als Unglücksvögel, und an diesem kalten grauen Nachmittag, mit den aufziehenden Gewitterwolken und der makabren Aufgabe, die sie erwartete, schien das besonders passend. Ein Absperrband war über den Weg gespannt worden, der am Haus vorbei zum Garten führte. Sie schlüpfte darunter hindurch, und als sie über die frisch aufgeworfene Erde ging, spürte sie, wie die Vögel sie auf Schritt und Tritt beobachteten, während sie sich lärmend über diesen neuen Eindringling in ihrem Reich unterhielten. Im Garten sah sie die Detectives Darren Crowe und Johnny Tam neben einem geparkten Löffelbagger und einem feuchten Erdhaufen stehen. Als sie näher trat, hob Tam die Hand, die in einem rosa Handschuh steckte, um ihr zuzuwinken. Er war neu im Morddezernat, ein ehrgeiziger, ernsthafter junger Polizist, der bis vor Kurzem noch im Revier Chinatown im Streifendienst eingesetzt war. Er hatte das Pech, dass ihm ausgerechnet Crowe zur Seite gestellt worden war, der seinen früheren Partner Thomas Moore in den wohlverdienten Ruhestand getrieben hatte. *Eine Albtraumehe*, hatte Jane es genannt, und im Dezernat liefen Wetten, wie lange es dauern würde, bis der leicht reizbare Tam einmal so richtig austickte und Crowe eine langte. Für Tams Karriereaussichten wäre es wohl eine ziemliche Katastrophe, aber alle waren sich einig, dass es ein Hochgenuss wäre, dabei zuzuschauen.

Selbst hier in dem dicht mit Bäumen bestandenen Garten, wo weit und breit keine Fernsehkameras zu sehen waren, präsentierte sich Crowe wie ein *GQ*-Model, mit seinem Filmstar-Haarschnitt und dem maßgeschneiderten Anzug, der seine breiten Schultern zur Geltung brachte. Er war es gewohnt, die ganze Aufmerksamkeit auf sich zu ziehen, wo immer er hinkam, und es wäre ein Leichtes gewesen, den viel stilleren Tam zu übersehen. Dennoch war es Tam, den Maura jetzt ansah, denn sie wusste, dass sie sich darauf verlassen konnte, von ihm eine ungefilterte und präzise Darstellung der Fakten zu bekommen.

Doch ehe Tam den Mund aufmachen konnte, sagte Crowe amüsiert: »Ich kann mir nicht vorstellen, dass die Hausbesitzer damit gerechnet haben, *das* da in ihrem neuen Swimmingpool zu finden.«

Maura sah auf die mit Erde verschmierten Knochen hinunter, die auf einer teilweise umgeschlagenen blauen Plastikplane ausgelegt waren. Ein Blick verriet ihr, dass der Schädel und der Brustkorb von einem Menschen stammten.

Sie zog Handschuhe an. »Was liegt hier vor?«

»Sollte ein neuer Swimmingpool werden. Die Leute haben das Haus vor drei Jahren gekauft, und jetzt haben sie die Baufirma Lorenzo Construction engagiert, um die Grube auszuheben. Die sind dann in einem halben Meter Tiefe auf das da gestoßen. Der Baggerführer hat die Panik gekriegt und den Notruf gewählt. Zum Glück scheint er mit seinem Gerät nicht allzu viel Schaden angerichtet zu haben.«

Maura sah keine Kleidungsstücke, keinen Schmuck, doch sie brauchte beides nicht, um das Geschlecht zu bestimmen. Sie ging in die Hocke und betrachtete eingehend die feinen Augenbrauenwülste des Schädels. Dann schlug sie die Plane zurück und erblickte ein Becken mit einer weit ausladenden Darmbeinschaufel. Mit einem Blick auf den Oberschenkelknochen erkannte sie, dass die Person nicht besonders groß gewesen war – höchstens um die eins sechzig.

»Sie liegt schon eine ganze Weile hier«, sagte Tam. Auch ohne Mauras Hilfe hatte er erkannt, dass es sich um ein weibliches Skelett handelte. »Was glauben Sie, wie lange?«

»Vollständig skelettiert. Wirbel nicht mehr verbunden«, stellte Maura fest. »Die Bandansätze haben sich bereits zersetzt.«

»Das heißt was – Monate? Jahre?«, fragte Crowe.

»Ja.«

Crowe schnaubte ungehalten. »Geht's nicht ein bisschen genauer?«

»Ich hatte einmal einen Fall einer verscharrten Leiche, die nach nur drei Monaten vollständig skelettiert war, deshalb kann ich Ihnen keine genauere Antwort geben. Nach meiner vorläufigen Einschätzung können wir von einer Liegezeit von mindestens sechs Monaten ausgehen. Die Tatsache, dass sie unbekleidet ist und nicht besonders tief vergraben war, dürfte den Verwesungsprozess beschleunigt haben, aber es war jedenfalls tief genug, um sie vor Tierfraß zu schützen.«

Wie zur Antwort ertönte über ihr ein lautes Krächzen. Als sie aufblickte, sah sie drei Krähen auf einem Ast sitzen und sie beobachten. Sie hatte die Schäden gesehen, die die Rabenvögel an einem menschlichen Körper anrichten konnten, und wusste, dass diese Schnäbel Bänder und Sehnen zerfetzen und Augen aus den Höhlen reißen konnten. Wie auf Kommando erhoben sich die Vögel alle zugleich mit lautem Geflatter in die Luft.

»Unheimliche Vögel. Wie kleine Geier«, sagte Tam, als er ihnen hinterhersah.

»Und unglaublich intelligent. Wenn sie nur mit uns reden könnten.« Sie sah ihn an. »Was wissen Sie über die Vorgeschichte dieses Grundstücks?«

»Es gehörte über vierzig Jahre lang einer älteren Dame, die vor fünfzehn Jahren verstarb. Es kam zu einem längeren Nachlassverfahren, und das Haus verfiel. Es gab immer mal wieder Mieter, aber die meiste Zeit stand es leer. Bis dieses Paar es vor etwa drei Jahren gekauft hat.«

Maura blickte sich um. »Keine Zäune. Und das Grundstück grenzt an einen Wald.«

»Ja, das gehört zur Stony Brook Reservation. Kein Problem, sich aus dieser Richtung Zugang zu verschaffen, um eine Leiche zu verbuddeln.«

»Und was wissen wir von den derzeitigen Eigentümern?«

»Ein nettes junges Paar. Sie haben das Haus nach und nach hergerichtet, haben Bad und Küche renoviert. In diesem Jahr haben sie dann beschlossen, noch einen Pool anzulegen. Sie sagen, bevor sie die Grube für den Pool ausgehoben haben, sei dieser Teil des Gartens dicht mit Unkraut überwuchert gewesen.«

»Dann wurde die Leiche also vermutlich vergraben, bevor sie das Haus kauften.«

»Was ist mit unserem Mädchen hier?«, warf Crowe ein. »Können Sie eine Todesursache erkennen?«

»Haben Sie ein wenig Geduld, Detective. Ich habe sie ja noch nicht mal vollständig ausgewickelt.« Maura zog das letzte Stück blaue Plane weg, um die Schien- und Wadenbeine freizulegen, die Mittelfußknochen und ... Maura erstarrte, den Blick auf das orangefarbene Nylonseil geheftet, das noch um die Fußknöchel geschlungen war. Sofort tauchte ein Bild in ihrem Kopf auf. Orangefarbenes Nylonseil. Eine Leiche, an den Fußgelenken aufgehängt und ausgeweidet.

Wortlos wandte sie sich wieder dem Brustkorb zu. Sie beugte sich weiter vor und starrte den Schwertfortsatz an, den Knochen am unteren Ende des Brustbeins. Selbst an diesem bedeckten Tag, im Schatten der Bäume, konnte sie die charakteristische Kerbe im Knochen erkennen. Sie stellte sich vor, wie die Leiche kopfüber an den Füßen aufgehängt worden war. Malte sich aus, wie eine Klinge von oben nach unten durch die Bauchdecke gezogen wurde, von der Scham bis zum Brustbein. Diese Kerbe war genau an der Stelle, wo der Schnitt enden würde.

Plötzlich fühlten sich ihre Hände in den Handschuhen eiskalt an.

»Dr. Isles?«, sagte Tam.

Sie ignorierte ihn und sah sich den Schädel an. Dort, auf dem Stirnbein, waren drei parallele Kratzer zu erkennen.

Wie vom Donner gerührt, ließ sie sich auf die Fersen sinken. »Wir müssen Rizzoli anrufen.«

Jetzt wird's gleich krachen, dachte Jane, als sie unter dem hell leuchtenden Absperrband hindurchschlüpfte. Das hier war nicht ihr Tatort, nicht ihr Revier, und sie war darauf gefasst, dass Darren Crowe das von Anfang an glasklar machen würde. Sie dachte an Leon Godt, der den Nachbarjungen angebrüllt hatte: *Runter von meinem Rasen!* Und sie stellte sich Crowe in dreißig Jahren als ebenso griesgrämigen alten Mann vor, der schrie: *Finger weg von meinem Tatort!*

Aber es war Johnny Tam, der ihr vom Garten entgegenkam. »Rizzoli«, sagte er.

»Wie ist seine Laune?«

»Wie üblich. Alles eitel Sonnenschein.«

»So gut, hm?«

»Er ist momentan nicht gerade glücklich über Dr. Isles.«

»Ich bin auch nicht besonders glücklich.«

»Sie hat darauf bestanden, Sie hinzuzuziehen. Und wenn sie so etwas sagt, höre ich auf sie.«

Jane musterte Tam, doch wie üblich konnte sie seine Miene nicht lesen. Das hatte sie noch nie gekonnt. Obwohl er noch nicht lange beim Morddezernat war, genoss er bereits einen Ruf als Kollege, der seiner Arbeit mit ruhiger und unspektakulärer Beharrlichkeit nachging. Im Gegensatz zu Crowe war Tam keine Rampensau.

»Sie stimmen ihr zu, dass es eine Verbindung zwischen beiden Fällen gibt?«, fragte sie.

»Ich weiß, dass Dr. Isles keine Frau ist, die sich auf ihr Bauchgefühl verlässt. Deswegen hat es mich ein bisschen überrascht, dass sie darauf besteht, Sie hinzuzuziehen. In Anbetracht der erwartbaren unerwünschten Nebeneffekte.«

Sie mussten seinen Namen nicht aussprechen – beide wussten, dass die Rede von Crowe war.

»Wie schlimm ist es denn nun, mit ihm zusammenzuarbeiten?«, fragte sie, als sie über den Plattenweg in Richtung Garten gingen.

»Abgesehen von der Tatsache, dass ich im Fitnessstudio schon drei Boxsäcke verschlissen habe?«

»Es wird nicht besser, das dürfen Sie mir glauben. Mit ihm zu arbeiten ist ungefähr so angenehm wie eine chinesische Wasserfol...« Sie brach ab. »Sie wissen schon, was ich meine.«

Tam lachte. »Wir Chinesen haben sie vielleicht erfunden, aber Crowe hat sie perfektioniert.«

Sie waren im Garten angekommen, und Jane sah den Gegenstand ihres Spotts bei Maura stehen. Crowes Körpersprache verriet schon, dass er stinksauer war, von den angespannten Nackenmuskeln bis hin zu den hektischen Gesten.

»Bevor Sie hier so einen Riesenzirkus veranstalten«, sagte er zu Maura, »wie wär's, wenn Sie uns einen etwas präziseren Todeszeitpunkt nennen?«

»Ich kann es Ihnen nicht genauer sagen«, erwiderte Maura. »Den Rest muss ich Ihnen überlassen. Das ist nun mal Ihr Job.«

Crowe sah Jane kommen und sagte: »Ich bin sicher, dass die allwissende Rizzoli sämtliche Antworten parat hat.«

»Ich bin hier, weil Dr. Isles mich darum gebeten hat«, sagte Jane. »Ich schau mich nur kurz um, dann bist du mich auch schon wieder los.«

»Ja, klar doch.«

Maura sagte leise: »Sie ist hier drüben, Jane.«

Jane folgte ihr durch den Garten zu einer frisch ausgehobenen Grube, neben der ein Löffelbagger stand. Das Skelett lag daneben auf einer blauen Plane.

»Eine erwachsene Frau«, erklärte Maura. »Um die eins sechzig groß. Keine arthritischen Veränderungen an der Wirbelsäule, die Epiphysenfugen sind geschlossen. Ich schätze ihr Alter auf irgendwo zwischen zwanzig und Mitte dreißig…«

»In was hast du mich da reingezogen?«, murmelte Jane.

»Wie bitte?«

»Er hat mich sowieso schon auf dem Kieker.«

»Mich auch, aber das hindert mich nicht daran, meinen Job zu machen.« Maura hielt inne. »Vorausgesetzt, ich behalte meinen Job.« Das war nicht mehr so sicher, seit Mauras Aussage vor Gericht einen allseits beliebten Polizisten hinter Gitter gebracht hatte. Mit ihrer reservierten Art, die manche als sonderbar empfanden, war Maura bei den einfachen Polizisten des Boston PD noch nie sonderlich beliebt gewesen, und nun hatte sie in ihren Augen auch noch gegen ihren Korpsgeist verstoßen.

»Ich will ganz ehrlich sein«, sagte Jane. »Was du mir da am Telefon erzählt hast, hat mich nicht gerade vom Hocker gehauen.« Sie betrachtete die Tote, von der die Verwesung nur die blanken Knochen übrig gelassen hatte. »Zunächst mal ist das hier eine Frau.«

»Ihre Knöchel sind mit orangefarbenem Nylonseil umwickelt. Das gleiche, mit dem Godts Knöchel gefesselt waren.«

»Diese Sorte Seil ist ziemlich verbreitet. Im Gegensatz zu Godt ist dieses Opfer weiblich, und jemand hat sich die Mühe gemacht, sie zu vergraben.«

»Am unteren Ende ihres Brustbeins ist ein Einschnitt von einer Klinge, genau wie bei Leon Godt. Ich halte es durchaus für möglich, dass sie ausgeweidet wurde.«

»Du hältst es für möglich?«

»Ohne irgendwelche Reste von Weichteilen und Organen kann ich es nicht beweisen. Aber diese Kerbe am Brustbein stammt von einem Messer. Eine Kerbe, wie sie zurückbleibt, wenn der Bauch von unten nach oben aufgeschlitzt wird. Und da ist noch etwas.« Maura kniete sich hin und zeigte auf den Schädel. »Sieh dir das mal an.«

»Diese drei kleinen Kratzer?«

»Erinnerst du dich an die Röntgenaufnahme von Godts Schädel, auf der ich dir die drei parallelen Schrammen gezeigt habe? Wie Krallenspuren am Knochen.«

»Das da sind keine parallelen Kratzer. Es sind nur winzig kleine Kerben.«

»Aber die Abstände dazwischen sind ganz regelmäßig. Sie könnten vom gleichen Werkzeug stammen.«

»Oder von Tieren. Oder von diesem Bagger.« Jane blickte sich um, als sie Stimmen hörte. Die Spurensicherung war eingetroffen, und Crowe führte ein Trio von Kriminaltechnikern zu dem Skelett.

»Und, was meinst du, Rizzoli?«, sagte Crowe. »Willst du dir den Fall unter den Nagel reißen?«

»Ich will dir dein Revier nicht streitig machen. Ich überprüfe nur gewisse Ähnlichkeiten.«

»Euer Opfer war doch ein vierundsechzigjähriger Mann, wenn ich mich nicht irre?«

»Genau.«

»Und das da ist eine junge Frau. Klingt das für dich nach einem ähnlich gelagerten Fall?«

»Nein«, gab Jane zu.

»Und was hat die Obduktion von eurem männlichen Opfer ergeben? Was war die Todesursache?«

»Es lag eine Schädelfraktur vor sowie eine Quetschung des Schildknorpels«, sagte Maura.

»Am Schädel von meinem Mädchen sind keine offensichtlichen Frakturen«, entgegnete Crowe.

Mein Mädchen. Als ob sie ihm gehörte, dieses namenlose Opfer. Als ob er schon einmal seinen Besitzanspruch anmelden wollte.

»Diese Frau war kleiner und damit leichter in Schach zu halten als ein Mann«, bemerkte Maura. »Es war wohl nicht notwendig, sie zuerst durch einen Schlag auf den Kopf zu betäuben.«

»Aber es ist ein weiterer Unterschied«, wandte Crowe ein. »Ein weiteres Detail, in dem die Fälle nicht übereinstimmen.«

»Detective Crowe, ich spreche vom Gesamteindruck, den ich bei diesen beiden Fällen habe. Um das Erscheinungsbild.«

»Das nur Sie zu sehen scheinen. Das eine Opfer ist ein älterer Mann, das andere eine junge Frau. Das eine Opfer hat eine Schädelfraktur, das andere nicht. Der Mann wurde in seiner eigenen Garage ermordet und aufgehängt, die Frau in einem Garten verscharrt.«

»Beide waren nackt, ihre Knöchel mit Nylonseil gefesselt, und sie wurden höchstwahrscheinlich beide ausgeweidet. So, wie ein Jäger…«

»Maura«, unterbrach sie Jane. »Wie wär's, wenn wir mal einen Rundgang übers Grundstück machen?«

»Das habe ich schon gemacht.«

»Aber ich nicht. Komm schon.«

Widerstrebend folgte Maura ihr von der Grube weg, und sie gingen zusammen zur Grundstücksgrenze. Hier verstärkten die überhängenden Äste der Bäume noch die Düsternis des ohnehin schon deprimierend grauen Nachmittags.

»Du findest, dass Crowe recht hat, nicht wahr?«, sagte Maura mit bitterem Unterton in der Stimme.

»Du weißt, dass ich deine Meinung immer respektiere, Maura.«

»Aber in diesem Fall teilst du sie nicht.«

»Du musst zugeben, dass es zwischen diesen beiden Opfern große Unterschiede gibt.«

»Die Schnittspuren. Das Nylonseil. Sogar die Knoten sind ähnlich, und…«

»Ein doppelter Kreuzknoten ist nicht so ungewöhnlich. Ich an seiner Stelle hätte ihn wahrscheinlich auch benutzt, um mein Opfer zu fesseln.«

»Und das Ausweiden? Wie viele solche Fälle hast du in jüngerer Zeit erlebt?«

»Du hast einen einzigen Kratzer am Brustbein gefunden. Das ist kein schlüssiger Beweis. Die beiden Opfer könnten kaum unterschiedlicher sein, was Alter, Geschlecht und Fundort betrifft.«

»Solange wir diese Frau nicht identifiziert haben, kannst du nicht behaupten, es gäbe keine Verbindung zum Fall Godt.«

»Okay«, gestand Jane ein und seufzte. »Da hast du recht.«

»Warum streiten wir uns überhaupt? Du kannst mich jederzeit gerne widerlegen. Mach einfach nur deinen Job.«

Janes Miene verhärtete sich. »Wann hätte ich das nicht getan?«

Diese gereizte Erwiderung, in der sich Janes ganze aufgestaute Anspannung entlud, ließ Maura verstummen. Ihr dunkles Haar, normalerweise so glatt und glänzend, hatte sich in der kühlen, feuchten Luft in ein krauses Netz verwandelt, in dem sich kleine Zweige verfingen. Im Halbdunkel unter diesen Bäumen, mit ihren schlammbespritzten Hosenaufschlägen und der zerknitterten Bluse, wirkte sie wie eine ungezähmte Version von Maura, eine Fremde, deren Augen allzu hell, fast fiebrig glänzten.

»Was geht hier wirklich vor?«, fragte Jane leise.

Maura wandte sich ab, wich plötzlich Janes Blick aus, als ob die Antwort zu schmerzlich wäre, um sie auszusprechen. Im Lauf der Jahre hatten sie einander in ihren Kummer und ihre Fehltritte eingeweiht. Jede kannte die dunkelsten Seiten der anderen. Warum scheute Maura jetzt davor zurück, diese simple Frage zu beantworten?

»Maura?«, drängte Jane. »Was ist passiert?«

Maura seufzte. »Ich habe einen Brief erhalten.«

14

Sie saßen in einer Nische in J.P. Doyle's Bar, einem beliebten Treffpunkt der Bostoner Gesetzeshüter, wo um fünf Uhr
nachmittags mindestens ein halbes Dutzend Cops am Tre-
sen hocken und ihre Frontberichte austauschen würden.
Doch um drei Uhr nachmittags herrschte in dem Restaurant meist Flaute, und heute waren nur zwei andere Tische
besetzt. Jane hatte hier schon so oft zu Mittag gegessen,
dass sie mit dem Zählen nicht mehr mitkam, aber Maura
war zum ersten Mal hier – auch dies ein Beleg dafür, dass
selbst nach so vielen Jahren als Kolleginnen und Freundinnen die Kluft zwischen ihnen immer noch nicht geschlossen war. Hier die Polizistin, dort die Medizinerin, hier ein
paar Semester auf dem College, dort ein Abschluss in Stan-
ford. Hier Adams Ale, dort Sauvignon Blanc. Während die
Kellnerin wartend am Tisch stand, überflog Maura die Spei-
sekarte mit einer Miene, die zu sagen schien: *Was kann
man denn hier überhaupt essen?*

»Die Fish and Chips kann ich sehr empfehlen«, schlug
Jane vor.

»Ich nehme den Caesar Salad«, sagte Maura. »Das Dressing bitte extra.«

Die Kellnerin ging, und für eine Weile herrschte unbe-
hagliches Schweigen. In der Nische gegenüber saß ein Paar,
das die Finger nicht voneinander lassen konnte. Ein älterer
Mann und eine jüngere Frau. Sex am Nachmittag, dachte
Jane, und mit Sicherheit von der verbotenen Sorte. Sie
musste an ihren eigenen Vater denken, an Frank und seine

blonde Tussi, die Affäre, die seine Ehe ruiniert und die unglückliche Angela in Vince Korsaks Arme getrieben hatte. Jane hätte am liebsten geschrien: *He, Mister, gehen Sie auf der Stelle zu Ihrer Frau zurück, bevor Sie allen Beteiligten das Leben versauen!*

Als ob ein Mann im Testosteronrausch je auf vernünftige Argumente gehört hätte.

Maura warf einen Seitenblick auf das knutschende Pärchen. »Nettes Lokal. Kann man hier auch stundenweise Zimmer mieten?«

»Wenn man von einem Polizistengehalt leben muss, ist das hier die richtige Adresse für anständiges Essen und ordentliche Portionen. Tut mir leid, wenn es nicht deinem Niveau entspricht.«

Maura zuckte zusammen. »Ich weiß nicht, warum ich das gesagt habe. Ich bin heute einfach keine gute Gesellschaft.«

»Du sagtest, du hättest einen Brief bekommen. Von wem?«

»Amalthea Lank.«

Der Name war wie ein eisiger Hauch, der Jane frösteln ließ und ihr einen Schauer über den Rücken jagte. *Mauras Mutter.* Die Mutter, die sie kurz nach der Geburt im Stich gelassen hatte. Die Mutter, die jetzt im Frauengefängnis von Framingham eine lebenslange Haftstrafe wegen mehrfachen Mordes verbüßte.

Nein, keine Mutter. Ein Ungeheuer.

»Wieso bekommst du Briefe von ihr?«, fragte Jane. »Ich dachte, du hättest den Kontakt endgültig abgebrochen.«

»Das habe ich auch. Ich habe die Gefängnisverwaltung gebeten, ihre Briefe nicht mehr an mich weiterzuleiten. Und ich habe ihre Anrufe nicht angenommen.«

»Und wieso hast du dann diesen Brief bekommen?«

»Ich weiß nicht, wie sie es geschafft hat, ihn hinauszuschmuggeln. Vielleicht hat sie eine der Aufseherinnen bestochen. Oder er wurde in einem Brief einer anderen Insassin verschickt. Jedenfalls habe ich ihn in meinem Briefkasten gefunden, als ich gestern Abend nach Hause kam.«

»Warum hast du mich nicht angerufen? Ich hätte mich darum gekümmert. Ein Besuch in Framingham, und ich hätte schon dafür gesorgt, dass sie dich nie wieder belästigt.«

»Ich konnte dich nicht anrufen. Ich brauchte Zeit zum Nachdenken.«

»Was gibt es da nachzudenken?« Jane beugte sich vor. »Sie will dich wieder manipulieren. Das ist ihre Lieblingsbeschäftigung. Es verschafft ihr einen Kick, wenn sie ihre Psychospielchen mit dir treibt.«

»Ja, das weiß ich schon.«

»Mach die Tür nur einen winzig kleinen Spalt auf, und schon wird sie sich wieder in dein Leben drängen. Gott sei Dank hat sie dich nicht großgezogen. Das heißt, dass du ihr überhaupt nichts schuldig bist. Kein Wort, nicht mal einen Gedanken.«

»Ich habe ihre DNS in mir, Jane. Als ich sie anschaute, sah ich mich selbst in ihrem Gesicht.«

»Die Gene werden überschätzt.«

»Die Gene bestimmen, wer wir sind.«

»Heißt das, dass du demnächst nach dem Skalpell greifen und anfangen wirst, Leute aufzuschlitzen, wie sie es getan hat?«

»Natürlich nicht. Aber in letzter Zeit…« Maura hielt inne und sah auf ihre Hände hinunter. »Egal, wo ich hinschaue, überall glaube ich, Schatten zu sehen. Ich sehe die dunkle Seite.«

Jane schnaubte. »Natürlich. Bei deinem Job ist das kein Wunder.«

»Wenn ich einen Raum mit vielen Menschen betrete, frage ich mich automatisch, vor wem ich Angst haben sollte. Wen ich im Auge behalten muss.«

»Das nennt sich Situationsbewusstsein. Und es ist klug.«

»Es ist mehr als das. Es ist, als könnte ich die Dunkelheit *spüren*. Ich weiß nicht, ob sie von der Welt um mich herum kommt, oder ob ich sie schon in mir habe.« Sie starrte immer noch ihre Hände an, als ob die Antworten dort geschrieben stünden. »Ich merke, dass ich wie besessen nach ominösen Mustern suche. Nach verborgenen Verbindungen. Als ich heute dieses Skelett sah und mich an Leon Godts Leiche erinnerte, erkannte ich ein Muster. Die Handschrift eines Mörders.«

»Das heißt noch nicht, dass du dabei bist, auf die dunkle Seite zu wechseln. Es heißt nur, dass du dein Ding als Rechtsmedizinerin durchziehst. Immer auf der Suche nach dem Erscheinungsbild eines Falls, wie du es ausdrückst.«

»Du hast keine Handschrift gesehen. Warum sehe ich sie?«

»Weil du schlauer bist als ich?«

»Das ist eine flapsige Antwort, Jane. Und es ist nicht wahr.«

»Okay, dann will ich mal mein *fantastisches* Polizistinnenhirn einschalten und eine Beobachtung machen. Du hast wirklich ein schweres Jahr hinter dir. Du hast mit Daniel Schluss gemacht, und wahrscheinlich fehlt er dir immer noch. Habe ich recht?«

»Natürlich fehlt er mir.« Leise fügte sie hinzu: »Und ich bin sicher, das beruht auf Gegenseitigkeit.«

»Dann war da deine Aussage gegen Wayne Graff. Du hast einen Cop hinter Gitter gebracht, und das Boston PD hat dir deswegen das Leben schwer gemacht. Ich habe über Stressfaktoren gelesen und darüber, wie sie einen krank machen können. Eine gescheiterte Beziehung, Konflikte am Arbeitsplatz – Mensch, deine Stressbelastung ist so hoch, dass du eigentlich längst Krebs haben müsstest.«

»Danke, jetzt habe ich noch etwas, worüber ich mir Sorgen machen muss.«

»Und jetzt dieser Brief. Dieser gottverdammte Brief von *ihr*.«

Sie verfielen in Schweigen, als ihr Essen kam. Ein Clubsandwich für Jane, der Caesar Salad – mit separatem Dressing – für Maura. Erst als die Kellnerin wieder verschwunden war, fragte Maura leise: »Bekommst du je Briefe von *ihm*?«

Sie musste seinen Namen nicht aussprechen, beide wussten, von wem die Rede war. Reflexartig ballte Jane die Hände zu Fäusten, verbarg die Narben an ihren Handgelenken, wo Warren Hoyt sie mit seinen Skalpellen durchbohrt hatte. Sie hatte ihn seit vier Jahren nicht mehr gesehen, und doch erinnerte sie sich noch an jedes Detail seines Gesichts – obwohl es ein solches Allerweltsgesicht war, dass er damit jederzeit in der Masse untertauchen konnte. Die Haft und die Krankheit hatten ihn sicherlich altern lassen, aber sie hatte kein Interesse daran, sich mit eigenen Augen davon zu überzeugen. Ihr genügte es zu wissen, dass sie mit einer Kugel, die sein Rückgrat zerfetzt hatte, der Gerechtigkeit zum Sieg verholfen hatte, und dass er damit bis an sein Lebensende gestraft war.

»Er hat versucht, mir aus der Reha Briefe zu schicken«, sagte Jane. »Er diktiert sie seinen Besuchern, und die schicken sie mir. Ich werfe sie gleich in den Müll.«

»Du liest sie nie?«

»Warum sollte ich? Auf die Weise will er sich nur weiter in mein Leben einmischen. Ich soll wissen, dass er immer noch an mich denkt.«

»An die Frau, die ihm entkommen ist.«

»Ich bin nicht nur entkommen. Ich bin auch diejenige, die ihn zu Fall gebracht hat.« Jane lachte schroff und griff nach ihrem Sandwich. »Er ist von mir besessen, aber ich werde auch nicht eine Millisekunde damit vergeuden, an ihn zu denken.«

»Du denkst wirklich überhaupt nicht an ihn?«

Die Frage, mit so leiser Stimme gestellt, schwebte einen Moment lang unbeantwortet zwischen ihnen. Jane beschäftigte sich mit ihrem Sandwich, versuchte, sich davon zu überzeugen, dass es stimmte, was sie soeben gesagt hatte. Aber wie konnte das sein? Obwohl gefangen in seinem gelähmten Körper, übte Warren Hoyt immer noch Macht über sie aus, denn die Vergangenheit ließ sich nicht auslöschen. Er hatte sie hilflos und in Todesangst gesehen, er war Zeuge des Moments ihrer Ohnmacht.

»Ich bin nicht bereit, ihm diese Macht zuzugestehen«, sagte Jane. »Ich weigere mich, an ihn zu denken. Und das solltest du auch tun.«

»Obwohl sie meine Mutter ist?«

»Die Bezeichnung trifft auf sie nicht zu. Sie ist eine DNS-Spenderin, das ist alles.«

»Aber dies *alles* ist sehr mächtig. Sie ist ein Teil jeder Zelle meines Körpers.«

»Ich dachte, du hättest dich schon entschieden, Maura. Du hast dich von ihr abgewandt und geschworen, dass du einen endgültigen Schlussstrich ziehen würdest. Warum hast du jetzt deine Meinung geändert?«

Maura blickte auf ihren Salat, den sie noch nicht angerührt hatte. »Weil ich ihren Brief gelesen habe.«

»Und ich vermute mal, dass sie genau die richtigen Knöpfe gedrückt hat. *Ich bin deine einzige Blutsverwandte. Wir sind unauflöslich miteinander verbunden.* Habe ich recht?«

»Ja«, gab Maura zu.

»Sie ist eine Soziopathin, und du schuldest ihr rein gar nichts. Zerreiß diesen Brief und vergiss alles.«

»Sie ist todkrank, Jane.«

»Was?«

Maura sah sie an, ihr Blick war gequält. »Sie hat noch sechs Monate, maximal ein Jahr.«

»Quatsch. Sie spielt dir was vor.«

»Ich habe gestern in der Krankenstation des Gefängnisses angerufen, gleich nachdem ich den Brief gelesen hatte. Amalthea hatte schon die Entbindung von der ärztlichen Schweigepflicht unterzeichnet, sodass sie mir die Information weitergeben konnten.«

»Sie lässt aber auch keinen Trick aus, wie? Sie wusste genau, wie du reagieren würdest, und sie hat dir eine Falle gestellt.«

»Die Schwester hat es bestätigt. Amalthea hat Bauchspeicheldrüsenkrebs.«

»Ich wüsste nicht, wer es mehr verdient hätte als sie.«

»Meine einzige Blutsverwandte, und sie wird sterben. Sie will, dass ich ihr vergebe. Sie fleht mich an.«

»Und sie erwartet, dass du ihr die Bitte gewährst?« Jane griff nach ihrer Serviette und wischte sich mit raschen, wütenden Bewegungen die Mayonnaise von den Fingern. »Was ist mit all den Menschen, die sie abgeschlachtet hat? Wer soll ihr dafür vergeben? Du jedenfalls nicht. Dazu hast du nicht das Recht.«

»Aber ich kann ihr verzeihen, dass sie mich verlassen hat.«

»Dich zu verlassen war die einzige gute Tat in ihrem Leben. Anstatt von einer psychisch gestörten Mutter großgezogen zu werden, hast du die Chance bekommen, ein normales Leben zu führen. Glaub mir, sie hat es nicht getan, weil es *richtig* war.«

»Und doch bin ich jetzt hier. Gesund an Körper und Geist. Es hat mir als Kind an nichts gefehlt, ich wurde aufgezogen von Eltern, die mich liebten – ich habe absolut keinen Grund, verbittert zu sein. Warum sollte ich da einer sterbenskranken Frau nicht ein wenig Trost spenden?«

»Dann schreib ihr einen Brief. Sag ihr, dass ihr verziehen ist, und dann vergiss sie.«

»Sie hat nur noch sechs Monate. Sie will mich sehen.«

Jane warf ihre Serviette auf den Tisch. »Wir wollen doch nicht vergessen, wer sie wirklich ist. Du hast mir einmal erzählt, dass es dich eiskalt überlaufen hat, als du ihr in die Augen gesehen hast, weil du nicht das Gefühl hattest, dass dich da ein Mensch anschaut. Du hast gesagt, du hättest nur Leere gesehen, ein Wesen ohne Seele. *Du* bist diejenige, die sie ein Ungeheuer genannt hat.«

Maura seufzte. »Ja, das habe ich.«

»Geh nicht in den Käfig des Ungeheuers.«

In Mauras Augen schimmerten plötzlich Tränen. »Und in sechs Monaten, wenn sie tot ist, wie soll ich dann mit der Schuld umgehen? Mit der Tatsache, dass ich ihr ihren letzten Wunsch verweigert habe? Dann ist es zu spät, mich noch anders zu entscheiden. *Das* ist es, was mir am meisten Sorgen macht. Dass ich mich für den Rest meines Lebens schuldig fühlen werde. Und dass ich nie die Chance bekommen werde zu verstehen.«

»Was zu verstehen?«

»Warum ich so bin, wie ich bin.«

Jane sah in das aufgewühlte Gesicht ihrer Freundin. »Warum du *wie* bist? So hochbegabt? So analytisch? So ehrlich, dass du dir selbst damit schadest?«

»So besessen«, sagte Maura leise. »Von der dunklen Seite.«

Janes Handy klingelte. Während sie es aus ihrer Handtasche fischte, sagte sie: »Das liegt an unserer Arbeit und den

Dingen, die wir zu sehen bekommen. Wir haben beide diesen Job gewählt, weil wir nun mal keine Ponyhof-und-Sonnenschein-Mädels sind.« Sie nahm den Anruf an. »Detective Rizzoli.«

»Der Telefonprovider hat endlich Leon Godts Verbindungsdaten freigegeben«, sagte Frost.

»Was Interessantes dabei?«

»*Sehr* interessant sogar. An seinem Todestag hat er mehrere Telefonate geführt. Das eine war der Anruf bei Jerry O'Brien, von dem wir bereits wissen.«

»Wegen der Abholung von Kovos Kadaver.«

»Genau. Er hat außerdem bei Interpol in Johannesburg angerufen.«

»Bei Interpol? Was wollte er denn von denen?«

»Es ging um das Verschwinden seines Sohnes in Botswana. Der Ermittler war nicht in seinem Büro, also hat Godt eine Nachricht hinterlassen und gesagt, er werde später noch einmal anrufen. Was er aber nicht getan hat.«

»Sein Sohn ist vor sechs Jahren verschwunden. Warum hat Godt jetzt nachgefragt?«

»Ich habe keine Ahnung. Aber jetzt kommt der *wirklich* interessante Eintrag in der Verbindungsliste. Um vierzehn Uhr dreißig rief er eine Handynummer an, die auf Jodi Underwood in Brookline angemeldet ist. Das Gespräch dauerte sechs Minuten. Am gleichen Abend um einundzwanzig Uhr sechsundvierzig rief Jodi Underwood Godt zurück. Dieser Anruf dauerte nur siebzehn Sekunden, sie hat also vielleicht nur eine Nachricht hinterlassen.«

»Aber auf dem Anrufbeantworter *war* keine Nachricht von diesem Abend.«

»Stimmt. Vielleicht war Godt um diese Zeit schon tot. Laut Aussage der Nachbarin wurden ja die Lichter in seinem Haus zwischen neun und halb elf ausgeschaltet.«

»Wer hat also diese Nachricht auf dem AB gelöscht? Frost, das ist äußerst merkwürdig.«

»Es wird noch viel merkwürdiger. Ich habe Jodi Underwoods Handy zweimal angerufen, und jedes Mal wurde ich gleich auf die Mailbox geleitet. Und dann fiel mir plötzlich ein, dass der Name mir bekannt vorkam. Erinnerst du dich?«

»Gib mir einen Tipp.«

»War letzte Woche in den Nachrichten. Brookline.«

Janes Puls begann plötzlich zu rasen. »Da gab es einen Mord...«

»Jodi Underwood wurde in ihrer Wohnung ermordet. In derselben Nacht wie Leon Godt.«

15

»Ich war auf ihrer Facebook-Seite«, sagte Frost, als sie auf dem Weg nach Brookline waren. »Schau dir mal ihr Profil an.«

Ausnahmsweise saß er am Steuer, während Jane sich auf Frosts iPad durch die Websites klickte, die er besucht hatte. Sie rief die Facebook-Seite auf und erblickte ein Foto einer hübschen rothaarigen Frau. Laut ihrem Profil war sie siebenunddreißig, Single und Bibliothekarin an einer Highschool. Sie hatte eine Schwester namens Sarah, war Vegetarierin, und zu ihren Likes zählten PETA, die Tierrechtsbewegung und die Ganzheitliche Medizin.

»Sie ist ja nicht gerade Leon Godts Typ«, meinte Jane. »Warum sollte eine Frau, die wahrscheinlich alles verachtete, wofür er stand, mit ihm telefonieren?«

»Ich weiß es nicht. Ich habe seine Verbindungsprotokolle vier Wochen zurückverfolgt, und es gab keine weiteren Gespräche zwischen ihnen. Nur diese zwei am Sonntag. Er rief sie um halb drei an, sie rief ihn um einundzwanzig Uhr sechsundvierzig zurück. Als er vermutlich schon tot war.«

Jane rief sich den wahrscheinlichen Ablauf der Ereignisse an jenem Abend vor Augen. Der Mörder ist noch in Godts Haus, die Leiche hängt schon in der Garage, wird vielleicht gerade ausgeweidet. Das Telefon klingelt, der Anrufbeantworter schaltet sich ein, und Jodi Underwood hinterlässt ihre Nachricht. Was war das für eine Nachricht, die den Mörder gezwungen hatte, sie zu löschen, wobei er den Blutfleck am Anrufbeantworter hinterlassen hatte? Die ihn veranlasste, nach Brookline zu fahren und noch in der gleichen Nacht einen zweiten Mord zu begehen?

Sie sah Frost an. »Wir haben nirgendwo in seinem Haus ein Adressbuch gefunden.«

»Nein. Und wir haben es wirklich überall gesucht, weil wir natürlich an seinen Kontakten interessiert waren. Aber da war keins.«

Sie malte sich aus, wie der Mörder vor diesem Telefon stand und Jodis Nummer auf dem Display sah, eine Nummer, die Godt früher an diesem Tag angerufen hatte. Eine Nummer, die er in seinem persönlichen Adressbuch gehabt haben musste, zusammen mit ihrer Postanschrift.

Jane scrollte sich durch Jodis Facebook-Seite und las die Einträge. Die Frau hatte ziemlich regelmäßig gepostet, mindestens jeden zweiten oder dritten Tag. Der letzte Eintrag stammte vom Samstag, dem Tag vor ihrem Tod.

Probiert mal dieses Rezept für vegetarisches Phat Thai aus. Ich habe es gestern für meine Schwester und ihren Mann gekocht, und sie haben das Fleisch überhaupt nicht vermisst. Es ist gesund, schmeckt gut und ist gut für die Erde.

Als Jodi sich an jenem Abend Reisnudeln mit Tofu schmecken ließ, hatte sie da auch nur im Entferntesten geahnt, dass dies eine ihrer letzten Mahlzeiten sein würde? Dass all ihre Bemühungen um eine gesunde Ernährung sich sehr bald als sinnlos erweisen würden?

Jane scrollte zurück zu Jodis früheren Postings, über Bücher, die sie gelesen hatte, und Filme, die ihr gefallen hatten, über Hochzeiten von Freunden und Geburtstage, über einen düsteren Tag im Oktober, als sie über den Sinn des Lebens nachgegrübelt hatte. Noch ein paar Wochen früher, im September, war sie besser drauf gewesen. Das neue Schuljahr hatte gerade begonnen.

Wie schön, wieder die vertrauten Gesichter in der Bibliothek zu sehen!

Dann, Anfang September, postete sie ein Foto eines lächelnden jungen Mannes mit dunklen Haaren, und dazu einen melancholischen Kommentar.

Vor sechs Jahren habe ich die Liebe meines Lebens verloren. Du wirst mir immer fehlen, Elliot.

Elliot. »Sein Sohn«, sagte Jane leise.

»Was?«

»Jodi schreibt in ihrem Facebook-Eintrag von einem Mann namens Elliot. Sie schreibt: *Vor sechs Jahren habe ich die Liebe meines Lebens verloren.*«

»Vor sechs Jahren?« Frost starrte sie verblüfft an. »Vor sechs Jahren ist Elliot Godt verschwunden.«

Im November, nach der Umstellung auf die Winterzeit, geht die Sonne in Neuengland früh unter, und um halb fünf an diesem düsteren Nachmittag schien bereits die Dämmerung hereinzubrechen. Den ganzen Tag hatte es nach Regen ausgesehen, und feine Tröpfchen benetzten die Windschutzscheibe, als Jane und Frost an Jodi Underwoods Adresse ankamen. Ein grauer Ford Fusion parkte vor dem Haus, und auf der Fahrerseite konnten sie die Umrisse eines Frauenkopfs sehen. Noch ehe Jane sich abgeschnallt hatte, wurde die Tür des Ford aufgestoßen, und die Fahrerin stieg aus. Sie war groß und stattlich, mit schicken grauen Strähnen in den Haaren, modisch und zugleich praktisch gekleidet: grauer Hosenanzug, hellbrauner Regenmantel und feste, bequeme Schuhe mit flachen Absätzen. Es war ein Outfit, das aus Janes Kleiderschrank hätte stammen können, was nicht sonderlich überraschend war, denn diese Frau war ebenfalls Polizistin.

»Detective Andrea Pearson«, stellte die Frau sich vor. »Brookline PD.«

»Jane Rizzoli, Barry Frost«, entgegnete Jane. »Danke, dass Sie sich Zeit für uns nehmen.«

Sie gaben sich die Hand, verloren aber keine Zeit mit Herumstehen, zumal der Regen immer stärker wurde. Pearson führte sie gleich die Stufen zur Haustür hinauf. Es war ein bescheidenes Haus mit einem kleinen Vorgarten, dominiert von zwei Forsythiensträuchern, deren Zweige schon herbstlich kahl waren. Ein Streifen Polizei-Absperrband hing noch am Geländer der vorderen Treppe wie ein grellbuntes Warnsignal: *Achtung, Tragödie voraus.*

»Ich muss sagen, ich war überrascht, als Sie mich anriefen«, sagte Detective Pearson, während sie den Hausschlüssel hervorholte. »Jodi Underwoods Telefonprovider hat ihre Verbindungsdaten noch nicht herausgerückt, und ihr Mobiltelefon ist verschwunden. Wir hatten also keine Ahnung, dass sie mit Mr. Godt telefoniert hatte.«

»Ihr Handy ist verschwunden, sagen Sie?«, fragte Jane. »Wurde es gestohlen?«

»Das Handy und auch einige andere Gegenstände.« Detective Pearson schloss die Tür auf. »Das Motiv war Raub. Zumindest sind wir bis jetzt davon ausgegangen.«

Sie traten ein, und Detective Pearson knipste das Licht an. Jane erblickte Holzböden, ein mit minimalistischem schwedischen Chic eingerichtetes Wohnzimmer, aber keine Blutflecken. Die einzigen Hinweise darauf, dass hier ein Verbrechen begangen worden war, waren die schwarzen Reste von Fingerabdruckpulver.

»Sie lag gleich hier bei der Haustür«, sagte Detective Pearson. »Nachdem Jodi am Montagmorgen nicht zur Arbeit erschienen war, rief die Schule ihre Schwester Sarah an, die sofort hinfuhr. Die Leiche wurde gegen zehn Uhr entdeckt. Sie war mit Pyjama und Bademantel bekleidet. Die Todesursache war ziemlich offensichtlich. Ihr Hals wies Strangmarken auf, und der Rechtsmediziner bestätigte, dass sie erdrosselt wurde. Das Opfer hatte auch einen Bluterguss an der rechten Schläfe, vielleicht von einem Schlag, mit dem der Täter sie zunächst betäubt hat. Es gab keine Hinweise auf eine Vergewaltigung. Es muss alles blitzschnell gegangen sein – sie wurde sofort überwältigt, nachdem sie die Tür geöffnet hatte.«

»Sie sagten, sie habe einen Pyjama und einen Bademantel getragen?«, fragte Frost nach.

Pearson nickte. »Der Rechtsmediziner schätzte den Todeszeitpunkt auf irgendwann zwischen acht Uhr abends und zwei Uhr früh. Wenn sie um einundzwanzig Uhr sechsundvierzig bei Leon Godt angerufen hat, schränkt das die Todeszeit natürlich ein.«

»Vorausgesetzt, es war tatsächlich sie selbst und nicht jemand anderes, der mit ihrem Handy anrief.«

Pearson schwieg einen Moment. »Das ist eine Möglichkeit, da ihr Handy ja verschwunden ist. Alle Anrufe, die am Montagabend bei ihr eingingen, wurden sofort auf die Mailbox geleitet, also hat derjenige, der es entwendet hat, es offenbar ausgeschaltet.«

»Sie sagten, das Motiv sei Raub gewesen. Was wurde sonst noch gestohlen?«, fragte Jane.

»Laut ihrer Schwester Sarah fehlen Jodis Laptop – ein MacBook Air –, eine Kamera, das Mobiltelefon sowie ihre Handtasche. Es hat in diesem Viertel noch andere Einbrüche gegeben, aber die wurden alle begangen, als die Bewohner nicht zu Hause waren. Es wurden ähnliche Wertgegenstände entwendet, hauptsächlich Elektronikartikel.«

»Glauben Sie, dass es derselbe Täter war?«

Detective Pearson antwortete nicht gleich, sondern starrte auf den Boden, als ob sie immer noch Jodi Underwoods Leiche zu ihren Füßen liegen sähe. Eine silbergraue Haarsträhne fiel ihr über die Wange, und sie strich sie zurück. Sie sah Jane an. »Ich bin mir nicht sicher. Bei den anderen Einbrüchen wurden Fingerabdrücke zurückgelassen, da waren offensichtlich Amateure am Werk. Aber an diesem Tatort gab es keinerlei Spuren. Keine Fingerabdrücke, keine Werkzeugspuren, keine Fußspuren. Der Täter hat so sauber und schnell gearbeitet, es wirkt fast …«

»Professionell.«

Detective Pearson nickte. »Deswegen finde ich es so interessant, dass sie mit Leon Godt telefoniert hat. Sah denn dieser Tatort nach einem gezielten Mordanschlag aus?«

»Ob es gezielt war, kann ich nicht sagen«, antwortete Jane. »Aber von sauber und schnell kann im Gegensatz zu diesem Tatort keine Rede sein.«

»Wie meinen Sie das?«

»Ich schicke Ihnen die Tatortfotos. Sie werden mir sicher zustimmen, dass der Mord an Leon Godt wesentlich blutiger und auch bizarrer war.«

»Dann gibt es vielleicht doch keine Verbindung zwischen diesen zwei Fällen«, sagte Pearson. »Aber wissen Sie, warum die beiden miteinander telefoniert haben? Woher sie sich kannten?«

»Ich habe eine Vermutung, die Jodis Schwester hoffentlich bestätigen kann. Sie sagten, sie heißt Sarah?«

»Sie wohnt ungefähr eine Meile von hier. Ich rufe sie an und sage ihr, dass wir kommen. Fahren Sie mir doch einfach nach, ja?«

»Meine Schwester hasste alles, wofür Leon Godt stand. Sein Faible für die Großwildjagd, seine politischen Ansichten, aber vor allem die Art und Weise, wie er mit seinem Sohn umgegangen war«, sagte Sarah. »Ich habe keine Ahnung, warum er Jodi angerufen haben könnte. Oder sie ihn.«

Sie saßen in Sarahs sauber aufgeräumtem Wohnzimmer mit Möbeln aus hellem Holz und Glas. Es war offensichtlich, dass die beiden Schwestern einen ähnlichen Geschmack hatten, auch was die Vorliebe für skandinavisches Design betraf. Sie glichen sich auch äußerlich, mit ihren roten Locken und Schwanenhälsen. Doch im Gegensatz zu Jodis lächelndem Facebook-Porträt war Sarahs Gesicht ein Bild der Erschöpfung. Sie hatte ihren drei Besuchern Tee und einen Teller Plätzchen hingestellt, ihre eigene Tasse aber hatte sie noch nicht angerührt. Sie war achtunddreißig, doch im fahlen Licht, das durchs Fenster fiel, sah sie wesentlich älter aus, als ob die Trauer eine Art von Schwerkraft auf ihre Züge ausübte und ihre Mund- und Augenwinkel nach unten zöge.

Detective Pearson und Sarah kannten sich schon, und Jodis Tod hatte eine Verbindung zwischen ihnen geschaffen, weshalb Jane und Frost ihrer Kollegin nun die ersten Fragen überließen.

»Diese Anrufe haben vielleicht gar nichts mit dem Mord an Jodi zu tun, Sarah«, sagte Pearson. »Aber es ist auf jeden Fall ein merkwürdiger Zufall. Hat Jodi Leon Godt in den letzten Wochen irgendwann einmal erwähnt?«

»Nein. Und auch nicht in den letzten Monaten oder Jahren. Nachdem sie Elliot verloren hatte, gab es keinen Grund mehr, über seinen Vater zu sprechen.«

»Was hat sie über Leon Godt gesagt?«

»Sie nannte ihn den abscheulichsten Vater der Welt. Jodi und Elliot hatten ungefähr zwei Jahre zusammengelebt, als er starb, sie hatte also eine Menge über Leon gehört. Zum Beispiel, dass er seine Waffen mehr liebte als seine Familie. Oder wie er seinen Sohn eines Tages auf die Jagd mitgenommen hatte, als Elliot dreizehn war. Er wollte, dass Elliot den Hirsch ausweidete, und als er sich weigerte, nannte er ihn eine Schwuchtel.«

»Wie furchtbar.«

»Leons Frau verließ ihn kurz darauf und nahm Elliot mit – das Beste, was sie als Mutter tun konnte. Nur schade, dass sie es nicht eher getan hat.«

»Und hatte Elliot Kontakt mit seinem Vater?«

»Sporadisch. Jodi erzählte mir, das letzte Mal habe Leon Elliot an dessen Geburtstag angerufen, aber es war ein kurzes Gespräch. Elliot versuchte, höflich zu bleiben, aber er musste auflegen, als sein Vater anfing, schlecht über Elliots tote Mutter zu reden. Einen Monat darauf brach Elliot nach Afrika auf. Es war seine Traumreise, er hatte sie seit Jahren geplant. Gott sei Dank bekam Jodi keinen Urlaub, sonst wäre sie mitgefahren, und dann wäre sie vielleicht auch …« Sarah ließ den Kopf sinken, und sie starrte in ihre unberührte Teetasse.

»Nachdem Elliot verschollen war«, fragte Detective Pearson, »hatte Jodi da noch Kontakt mit Leon?«

Sarah nickte. »Ein paarmal. Er musste erst seinen Sohn verlieren, um zu merken, was für ein miserabler Vater er gewesen war. Meine Schwester war eine gute Seele, und sie versuchte, ihm ein wenig Trost zu spenden. Sie hatten sich nie gut verstanden, aber nach dem Gedenkgottesdienst für Elliot schrieb sie Leon eine Karte. Sie hatte sogar das allerletzte Foto von Elliot, das während seiner Afrikareise entstanden war, ausgedruckt und gerahmt. Sie schickte Leon dieses Foto, und sie war ganz überrascht, als sie ein Dankschreiben von ihm bekam. Aber danach ist der Kontakt eingeschlafen. Soweit ich weiß, hatten sie seit Jahren nicht mehr miteinander gesprochen.«

Bisher hatte Jane schweigend daneben gesessen, während Detective Pearson die Fragen gestellt hatte. Jetzt konnte sie aber nicht umhin, sich einzumischen.

»Hatte Ihre Schwester noch andere Fotos von Elliot in Afrika?«

Sarah sah sie verdutzt an. »Ein paar. Er hat sie alle von unterwegs mit seinem Smartphone geschickt. Seine Kamera wurde nie gefunden, also sind diese Handyfotos die einzigen, die es von der Reise gibt.«

»Haben Sie sie gesehen?«

»Ja. Es waren einfach typische Urlaubsschnappschüsse. Fotos von seinem Flug, von Sehenswürdigkeiten in Kapstadt. Nichts Bemerkenswertes.« Sie lachte betrübt. »Elliot war kein besonders guter Fotograf.«

Detective Pearson sah Jane an und runzelte die Stirn. »Gibt es einen besonderen Grund, weshalb Sie nach seinen Afrikafotos fragen?«

»Wir haben mit einem Zeugen gesprochen, der am Sonntag gegen halb drei bei Godt im Haus war. Er hörte, wie Godt am Telefon zu jemandem sagte, er wolle sämtliche Fotos von Elliots Afrikareise. Der Zeitpunkt des Gesprächs lässt darauf schließen, dass es Jodi war, mit der er telefonierte.« Jane sah Sarah an. »Warum könnte Leon diese Fotos gewollt haben?«

»Keine Ahnung. Weil er ein schlechtes Gewissen hatte?«

»Weswegen?«

»Wegen all der Dinge, die er hätte tun können, um ein besserer Vater zu sein. Wegen all der Fehler, die er gemacht hatte, der Menschen, die er verletzt hatte. Vielleicht hat er am Schluss doch noch an den Sohn gedacht, den er all die Jahre ignoriert hatte.«

Das hatte auch Jerry O'Brien ihnen erzählt: dass Leon Godt sich in letzter Zeit wie besessen mit dem Verschwinden seines Sohnes befasst habe. Mit dem Alter kam die Reue, das Grübeln darüber, was man *hätte* tun sollen, doch Leon wusste, dass er keine Chance mehr bekommen würde, den Bruch mit Elliot zu kitten. Allein in diesem Haus, mit einem Hund und zwei Katzen als einziger Gesellschaft, war ihm da plötzlich klar geworden, was für ein schwacher Ersatz sie für die Liebe eines Sohnes waren?

»Das ist alles, was ich Ihnen über Leon Godt sagen kann«, sagte Sarah. »Ich bin ihm nur ein Mal begegnet, bei dem Gedenkgottesdienst für Elliot vor sechs Jahren. Ich habe ihn seitdem nie wieder gesehen.«

Der letzte Schimmer der Abenddämmerung war erloschen, und hinter dem Fenster war es jetzt dunkel. Im warmen Schein einer Lampe schien Sarahs Gesicht ein paar Jahre verloren zu haben, und sie wirkte irgendwie jünger, lebendiger. Vielleicht lag es daran, dass sie die Rolle der trauernden Schwester für den Moment abgelegt hatte und nun ganz in das Rätsel um die letzten Stunden ihrer Schwester vertieft war, und in die Frage, was Leon Godt damit zu tun hatte. »Sie sagten, er habe Jodi um halb drei angerufen«, sagte Sarah und sah Detective Pearson an. »Da müsste sie noch in Plymouth gewesen sein. Auf der Tagung.«

»Wir haben versucht, Jodis letzten Tag zu rekonstruieren«, wandte Pearson sich an Jane und Frost. »Wir wissen, dass sie am Sonntag bei einer Bibliothekarstagung war. Die Tagung endete um fünf, also war sie wahrscheinlich erst nach der Abendessenszeit zu Hause. Was erklären könnte, warum sie Godt so spät anrief, erst um Viertel vor zehn.«

»Wir wissen, dass er sie um halb drei wegen der Fotos angerufen hatte«, sagte Jane. »Ich nehme also an, dass sie ihn an dem Abend wegen der gleichen Sache zurückrief. Viel-

leicht, um ihm zu sagen, dass sie Elliots Fotos gefunden...«
Jane hielt inne und sah Sarah an. »Wo hat Ihre Schwester
diese Fotos von Elliots Afrikareise aufbewahrt?«

»Es waren Bilddateien, also wird sie sie auf ihrem Laptop
gehabt haben.«

Jane und Detective Pearson wechselten einen Blick. »Der
jetzt verschwunden ist«, sagte Jane.

Draußen standen die drei Detectives fröstelnd im Nieselregen bei ihren geparkten Autos und unterhielten sich halblaut.

»Wir schicken Ihnen unsere Unterlagen, und wir wären
dankbar, wenn Sie uns Ihre schicken könnten«, sagte Jane.

»Selbstverständlich. Aber mir ist immer noch nicht klar,
wonach wir hier suchen.«

»Mir auch nicht«, gab Jane zu. »Aber *irgendetwas* ist da,
da bin ich mir ziemlich sicher. Und es hat mit Elliots Fotos
aus Afrika zu tun.«

»Sie haben doch gehört, was Sarah darüber gesagt hat.
Es waren typische Schnappschüsse, nichts Außergewöhn-
liches.«

»In ihren Augen jedenfalls.«

»Und sie sind sechs Jahre alt. Warum sollte sich jetzt
noch jemand dafür interessieren?«

»Ich weiß es nicht. Es ist nur so ein...«

»Bauchgefühl?«

Das Wort ließ Jane innehalten. Sie dachte an ihr heuti-
ges Gespräch mit Maura und daran, wie sie Mauras intui-
tive Theorien zu dem frisch ausgegrabenen Skelett abgetan
hatte. Wenn es ums Bauchgefühl geht, dachte sie, vertraut
jeder nur seinem eigenen. Auch wenn wir nicht wirklich erklären können, warum.

Detective Pearson strich sich eine regenglänzende Haarsträhne aus dem Gesicht und seufzte. »Nun ja, es kann ja nicht schaden, Informationen auszutauschen. Es ist eine angenehme Abwechslung. Normalerweise wollen die Jungs nur *meine* Aufzeichnungen benutzen, aber ihre rücken sie nicht raus.« Sie sah Frost an. »Womit ich nicht alle Männer schlechtmachen will.«

Jane lachte. »Der hier ist anders. Er teilt alles mit mir, nur nicht seine Kartoffelchips.«

»Was dich nicht daran hindert, sie mir zu klauen«, konterte Frost.

»Ich maile Ihnen alles, was ich habe, sobald ich zu Hause bin«, sagte Detective Pearson. »Wegen Jodis Obduktionsbericht können Sie sich direkt an das Rechtsmedizinische Institut wenden.«

»Wer hat sie obduziert?«

»Ich kenne nicht alle Rechtsmediziner dort. Es war ein sehr kräftiger Mann mit dröhnender Stimme.«

»Klingt nach Dr. Bristol«, sagte Frost.

»Ja, so heißt er. Dr. Bristol. Er hat sie letzten Dienstag obduziert.« Pearson zog ihre Autoschlüssel aus der Tasche. »Es gab keine Überraschungen.«

16

Aber mit Überraschungen war das so eine Sache – man wusste nie, wann eine auftauchen würde, die den Ermittlungen eine völlig neue Richtung gab.

Jane brachte den folgenden Nachmittag damit zu, die Unterlagen, die Andrea Pearson ihr gemailt hatte, nach genau so einer Überraschung zu durchforsten. Sie saß an ihrem Schreibtisch, der mit den Resten ihres Lunchs übersät war, und klickte sich durch Seiten über Seiten von Zeugenaussagen und Detective Pearsons Fallnotizen. Jodi Underwood hatte seit acht Jahren in dem Haus in Brookline gewohnt, das sie von ihren Eltern geerbt hatte, und war als ruhige und rücksichtsvolle Nachbarin bekannt. Sie hatte keine Feinde gehabt und war zum Zeitpunkt ihres Todes Single gewesen. Am Abend ihres Todes hatte keiner der Nachbarn irgendwelche Schreie oder lauten Geräusche gehört, nichts, was darauf hingedeutet hätte, dass nebenan eine Frau um ihr Leben kämpfte.

Es muss alles blitzschnell gegangen sein, hatte Pearson gesagt – der Täter hatte sein Opfer sofort überwältigt und ihr keine Chance gelassen, sich zu wehren. Die Tatortfotos stützten Pearsons Schilderung. Jodis Leiche war in der Diele gefunden worden, sie lag auf dem Rücken, einen Arm zur Haustür ausgestreckt, als ob sie sich über die Schwelle nach draußen ziehen wollte. Sie trug einen gestreiften Pyjama und einen dunkelblauen Bademantel. Ein Pantoffel steckte noch an ihrem linken Fuß, der andere lag nur ein kleines Stück daneben. Jane hatte genau die gleichen Pantoffeln, hellbraunes Wildleder mit Fleece-Futter, aus dem Katalog von L. L. Bean. Sie würde sie nie wieder tragen können, ohne an dieses Foto von den Füßen einer toten Frau zu denken.

Sie wandte sich dem Obduktionsbericht zu, den Mauras Kollege Dr. Bristol diktiert hatte. Abe Bristol war eine überlebensgroße Erscheinung mit dröhnendem Lachen, großem Appetit und verbesserungswürdigen Essgewohnheiten, doch im Sektionssaal war er genauso präzise und gründlich wie Maura. Obwohl das Mordwerkzeug am Tatort nicht gefunden worden war, hatten die Blutergüsse am Hals des Opfers Bristol verraten, dass der Täter ein Seil und keinen Draht benutzt hatte. Der Todeszeitpunkt lag irgendwann zwischen acht Uhr abends und zwei Uhr früh. Jane klickte sich durch die Seiten mit den Beschreibungen der inneren Organe – alle gesund – und der Untersuchung des Genitalbereichs – keine Spuren von Verletzungen, kein Hinweis auf sexuelle Aktivitäten kurz vor dem Tod. Bisher keine Überraschungen.

Als Nächstes sah sie sich die Liste der Kleidungsstücke an: gestreifter Damenpyjama, Ober- und Unterteil, hundert Prozent Baumwolle, Größe S. Bademantel aus dunkelblauem Velours, Größe S. Damenpantoffeln mit Fleece-Futter, Größe 37 ½, Marke: L. L. Bean.

Sie klickte die nächste Seite an und überflog die Liste der Faserspuren, die an das kriminaltechnische Labor geschickt worden waren. Es war das Übliche: Fingernägel, ausgekämmte Schamhaare, Abstriche aus den Körperöffnungen. Dann fiel ihr Blick auf die Angaben ganz unten auf der Seite.

Drei Haare, weiß/grau, evtl. tierischen Ursprungs,
ca. 3–4 cm lang. Abgenommen vom Bademantel
des Opfers nahe dem Saum.

Eventuell tierischen Ursprungs.

Jane dachte an Jodis blanken Holzfußboden und die schicken schwedischen Möbel, und sie versuchte, sich zu erinnern, ob es im Haus irgendwelche Hinweise darauf gegeben hatte, dass dort ein Haustier lebte. Eine Katze vielleicht, die an diesem blauen Velours-Bademantel entlanggestreift war. Sie griff zum Hörer und rief Jodis Schwester an.

»Sie hat Tiere geliebt, aber sie hatte keine im Haus, abgesehen von diesem Goldfisch, der vor ein paar Monaten eingegangen ist«, sagte Sarah.

»Sie hatte nie einen Hund oder eine Katze?«, fragte Jane.

»Sie konnte keine haben. Sie war so allergisch, dass sie schon Atemnot bekam, wenn nur eine Katze in der Nähe war.« Sarah lachte betrübt. »Als junges Mädchen hat sie davon geträumt, Tierärztin zu werden, und sie absolvierte ein Praktikum bei einer Tierklinik bei uns zu Hause. Da bekam sie dann ihren ersten Asthmaanfall.«

»Besaß sie irgendwelche Pelze? Vielleicht irgendetwas mit Kaninchen oder Nerz?«

»Keine Chance. Jodi war Mitglied bei PETA.«

Jane legte auf und fixierte die Worte auf ihrem Computerbildschirm. *Drei Haare, evtl. tierischen Ursprungs.*

Und sie dachte: Leon Godt hatte Katzen.

»Diese drei Haare stellen uns vor ein interessantes Rätsel«, sagte Erin Volchko. Als langjährige Expertin des Boston PD für Haar- und Faserspuren hatte die Kriminaltechnikerin im Lauf der Zeit Dutzende von Detectives in die Geheimnisse der Analyse von Teppichfasern und Haaren eingeweiht, hatte ihnen die Unterschiede zwischen Wolle und Baumwolle, Natur- und Synthetikfasern oder zwischen ausgerissenen und abgeschnittenen Haaren demonstriert. Obwohl Jane schon oft durch ihr Mikroskop geschaut und Fasern von unzähligen Tatorten betrachtet hatte, würde sie nie begreifen, wie Erin es schaffte, ein Haar vom anderen zu unterscheiden. Für Jane sahen alle blonden Haare gleich aus.

»Ich habe gerade eines der Haare unter dem Mikroskop«, sagte Erin. »Setzen Sie sich, dann zeige ich Ihnen, was mein Problem ist.«

Jane nahm auf dem Laborhocker Platz und schaute durch die Okulare des Lehrmikroskops. Sie erblickte einen Haarstrang, der sich diagonal durch das Bild zog.

»Das ist Haar Nummer eins, abgenommen von Jodi Underwoods blauem Bademantel«, erklärte Erin, die durch die anderen Okulare schaute. »Farbe: weiß. Krümmungsgrad: gerade. Länge: drei Zentimeter. Sie können Schuppenschicht, Rinde und Mark ganz deutlich erkennen. Achten Sie zunächst auf die Farbe. Können Sie sehen, dass es nicht ganz gleichmäßig gefärbt ist? Es scheint zur Spitze hin heller zu werden, das nennt sich Banding. Menschenhaare sind von Natur aus von der Wurzel bis zur Spitze einheitlich gefärbt. Das ist also der erste Hinweis darauf, dass wir es nicht mit einem menschlichen Haar zu tun haben. Nun sehen Sie sich den Wurzelkanal an, der in der Mitte des Haars verläuft. Er ist breiter als bei einem menschlichen Haar.«

»Und was ist das nun für ein Haar?«

»Die Cuticula oder Schuppenschicht gibt uns schon einen ganz guten Hinweis. Ich habe Mikroaufnahmen gemacht, die zeige ich Ihnen jetzt mal.« Erin schwang ihren Schemel zu ihrem Rechner herum und drückte ein paar Tasten. Auf dem Bildschirm erschien die vergrößerte Aufnahme eines Haars. Die Oberfläche war mit schlanken dreieckigen Schuppen bedeckt, ziegelartig angeordnet wie bei einem Panzer.

»Ich würde diese Schuppen als dornenförmig bezeichnen«, sagte Erin. »Sehen Sie, dass die Spitzen leicht abgehoben sind, als wollten sie sich abschälen wie kleine Blütenblätter? Ich finde es faszinierend, wie filigran alles bei starker Vergrößerung aussieht. Ein ganzes Universum tut sich da auf, das wir mit bloßem Auge nicht erkennen können.« Erin betrachtete lächelnd den Bildschirm, als ob sie dort eine fremde Stadt sähe, die sie gerne besuchen würde. Sie war den ganzen Tag in diesem fensterlosen Raum eingeschlossen, und ihr Revier waren diese mikroskopischen Landschaften aus Keratin und Protein.

»Und was bedeutet das nun?«, fragte Jane. »Die Tatsache, dass es dornenförmige Schuppen hat?«

»Es bestätigt meinen ersten Eindruck, dass es nicht von einem Menschen stammt. Was die Tierart betrifft, so ist diese Schuppenform typisch für Nerze, Robben und Katzen.«

»Häufiges ist häufig, wie man so sagt, also würde ich vermuten, dass das Haar von einer Hauskatze stammt.«

Erin nickte. »Ich kann es nicht mit hundertprozentiger Sicherheit sagen, aber eine Katze ist die wahrscheinlichste Quelle. Eine einzige Katze verliert in einem Jahr Hunderttausende von Haaren.«

»Du liebe Zeit. Da braucht man aber einen guten Staubsauger.«

»Und wenn es in einem Haus mehr als eine Katze gibt oder sogar Dutzende, wie bei manchen von diesen Katzensammlerinnen, müssen Sie sich mal vorstellen, wie viele Haare da zusammenkommen.«

»Lieber nicht.«

»Ich habe einmal eine kriminaltechnische Studie gelesen, in der nachgewiesen wurde, dass es unmöglich ist, ein Haus zu betreten, in dem eine Katze lebt, ohne dass zumindest ein paar von ihren Haaren an einem hängen bleiben. In den meisten amerikanischen Haushalten gibt es mindestens eine Katze oder einen Hund – wie wollen Sie also sagen, wie dieses eine Haar an den Bademantel des Opfers geraten ist? Wenn sie selbst keine Katze hatte, dann hatte sie vielleicht Kontakt mit der Katze von Bekannten.«

»Die Schwester des Opfers sagt, sie sei schwer allergisch gewesen und habe jeden Kontakt mit Tieren gemieden. Ich frage mich, ob diese Haare von einer sekundären Quelle auf sie übertragen wurden. Nämlich von ihrem Mörder.«

»Und Sie glauben, dass der Täter sie vom Tatort des Godt-Mordes übertragen hat.«

»Leon Godt hatte zwei Katzen und einen Hund, sein Haus war also wie eine Pelzfabrik. Ich war schon voller Katzenhaare, nachdem ich nur einmal durchgegangen war. Der Mörder müsste sich auch welche eingefangen haben. Wenn ich Ihnen ein paar Haare von Godts Katzen bringe, könnten Sie dann einen DNS-Abgleich mit diesen drei Haaren machen?«

Erin seufzte und schob sich die Brille auf die Stirn. »Ich fürchte, das mit der DNS dürfte schwierig werden. Diese drei Haare von Jodi Underwoods Bademantel sind alle während der Telogenphase ausgefallen. Sie haben keinen Wurzelanhang, also gibt es auch keine Zellkern-DNS.«

»Und wenn Sie sie unters Mikroskop legen? Nur für einen visuellen Vergleich?«

»Das würde uns nur verraten, dass wir es mit weißen Haaren zu tun haben, die *vielleicht* von ein und derselben Katze stammen. Das reicht als Beweis vor Gericht nicht aus.«

»Kann ich denn irgendwie beweisen, dass diese Haare aus Godts Haus übertragen wurden?«

»Möglicherweise schon. Wenn Sie einige Zeit mit Katzen verbringen, wird Ihnen auffallen, wie oft sie sich putzen. Sie lecken sich ständig das Fell, und dabei verteilen sie Epithelzellen aus ihrem Maul. Es ist denkbar, dass wir von diesen Haaren mitochondriale DNS-Marker gewinnen kön-nen. Ich fürchte aber, es kann Wochen dauern, bis wir die Ergebnisse haben.«

»Aber das wäre ein Beweis.«

»Ja.«

»Dann muss ich wohl Katzenhaare einsammeln gehen.«

»Und zwar müssen Sie sie dem Tier direkt ausreißen, damit wir Wurzelmaterial haben.«

Jane stöhnte. »Das wird nicht so einfach sein, weil eine dieser Katzen sich partout nicht einfangen lässt. Sie ver-steckt sich immer noch irgendwo im Haus.«

»Oje. Ich hoffe, irgendjemand füttert sie.«

»Raten Sie mal, wer jeden Tag hinfährt, um Futter und Wasser hinzustellen und das Katzenklo zu leeren?«

Erin lachte. »Doch nicht Detective Frost?«

»Er behauptet, er könne Katzen nicht ausstehen, aber ich wette, er würde in ein brennendes Haus rennen, nur um ein Kätzchen zu retten.«

»Ach, wissen Sie, ich habe Detective Frost schon immer gemocht. Er ist einfach so putzig.«

Jane schnaubte. »Ja. Neben ihm wirke ich wahrscheinlich wie die letzte Schreckschraube.«

»Was er jetzt braucht, ist eine neue Frau«, sagte Erin, während sie den Objektträger aus dem Mikroskop zog. »Ich wollte ihn mit einer meiner Freundinnen verkuppeln, aber sie weigert sich, mit Polizisten auszugehen. Sie sagt, die lei-den alle unter Kontrollzwang.« Sie schob einen neuen Trä-ger hinein. »Okay, jetzt zeige ich Ihnen ein anderes Haar, das von demselben Bademantel abgenommen wurde. Bei dem bin ich wirklich mit meinem Latein am Ende.«

Jane setzte sich wieder auf den Laborhocker und sah durch das Okular. »Es sieht genauso aus wie das andere. Was soll denn daran anders sein?«

»Auf den ersten Blick ähneln sie sich tatsächlich sehr. Weiß, gerade, circa fünf Zentimeter lang. Der Farbverlauf ist der gleiche, was uns verrät, dass es wahrscheinlich nicht von einem Menschen stammt. Anfangs dachte ich, es sei auch von *Felis catus*, einer Hauskatze. Aber wenn Sie es bei tausendfünfhundertfacher Vergrößerung betrachten, werden Sie sehen, dass es von einem anderen Tier stammen muss.« Sie schwenkte wieder zu ihrem Computer herum und öffnete ein zweites Fenster auf dem Bildschirm, das eine andere Mikrofotografie zeigte. Sie stellte die beiden Aufnahmen direkt nebeneinander.

Jane runzelte die Stirn. »Das zweite sieht überhaupt nicht wie ein Katzenhaar aus.«

»Die Schuppen sind ganz anders geformt. Sie gleichen kleinen, abgeflachten Berggipfeln. Vollkommen verschieden von den dornenförmigen Schuppen der Hauskatze.«

»Und von welchem Tier stammt dieses zweite Haar?«

»Ich habe es mit sämtlichen Tierhaaren in meiner Datenbank verglichen. Aber so etwas habe ich noch nie gesehen.«

Eine mysteriöse Kreatur. Jane dachte an Leon Godts Haus und die Wand mit den ausgestopften Tierköpfen, seinen Jagdtrophäen. Und sie dachte an die Präparatorwerkstatt, in der er regelmäßig die Felle von Tieren aus aller Herren Ländern entfleischt, getrocknet und aufgespannt hatte. »Könnte dieses Haar von einem Schneeleoparden stammen?«

»Das ist sehr spezifisch. Wieso ein Schneeleopard?«

»Weil Leon Godt an einem Schneeleopardenfell gearbeitet hat, das jetzt verschwunden ist.«

»Es sind extrem seltene Tiere, deswegen wüsste ich nicht, wo ich eine Haarprobe für einen Vergleich herbekommen sollte. Aber es gibt eine Möglichkeit, die Art zu bestimmen. Erinnern Sie sich, wie wir dieses merkwürdige

Haar von dem Mord in Chinatown bestimmt haben? Das sich am Ende als ein Affenhaar entpuppte?«

»Sie hatten es an ein Labor in Oregon geschickt.«

»Richtig, das Wildlife Forensics Lab. Sie haben dort eine Datenbank von Keratinmustern von Tierarten aus aller Welt. Per Elektrophorese lässt sich der Proteinanteil eines Haares bestimmen und mit bekannten Keratinmustern vergleichen.«

»Dann machen wir das. Wenn dieses Haar von einem Schneeleoparden stammt, dann wurde es mit an Sicherheit grenzender Wahrscheinlichkeit aus Leon Godts Haus übertragen.«

»Und in der Zwischenzeit«, sagte Erin, »besorgen Sie mir diese Katzenhaare. Wenn die DNS übereinstimmt, haben Sie den nötigen Beweis für eine Verbindung zwischen den zwei Morden.«

17

»Mit dir hab ich einen Riesenfehler gemacht«, sagte Maura. »Ich hätte dich nie mit nach Hause nehmen sollen.«

Der Kater ignorierte sie, hob die Pfote und begann, sich sorgfältig zu putzen, nachdem er eine ganze Dose spanischen Thunfisch in Olivenöl verschlungen hatte. Ein Luxusmenü, die Portion zu zehn Dollar, doch er hatte das Trockenfutter verschmäht, und Maura hatte vergessen, auf dem Heimweg an diesem Nachmittag noch ein paar Dosen Gourmet-Katzenfutter zu kaufen. Eine Suche in ihrer Speisekammer hatte nur diese eine kostbare Dose Thunfisch zutage gefördert, die sie eigentlich für einen feinen Nizza-Salat mit frischen grünen Bohnen und roten Kartoffeln hatte verwenden wollen. Aber nein, ihr gieriger kleiner Mitbewohner hatte bis auf den letzten köstlichen Happen alles verzehrt und war danach aus der Küche spaziert, wie um ihr zu verstehen zu geben, dass ihre Dienste nicht mehr benötigt wurden.

Das nennst du also Kameradschaft. Ich bin bloß das Dienstmädchen. Maura wusch die Katzenschüssel in heißem Spülwasser aus und stellte sie dann in den Geschirrspüler, um auch noch den letzten hartnäckigen Mikroben den Garaus zu machen. Konnte man sich in nur einer Woche bei einer Katze mit *Toxoplasma gondii* infizieren? Sie hatte sich in letzter Zeit geradezu in eine Toxoplasmose-Panik hineingesteigert, seitdem sie gelesen hatte, dass die Krankheit zu Schizophrenie führen konnte. Verrückte Katzenladys waren verrückt *wegen* ihrer Katzen. So machen sich diese raffinierten Tiere uns Menschen gefügig, dachte sie. Sie infizieren uns mit einem Parasiten, der uns dazu bringt, ihnen Zehn-Dollar-Portionen Thunfisch zu servieren.

Es läutete an der Tür.

Maura wusch sich die Hände, trocknete sie ab und dachte: *Sterbt, Mikroben!* Dann ging sie aufmachen.

Draußen stand Jane Rizzoli. »Ich komme wegen der Katzenhaare«, sagte sie, während sie eine Pinzette und einen Beweismittelbeutel aus der Tasche zog. »Willst du das übernehmen?«

»Warum machst du es nicht?«

»Es ist dein Kater.«

Mit einem Seufzer nahm Maura die Pinzette und ging ins Wohnzimmer, wo der Kater inzwischen auf dem Couchtisch thronte und sie mit Argwohn in seinen grünen Augen anstarrte. Sie wohnten jetzt schon eine Woche zusammen, aber sie hatte noch keinen Draht zu dem Tier gefunden. War es überhaupt möglich, sich mit einer Katze anzufreunden? Am Tatort des Godt-Mordes hatte er Maura mit Zuneigung überschüttet, hatte miaut und sich an ihr gerieben, bis sie sich dazu verführen ließ, ihn zu adoptieren. Aber seit sie ihn ins Haus geholt hatte, zeigte er ihr die kalte Schulter, obwohl sie ihn mit Thunfisch und Sardinen verwöhnte. Es war die Klage aller enttäuschten Ehefrauen: *Er hat mich um den Finger gewickelt, hat um mich geworben, und jetzt bin ich sein Dienstmädchen.*

Sie kniete sich neben den Kater, der prompt vom Couchtisch hüpfte und mit dem Ausdruck gepflegter Verachtung in Richtung Küche stolzierte.

»Du musst ihm die Haare direkt auszupfen«, sagte Jane.

»Ich weiß, ich weiß.« Maura folgte der Katze durch den Flur und murmelte halblaut: »Warum komme ich mir so lächerlich vor?«

Sie fand den Kater dort, wo seine Schüssel immer stand. Er saß da und starrte sie vorwurfsvoll an.

»Vielleicht hat er Hunger«, meinte Jane.

»Ich habe ihn gerade erst gefüttert.«

»Dann füttere ihn noch mal.« Jane öffnete den Kühlschrank und nahm einen Becher Schlagsahne heraus.

»Die brauche ich für ein Rezept«, protestierte Maura.

»Und ich brauche die Katzenhaare.« Jane goss die Schlagsahne in eine Schüssel und stellte sie auf den Boden. Der Kater machte sich sofort daran, sein Dessert aufzuschlecken. Er bekam gar nicht mit, wie Jane ihm drei Haare vom Rücken zupfte. »Wenn sonst nichts hilft, versuch's mit Bestechung«, sagte Jane, während sie die Haare in dem Plastikbeutel verschloss. »Jetzt brauche ich nur noch eine Probe von dieser anderen Katze.«

»Die hat bis jetzt niemand einfangen können.«

»Ja, das wird schwierig. Frost war diese Woche jeden Tag im Haus und hat sie kein einziges Mal zu Gesicht bekommen.«

»Bist du sicher, dass sie noch im Haus ist? Sie ist nicht etwa weggelaufen?«

»Irgendjemand frisst das Katzenfutter, und in diesem Haus gibt es jede Menge Verstecke. Vielleicht kann ich ihn in eine Falle locken. Hast du einen Pappkarton, den ich benutzen könnte?«

»Du wirst auch Handschuhe brauchen. Hast du eine Vorstellung, wie viele scheußliche Infektionen du von einem Katzenkratzer bekommen kannst?« Maura ging zum Garderobenschrank und suchte ein Paar braune Lederhandschuhe heraus. »Probier die mal an.«

»Puh, die sehen ja richtig teuer aus. Ich werde mir Mühe geben, sie nicht zu ruinieren.« Sie wandte sich zur Haustür um.

»Warte mal. Ich brauche auch ein Paar. Ich weiß, dass hier drin noch welche sind.«

»Du willst mitkommen?«

»Diese Katze will sich nicht fangen lassen.« Maura griff in eine Manteltasche und fand ein zweites Paar Handschuhe. »Da müssen wir schon zu zweit anrücken.«

Der Geruch des Todes hing immer noch im Haus. Obwohl die Leiche und die Gedärme bereits vor Tagen abtransportiert worden waren, hatte die Verwesung ihren chemischen Fingerabdruck hinterlassen, und der widerlich süße Gestank hatte sich in allen Ecken und Winkeln festgesetzt, war in den Stoff von Polstern, Teppichen und Gardinen eingedrungen. Wie der Rauchgeruch nach einem Brand lässt sich auch der Fäulnisgestank nicht so leicht loswerden, und er hielt sich hartnäckig in Godts Haus, als wäre es der Geist des Hausherrn selbst. Noch war kein Reinigungstrupp mit Mopp und Scheuerpulver zu Werke gegangen, und die blutige Spur aus Pfotenabdrücken zog sich noch immer über den Fußboden. Als Maura vor einer Woche das Haus betreten hatte, war es von den Stimmen der Polizisten und Kriminaltechniker erfüllt gewesen. Heute vernahm sie nichts als die Stille eines verlassenen Hauses, nur durchbrochen vom Summen einer einsamen Fliege, die ziellos im Wohnzimmer umherflog.

Jane stellte den Pappkarton ab. »Gehen wir systematisch von Zimmer zu Zimmer. Zuerst das Erdgeschoss.«

»Warum muss ich plötzlich an diese tote Tierpflegerin im Zoo denken?«, fragte Maura.

»Hier geht's um eine Hauskatze, nicht um einen Leoparden.«

»Auch niedliche kleine Hauskatzen sind Raubtiere, das ist in ihre DNS eingeschrieben.« Maura zog Handschuhe an.

»Ich habe eine Studie gelesen, in der geschätzt wird, dass Hauskatzen in einem Jahr vier Milliarden Vögel töten.«

»Milliarden? Im Ernst?«

»Sie sind nun mal dafür geschaffen. Lautlos, gewandt und schnell.«

»Mit anderen Worten, schwer zu erwischen.« Jane seufzte.

»Leider.« Maura griff in den Karton und zog ein Handtuch heraus, das sie von zu Hause mitgebracht hatte. Ihr Plan war, es über die flüchtende Katze zu werfen und sie darin eingewickelt in den Karton zu verfrachten, ohne gekratzt zu werden. »Aber es muss ja irgendwann sein. Der arme Frost kann nicht den Rest seiner Tage damit zubringen, Katzenfutter und Streu heranzuschaffen. Wenn wir sie eingefangen haben, meinst du, dass Frost sie haben will?«

»Wenn wir sie ins Tierheim bringen, wird er nie wieder ein Wort mit uns reden. Glaub mir, wenn ich sie ihm vorbeibringe, dann wohnt sie von da an bei ihm.«

Jane zog ebenfalls ihre Handschuhe an. Die ausgestopften Tierköpfe starrten auf sie herab, als sie sich auf die Suche machten. Jane kroch auf Händen und Knien umher, um unter dem Sofa und den Sesseln nachzuschauen. Maura suchte die Schränke und sämtliche Ecken und Winkel ab, in denen die Katze sich verkrochen haben könnte. Als sie sich aufrichtete und sich den Staub von den Händen klopfte, fiel ihr Blick plötzlich auf den Löwenkopf. So lebensecht und von Intelligenz beseelt wirkte das Funkeln seiner Glasaugen, dass sie halb damit rechnete, das Tier würde sie von der Wand anspringen.

»Da ist sie!«, rief Jane.

Maura fuhr herum, sah etwas Weißes durch das Wohnzimmer flitzen und die Treppe hinaufrennen. Sie schnappte sich den Pappkarton und lief hinter Jane hinauf zum Obergeschoss.

»Im Schlafzimmer!«, rief Jane.

Sie traten ins Zimmer und machten die Tür hinter sich zu.

»Okay, jetzt sitzt sie in der Falle«, sagte Jane. »Ich weiß, dass sie hier reingelaufen ist. Also, wo zum Teufel hält sie sich versteckt?«

Maura ließ den Blick über die Möbel wandern. Sie sah ein französisches Bett, zwei Nachttische und eine wuchtige Kommode. Und im Spiegel an der Wand ihre geröteten und frustrierten Gesichter.

Jane kniete sich hin und schaute unters Bett. »Hier ist sie nicht«, verkündete sie.

Maura ging auf den Wandschrank zu, dessen Tür nicht ganz geschlossen war. Es war das einzige verbleibende Versteck im Zimmer. Sie wechselten einen Blick und holten beide gleichzeitig tief Luft.

»Auf, auf, zum fröhlichen Jagen«, sang Jane leise und schaltete das Licht im Wandschrank ein. Sie erblickten Sakkos und Pullover und viel zu viele karierte Hemden. Jane schob einen schweren Parka beiseite, um tiefer in den Schrank hineinsehen zu können, und zuckte zusammen, als die Katze ihr jaulend entgegenflog.

»Mist!« Jane starrte ihren rechten Arm an – im Ärmel klaffte ein Riss. »Ab jetzt bin ich offiziell Katzenhasserin. Wo ist das Mistvieh hin?«

»Sie hat sich unter dem Bett verkrochen.«

Jane schlich sich an ihre vierbeinige Kontrahentin an. »Jetzt ist Schluss mit der sanften Tour. Katze, du gehörst *mir*!«

»Jane, du blutest. Ich habe Alkoholtupfer unten in meiner Handtasche.«

»Zuerst fangen wir sie ein. Geh auf die andere Seite des Betts und scheuch sie zu mir rüber.«

Maura kniete sich hin und schaute unter das Bettgestell. Ein gelbes Augenpaar funkelte sie aus dem Halbdunkel an, und das Grollen, das aus der Kehle des Tiers kam, klang so bedrohlich, dass Maura eine Gänsehaut bekam. Das war kein nettes kleines Kätzchen. Das war ein Monster im Pelz.

»Okay, ich hab das Handtuch parat«, sagte Jane. »Scheuch ihn zu mir.«

Maura wedelte zaghaft mit der Hand nach dem Tier. »Husch.«

Die Katze bleckte die Zähne und fauchte.

»*Husch?*« Jane schnaubte. »Im Ernst, Maura, das nennst du wegscheuchen?«

»Also gut. Weg da, Katze!« Maura wedelte heftiger mit dem Arm, und die Katze wich zurück. Maura zog einen Schuh aus und schlug damit nach dem Tier. »*Kschsch!*«

Die Katze schoss unter dem Bett hervor. Maura konnte den Kampf nicht sehen, der sich nun entspann, aber sie hörte das Kreischen und Fauchen der Katze und Janes halblautes Fluchen, als sie mit ihrer Beute rang. Als Maura sich wieder aufrichtete, hatte Jane das Pelzmonster schon fest in das Handtuch eingewickelt. Sie stopfte das sich windende Tier mitsamt dem Tuch in den Pappkarton und klappte den Deckel zu. Das ganze Ding bebte und wackelte, als sieben Kilo wütende Katze gegen die Gefangenschaft ankämpften.

»Brauche ich jetzt eine Spritze gegen Tollwut?«, fragte Jane und inspizierte ihren zerkratzten Arm.

»Als Erstes solltest du den Arm mit Seife waschen und die Wunde desinfizieren. Geh schon mal ins Bad, ich hole inzwischen die Alkoholtupfer von unten.«

Das alte Pfadfinder-Motto *Allzeit bereit* war auch Mauras Wahlspruch, und in ihrer Handtasche hatte sie Latexhandschuhe, Alkoholtupfer, eine Pinzette, Schuhüberzieher und Plastikbeutel für Beweismittel. Als sie hinunterging, fand sie ihre Tasche auf dem Couchtisch, wo sie sie abgestellt hatte. Sie kramte eine Packung Alkoholtupfer hervor und wollte gerade wieder hinaufgehen, als ihr der freie Nagel in der Wand auffiel. Um die leere Stelle herum hingen gerahmte Fotos von Leon Godt bei verschiedenen Jagdausflügen, auf denen er mit seinem Gewehr und seinen leblosen Trophäen posierte. Hirsche, ein Büffel, ein Wildschwein, ein Löwe. Ebenfalls gerahmt war der Artikel über Godt aus dem *Hub Magazine*: »Der Herr der Trophäen: Ein Interview mit Bostons Meister-Präparator.«

Jane kam die Treppe hinunter und trat ins Wohnzimmer. »Also, *muss* ich mir jetzt Gedanken wegen Tollwut machen?«

Maura deutete auf den Nagel. »Wurde hier etwas entfernt?«

»Ich mache mir Sorgen, dass mein Arm abfallen könnte, und du fragst nach einer leeren Stelle an der Wand.«

»Hier fehlt etwas, Jane. Hat das vor einer Woche auch so ausgesehen?«

»Ja, hat es. Dieser Nagel ist mir auch schon aufgefallen. Ich kann mir noch mal die Tatortvideos anschauen, um ganz sicherzugehen.« Jane hielt inne und betrachtete stirnrunzelnd den blanken Nagel. »Ich frage mich …«

»Was?«

Jane wandte sich zu ihr um. »Leon Godt hat Jodi Underwood angerufen und sie nach Elliots Fotos aus Afrika gefragt.« Sie deutete auf die Lücke an der Wand. »Glaubst du, dass das etwas mit dem Grund seines Anrufs bei ihr zu tun hat?«

Maura schüttelte verwirrt den Kopf. »Ein fehlendes Foto?«

»Am selben Tag hat er auch bei Interpol in Südafrika angerufen. Auch da ging es um Elliot.«

»Warum sollte er sich so plötzlich für seinen Sohn interessiert haben? Ist Elliot nicht schon vor Jahren verschwunden?«

»Vor sechs Jahren.« Jane blickte wieder zu der leeren Stelle an der Wand, wo ein Bild entfernt worden war. »In Botswana.«

18

Botswana

Wie lange kann ein Mann wach bleiben?, frage ich mich, während ich Johnny beobachte, wie er im Schein des Feuers gegen den Schlaf kämpft. Seine Augen sind halb geschlossen, sein Oberkörper nach vorn geneigt wie ein Baum, der jeden Moment umstürzen wird. Doch seine Finger umklammern immer noch das Gewehr auf seinem Schoß, als ob die Waffe ein Teil seines Körpers wäre, eine Verlängerung seiner Gliedmaßen. Den ganzen Abend über haben die anderen ihn beobachtet, und ich weiß, dass es Richard in den Fingern juckt, dieses Gewehr an sich zu reißen, doch selbst im Halbschlaf ist Johnny noch ein Gegner, mit dem man sich lieber nicht auf einen Nahkampf einlässt. Seit Isaos Tod hat Johnny sich nur tagsüber dann und wann ein kurzes Nickerchen erlaubt, und er ist fest entschlossen, die ganze Nacht zu wachen. Wenn er so weitermacht, wird er in ein paar Tagen entweder ins Koma fallen oder den Verstand verlieren.

Aber so oder so, das Gewehr wird er nicht aus der Hand geben.

Ich blicke in die Runde am Lagerfeuer. Sylvia und Vivian hocken eng beieinander, ihre blonden Haare sind zerzaust, und beiden steht die Sorge ins Gesicht geschrieben. Es ist merkwürdig, was der Busch selbst mit attraktiven Frauen anrichtet. Er raubt ihnen den ganzen oberflächlichen Glanz, lässt ihre Haare stumpf werden, wäscht das Make-up herunter und reduziert sie auf Wesen aus Fleisch und Blut. Das ist es, was ich jetzt sehe, wenn ich die beiden anschaue: zwei Frauen, die nach und nach auf ihre nackte Existenz reduziert werden. Mit Mrs. Matsunaga ist das schon passiert – sie ist nur noch ein zerbrechlicher Schatten ihrer selbst. Immer noch verweigert sie das Essen. Der Teller mit Fleisch, den ich ihr gegeben habe, steht unberührt zu ihren Füßen. Um sie dazu zu bringen, wenigstens ein paar Kalorien zu sich zu nehmen, habe ich zwei Löffel Zucker in ihren Tee gegeben, doch sie hat ihn sofort ausgespuckt, und nun beäugt sie mich misstrauisch, als ob ich versucht hätte, sie zu vergiften.

Überhaupt begegnen mir jetzt alle mit Misstrauen, weil ich mich ihrem Team nicht angeschlossen habe, weil ich nicht bereit bin, Johnny die Schuld an allem zu geben. Sie glauben, dass ich mich auf die dunkle Seite geschlagen habe und für Johnny spioniere, dabei geht es mir doch nur darum herauszufinden, wie wir es am besten anstellen, am Leben zu bleiben. Ich weiß, dass Richard kein Outdoor-Typ ist, auch wenn er selbst sich für einen hält. Der linkische, verängstigte Elliot hat sich seit Tagen nicht rasiert, seine Augen sind blutunterlaufen, und ich rechne jeden Moment damit, dass er anfängt, wirres Zeug zu reden. Die Blondinen brechen schier vor meinen Augen zusammen. Der Einzige, der noch alle Sinne beisammen hat und tatsächlich weiß, was er hier draußen tut, ist Johnny. Ich stimme für ihn.

Und genau deshalb schauen die anderen mich nicht mehr an. Sie sehen an mir vorbei oder durch mich hindurch und wechseln dabei verstohlene Blicke, verständigen sich in einer Art stummem Morsealphabet durch Augenzwinkern. Wir leben in einer realen Version der Fernsehserie *Survivor*, und es ist offensichtlich, dass ich von der Insel gewählt worden bin.

Die Blondinen ziehen sich als Erste zurück, sie stecken die Köpfe zusammen und flüstern, während sie den Lichtkreis des Feuers verlassen. Dann schleichen Elliot und Keiko zu ihren Zelten. Für einen kurzen Moment sind es nur Richard und ich, die noch am Feuer sitzen, beide so voller Misstrauen, dass wir kein Wort sprechen. Ich kann fast nicht glauben, dass ich diesen Mann einmal geliebt habe. Diese Tage im Busch haben ihm etwas Wildes, Verwegenes verliehen, das ihn noch attraktiver macht, aber jetzt erkenne ich die kleinkarierte Eitelkeit dahinter. Der wahre Grund, weshalb er Johnny nicht leiden kann, ist, dass er ihm nicht gewachsen ist. Letztlich geht es nur darum, wer der Stärkste, der Männlichste ist. Richard muss immer der Held seiner eigenen Geschichte sein.

Er scheint gerade etwas sagen zu wollen, als wir beide merken, dass Johnny wach ist – seine Augen glimmen im Halbdunkel. Wortlos erhebt sich Richard. Während ich zusehe, wie er mit steifen Schritten davongeht und in unser Zelt schlüpft, spüre ich, dass Johnnys Blick auf mir ruht, und mein Gesicht glüht.

»Wo haben Sie ihn kennengelernt?«, fragt Johnny. Er sitzt so reglos da, dass er ein Teil des Baumstamms zu sein scheint, an dem er lehnt, sein Körper wie eine einzige lange, knorrige Wurzel.

»In einem Buchladen natürlich. Er war gekommen, um sein neues Buch *Kill Option* zu signieren.«

»Worum geht es da?«

»Ach, es ist so ein typischer R.-Renwick-Thriller. Der Held sitzt auf einer einsamen Insel fest, wo es von Terroristen wimmelt. Dank seiner Survivalerfahrung gelingt es ihm, sie einen nach dem anderen auszuschalten. Männer verschlingen diese Bücher wie Hamburger, und bei der Signierstunde war der Laden brechend voll. Hinterher sind wir vom

Buchladen noch mit ihm ins Pub gegangen. Ich war mir ganz sicher, dass er ein Auge auf meine Kollegin Sadie geworfen hatte. Aber er ist dann mit mir nach Hause gegangen.«

»Das klingt, als wären Sie überrascht gewesen.«

»Sie haben Sadie nicht gesehen.«

»Und wie lange ist das her?«

»Fast vier Jahre.« So lange her, dass ein Mann wie Richard sich unweigerlich zu langweilen beginnt. So lange, dass all die kleinen Kränkungen und Verletzungen sich aufstauen und summieren, bis er auf den Gedanken kommt, sich nach etwas Besserem umzusehen.

»Dann müssten Sie sich ja ziemlich gut kennen«, sagt Johnny.

»Sollte man meinen.«

»Sie sind sich nicht sicher?«

»Kann man sich je sicher sein?«

Er blickt zu Richards Zelt. »Bei manchen Leuten nicht. So wie bei manchen Tieren. Es ist möglich, einen Löwen oder einen Elefanten zu zähmen, und man kann sogar lernen, ihnen zu vertrauen. Aber einem Leoparden kann man niemals vertrauen.«

»Was glauben Sie, was Richard für ein Tier ist?«, frage ich nur halb im Scherz.

Johnnys Miene bleibt ernst. »Das müssen Sie mir sagen.«

Seine Antwort, so ruhig ausgesprochen, zwingt mich, neu über meine vier Jahre mit Richard nachzudenken. Vier Jahre, in denen wir Tisch und Bett geteilt haben, aber immer war da diese Distanz zwischen uns. Er war derjenige, der sich über die Idee lustig machte, wir könnten heiraten, als ob das unter unserer Würde wäre, aber ich glaube, ich habe die ganze Zeit gewusst, warum er mich nie geheiratet hat. Ich wollte es mir nur nicht eingestehen. Er hat auf die *Richtige* gewartet. Und das war nicht ich.

»Vertrauen Sie ihm?«, fragt Johnny leise.

»Warum fragen Sie das?«

»Wissen Sie wirklich, wer er ist, auch nach vier Jahren? Wozu er fähig ist?«

»Sie glauben doch nicht, dass *Richard* derjenige ist, der ...«

»Glauben Sie es?«

»Das sagen die anderen über *Sie*. Dass wir Ihnen nicht vertrauen können. Dass Sie uns absichtlich in diese Lage gebracht haben.«

»Denken Sie das auch?«

»Ich denke, wenn Sie uns töten wollten, hätten Sie es schon getan.«

Er starrt mich an, und ich muss plötzlich an das Gewehr an seiner Seite denken. Solange er das Gewehr hat, hat er uns in der Hand. Jetzt frage ich mich, ob ich nicht einen tödlichen Fehler gemacht habe. Ob ich mich dem falschen Mann anvertraut habe.

»Erzählen Sie mir, was die anderen sagen«, fordert er mich auf. »Was planen sie?«

»Niemand plant irgendetwas. Sie haben einfach nur Angst. Wir haben *alle* Angst.«

»Dazu gibt es keinen Grund, solange niemand etwas Unüberlegtes tut. Solange Sie mir vertrauen. Niemandem außer mir.«

Nicht einmal Richard, will er damit sagen, obwohl er es nicht ausspricht. Glaubt er wirklich, dass Richard für das Geschehene verantwortlich ist? Oder gehört das zu Johnnys Strategie, Misstrauen unter uns zu säen, nach dem Motto: *Teile und herrsche*?

Und die Saat beginnt schon aufzugehen.

Später, als ich neben Keiko in ihrem Zelt liege, denke ich über all die Abende nach, an denen Richard spät nach Hause kam. Er sei mit seinem Agenten ausgegangen, erzählte er mir dann. Oder zu einem Essen mit seinem Verlagsteam. Meine größte Angst war immer, dass er etwas mit einer anderen Frau haben könnte. Jetzt frage ich mich, ob ich nur an einem Mangel an Fantasie litt, und ob nicht etwas anderes dahintersteckte, ein viel dunkleres und entsetzlicheres Motiv als bloße Untreue.

Draußen vor dem Zelt halten die Insekten ihr nächtliches Konzert ab, während Raubtiere um unser Lager kreisen, nur abgehalten von den Flammen. Und von einem einsamen Mann mit einem Gewehr.

Johnny will, dass ich ihm vertraue. Johnny verspricht, dass er uns beschützen wird.

An diesen Gedanken klammere ich mich, als ich endlich einschlafe. Johnny sagt, wir werden das hier überleben, und ich glaube ihm.

Bis zum nächsten Morgen, der alles verändert.

Diesmal ist es Elliot, der schreit. Sein schrilles, panisches *Oh Gott! Oh Gott, nein!* reißt mich aus dem Schlaf und katapultiert mich wieder in den Albtraum des wirklichen Lebens. Keiko liegt nicht mehr neben mir, ich bin allein im Zelt. Ich nehme mir nicht einmal die Zeit, in meine Hose zu schlüpfen, sondern krabble in T-Shirt und Unterhose aus dem Zelt und halte nur kurz inne, um mit nackten Füßen in meine Schuhe zu schlüpfen.

Das ganze Lager ist auf den Beinen, und alle haben sich um Elliots Zelt versammelt. Die Blondinen klammern sich aneinander, mit fettigen, ungekämmten Haaren und nackten Beinen stehen sie fröstelnd in der kühlen Morgenluft. Wie ich sind sie nur in Unterwäsche aus ihren Zelten geeilt. Keiko trägt noch ihren Pyjama, ihre Füße stecken in winzigen japanischen Sandalen. Nur Richard ist vollständig angezogen. Er hat Elliot an den Schultern gepackt und versucht, ihn zu beruhigen, doch Elliot schüttelt immer nur den Kopf und stammelt schluchzend vor sich hin.

»Sie ist weg«, sagt Richard. »Sie ist nicht mehr da.«

»Sie hat sich vielleicht in meinen Kleidern versteckt! Oder zwischen den Decken!«

»Ich schau noch mal nach, okay? Aber ich habe sie nicht gesehen.«

»Aber wenn da drin noch eine ist?«

»Noch eine was?«, frage ich.

Alle drehen sich zu mir um, und ich sehe den Argwohn in ihren Augen. Ich bin die, der keiner vertraut, weil ich mich mit dem Feind zusammengetan habe.

»Eine Schlange«, sagt Sylvia und verschränkt fröstelnd die Arme. »Sie ist irgendwie in Elliots Zelt gelangt.«

Ich senke den Blick auf den Boden und rechne halb damit, ein Reptil zu sehen, das sich auf meine Schuhe zuschlängelt. In diesem Land der Spinnen und stechenden Insekten habe ich gelernt, niemals barfuß zu gehen.

»Sie hat mich angezischt«, sagte Elliot. »Davon bin ich aufgewacht. Ich hab die Augen aufgemacht, und da war sie *direkt vor mir*, sie lag zusammengerollt auf meinen Beinen. Ich war mir sicher...« Er reibt sich mit einer zitternden Hand das Gesicht. »Oh Gott. Wir werden nicht noch mal eine Woche durchstehen!«

»Elliot, hören Sie auf damit!«, befiehlt Richard.

»Wie kann ich nach dieser Sache noch schlafen? Wie kann *irgendjemand* von euch schlafen, wenn ihr nicht wisst, was nachts zu euch ins Zelt kriechen könnte?«

»Es war eine Puffotter«, sagt Johnny. »Das wäre meine Vermutung.«

Wieder hat er es geschafft, sich so leise anzuschleichen, dass ich erschrecke. Ich drehe mich um und sehe, wie er Holz auf das heruntergebrannte Feuer wirft.

»Sie haben die Schlange gesehen?«, frage ich.

»Nein. Aber Elliot sagt, sie habe ihn angezischt.« Johnny tritt zu uns, in der Hand das Gewehr, ohne das er keinen Schritt tut. »War sie gelb-braun? Gefleckt, mit dreieckigem Kopf?«, fragt er Elliot.

»Es war eine Schlange, mehr weiß ich nicht! Meinen Sie, ich wäre auf die Idee gekommen, sie nach ihrem Namen zu fragen?«

»Puffottern sind hier draußen im Busch sehr verbreitet. Wir werden wahrscheinlich noch mehr von ihnen sehen.«

»Wie giftig sind sie?«, fragt Richard.

»Unbehandelt kann ihr Biss tödlich sein. Aber falls Sie das beruhigt: Oft sind es trockene Bisse, bei denen gar kein Gift injiziert wird. Wahrscheinlich ist sie nur in Elliots Zelt gekrochen, um sich aufzuwärmen. Das tun Reptilien nun mal.« Er sieht uns alle an. »Deswegen habe ich Ihnen eingeschärft, stets die Reißverschlüsse von Ihren Zelten zuzuziehen.«

»Er *war* zugezogen«, beteuert Elliot.

»Und wie ist sie dann in Ihr Zelt gelangt?«

»Sie wissen doch, dass ich panische Angst vor Malaria habe. Ich mache *immer* den Reißverschluss zu, um die Moskitos abzuhalten. Ich hätte nie gedacht, dass eine verdammte *Schlange* zu mir reinkommen kann!«

»Sie könnte tagsüber hineingelangt sein«, gebe ich zu bedenken. »Als Sie nicht im Zelt waren.«

»Ich sagte doch gerade, ich lasse es *nie* offen. Auch nicht am Tag.«

Wortlos geht Johnny um Elliots Zelt herum. Sucht er nach der Schlange? Glaubt er, dass sie immer noch irgendwo unter der Zeltplane lauert und auf die nächste Gelegenheit wartet, sich einzuschleichen? Plötzlich geht Johnny in die Hocke, hinter dem Zelt, wo wir ihn nicht sehen können. Die Stille ist unerträglich.

Sylvia ruft mit schwankender Stimme: »Ist die Schlange noch da?«

Johnny gibt keine Antwort. Er richtet sich auf, und als ich seinen Gesichtsausdruck sehe, werden meine Hände schlagartig eiskalt.

»Was ist?«, fragt Sylvia. »Was ist?«

»Kommt her und seht selbst«, sagt er mit tonloser Stimme.

Fast verborgen im buschigen Gras, zieht sich der Schlitz an der Unterkante des Zelts entlang. Nicht einfach ein Riss, nein, das hier ist ein sauberer, gerader Schnitt in der Zelthaut, und es ist uns allen klar, was das bedeutet.

Elliot sieht uns der Reihe nach ungläubig an. »Wer war das? Verdammt noch mal, wer hat mein Zelt aufgeschnitten?«

»Sie haben alle Messer«, bemerkt Johnny. »Jeder von Ihnen könnte es getan haben.«

»Nicht jeder«, widerspricht Richard. »*Wir* haben geschlafen. *Sie* waren als Einziger die ganze Nacht hier draußen und haben *Wache gehalten*, wie Sie es nennen.«

»Ich bin gleich bei Tagesanbruch losgegangen, um Feuerholz zu holen.« Johnny mustert Richard von Kopf bis Fuß. »Und seit wann sind *Sie* auf und angezogen?«

»Ihr seht, was er da macht, oder?« Richard dreht sich um und sieht uns an. »Vergesst nicht, wer das Gewehr hat. Wer hier die ganze Zeit das Sagen hatte, während alles schiefgegangen ist, was nur schiefgehen konnte.«

»Warum *mein* Zelt?« Elliots Stimme überschlägt sich fast, und er steckt uns alle mit seiner Panik an. »Warum *ich*?«

»Die Männer«, sagt Vivian leise. »Er schaltet zuerst die Männer aus. Er hat Clarence getötet. Dann Isao. Und jetzt ist es Elliot…«

Richard geht einen Schritt auf Johnny zu, der sofort das

Gewehr hochreißt und genau auf Richards Brust zielt. »Zurück«, befiehlt Johnny.

»So wird es also ablaufen«, sagt Richard. »Zuerst erschießt er mich. Dann bringt er Elliot um. Und was ist mit den Frauen, Johnny? Mag sein, dass Sie Millie auf Ihrer Seite haben. Aber den Rest von uns können Sie nicht überwältigen. Nicht, wenn wir uns alle zur Wehr setzen.«

»Sie sind es«, sagt Johnny. »Sie stecken hinter alldem.«

Richard macht noch einen Schritt auf ihn zu. »Ich bin derjenige, der Ihnen das Handwerk legen wird.«

»Richard, tu das nicht«, flehe ich ihn an.

»Du musst dich entscheiden, auf welcher Seite du stehst.«

»Es gibt keine Seiten! Wir müssen darüber reden. Wir müssen vernünftig sein.«

Richard geht noch einen Schritt auf Johnny zu. Es ist eine Mutprobe, ein Nervenkrieg. Der Busch hat ihm offenbar den Verstand geraubt, und er ist jetzt nur noch von blanker Wut auf Johnny getrieben, seinen Rivalen. Und auf mich, die Verräterin. Dann geschieht alles wie in Zeitlupe, und ich registriere jedes Detail mit quälender Klarheit. Den Schweiß auf Johnnys Stirn. Das Knacken eines Zweigs unter Richards Sohle, als er sich nach vorn fallen lässt. Johnnys Hand, das Zucken der angespannten Muskeln.

Und ich sehe Keiko, die kleine, zierliche Keiko, wie sie sich lautlos hinter Johnny schleicht. Ich sehe, wie sie die Arme hebt. Ich sehe, wie der Stein in Johnnys Hinterkopf kracht.

Er lebt noch.

Minuten nach dem Schlag zucken seine Lider, und er schlägt die Augen auf. Der Stein hat seine Kopfhaut aufgerissen, und er hat erschreckend viel Blut verloren, doch der

Blick, mit dem er uns ansieht, ist klar und zeigt, dass er bei vollem Bewusstsein ist.

»Ihr macht einen Fehler, alle miteinander«, sagt er. »Ihr müsst auf mich hören.«

»Niemand hört auf Sie«, sagt Richard. Sein Schatten gleitet über Johnny, und er starrt auf ihn hinunter. Er ist jetzt derjenige mit dem Gewehr, er hat jetzt das Sagen.

Stöhnend versucht Johnny, sich aufzurichten, aber es kostet ihn schon Mühe, sich auch nur in eine sitzende Position zu hieven. »Ohne mich werdet ihr es nicht schaffen.«

Richard sieht die anderen an, die im Kreis um Johnny herum stehen. »Sollen wir abstimmen?«

Vivian schüttelt den Kopf. »Ich traue ihm nicht.«

»Und was sollen wir jetzt mit ihm machen?«, fragt Elliot.

»Wir fesseln ihn. Ganz einfach.« Richard nickt den Blondinen zu. »Geht mal ein Seil holen.«

»Nein. *Nein.*« Johnny richtet sich mühsam auf. Obwohl sichtlich unsicher auf den Beinen, ist er immer noch eine einschüchternde Erscheinung, und niemand wagt es, sich mit ihm anzulegen. »Erschießen Sie mich, wenn Sie wollen, Richard. Gleich hier, auf der Stelle. Aber ich lasse mich nicht fesseln. Sie werden mich nicht hilflos zurücklassen. Nicht hier draußen im Busch.«

»Na los, fesselt ihn!«, fährt Richard die Blondinen an, doch sie stehen wie angewurzelt da. »Elliot, machen Sie's!«

»Versuch's nur«, knurrt Johnny.

Elliot erbleicht und weicht zurück.

An Richard gewandt, sagt Johnny: »So, jetzt haben Sie also das Gewehr, hm? Haben bewiesen, dass Sie das Alphamännchen sind. War das der Sinn und Zweck des ganzen Spielchens?«

»Spielchen?« Elliot schüttelt den Kopf. »Nein, verdammt, wir versuchen alle nur, irgendwie am *Leben* zu bleiben.«

»Dann dürft ihr *ihm* nicht vertrauen«, sagt Johnny.

Richard packt das Gewehr fester. Mein Gott, er wird schießen. Er wird einen unbewaffneten Mann kaltblütig erschießen. Ich stürze mich auf ihn, um den Lauf nach unten zu drücken.

Richards Schlag streckt mich der Länge nach hin. »Willst du, dass wir alle sterben, Millie?«, schreit er. »Ist es das, was du willst?«

Ich fasse an meine pochende Wange. Nie zuvor hat er mich geschlagen. Wenn wir irgendwo anders wären, würde ich sofort die Polizei anrufen, aber hier draußen gibt es kein Entkommen, keine Behörden, die man einschalten könnte. Als ich in die Gesichter der anderen schaue, kann ich kein Mitgefühl sehen. Die Blondinen, Keiko, Elliot – sie sind alle auf Richards Seite.

»Na schön«, sagt Johnny. »Sie haben das Gewehr, Richard. Sie können es jederzeit benutzen. Aber wenn Sie mich erschießen, dann müssen Sie es schon von hinten tun.« Er dreht sich um und geht los.

»Wenn Sie ins Lager zurückkommen, bringe ich Sie um!«, schreit Richard.

Johnny ruft ihm über die Schulter zu: »Ich versuche mein Glück lieber im Busch.«

»Wir werden die Augen offen halten! Wenn Sie auch nur in unsere Nähe kommen…«

»Das werde ich nicht. Da vertraue ich lieber den Tieren.« Johnny hält inne und blickt sich zu mir um. »Kommen Sie mit mir, Millie. *Bitte*, kommen Sie mit.«

Ich blicke zwischen Richard und Johnny hin und her, stehe wie paralysiert vor der Entscheidung.

»Nein, bleiben Sie bei uns«, sagt Vivian. »Nur noch ein paar Tage, dann kommt das Flugzeug, und sie werden nach uns suchen.«

»Bis das Flugzeug zurückkommt, seid ihr tot«, sagt Johnny. Er hält mir die Hand hin. »Ich werde auf Sie aufpassen, ich schwöre es. Ich lasse nicht zu, dass Ihnen etwas passiert. Ich *flehe Sie an*, mir zu vertrauen, Millie.«

»Seien Sie nicht so verrückt«, sagt Elliot. »Sie dürfen ihm nicht glauben.«

Ich denke an all das, was uns widerfahren ist: Clarence und Isao, beide von wilden Tieren zerfleischt. Der Jeep, der plötzlich aus unerfindlichen Gründen den Geist aufgibt. Die Schlange in Elliots aufgeschlitztem Zelt. Ich erinnere mich an die Geschichte, die Johnny mir erst vor ein paar Tagen erzählt hat, von den Schlangen, die er als Junge gesammelt hat. Wer außer Johnny weiß, wie man eine Puffotter einfängt und wie man sie anpacken muss? Nichts von alldem, was passiert ist, war einfach nur Pech. Nein, wir *sollten* hier draußen sterben, und nur Johnny wäre in der Lage, solch einen Plan in die Tat umzusetzen.

Er kann die Entscheidung an meinen Augen ablesen, und er reagiert mit einem Blick voller Schmerz, als ob ich ihm einen tödlichen Schlag versetzt hätte. Einen Moment lang steht er resigniert da, mit hängenden Schultern, sein Gesicht eine Maske des Kummers. »Ich hätte alles für Sie getan«, sagt er leise zu mir. Dann schüttelt er noch einmal den Kopf, dreht sich um und schreitet davon.

Wir sehen ihm immer noch nach, als er im Gebüsch verschwindet.

»Ob er zurückkommen wird?«, fragt Vivian.

Richard klopft auf das Gewehr, das neben ihm liegt und das jetzt immer in seiner Reichweite ist. »Wenn er es versucht, werde ich vorbereitet sein.«

Wir sitzen um das Lagerfeuer, das Elliot gegen die einbrechende Dunkelheit zu einem lodernden Inferno aufgeschichtet hat. Die Flammen sind zu hoch und unangenehm heiß, und es ist eine törichte Verschwendung von Brennholz, aber ich verstehe, warum er sich genötigt sah, einen solchen Scheiterhaufen zu entfachen. Diese Flammen halten die Raubtiere fern, die uns in diesem Moment belauern. Wir haben keine anderen Lagerfeuer gesichtet, wo also ist Johnny in dieser stockfinsteren Nacht? Welche Tricks und Kniffe hat er, um inmitten von Räubern mit scharfen Zähnen und Klauen zu überleben?

»Wir werden Doppelwachen aufstellen«, sagt Richard. »Es darf nie jemand allein hier draußen sein. Elliot und Vivian werden die erste Wache übernehmen, Sylvia und ich die zweite. So werden wir die Nacht überstehen. Wenn wir uns an diese Vorsichtsmaßnahmen halten und unseren Verstand beisammenhalten, können wir die Zeit, bis das Flugzeug uns suchen kommt, heil überstehen.«

Es ist allzu offensichtlich, dass er mich nicht zur Wache eingeteilt hat. Ich verstehe, warum niemand von Keiko erwartet, dass sie sich beteiligt – nach ihrer verblüffenden Attacke gegen Johnny ist sie wieder in Schweigen verfallen. Immerhin isst sie jetzt etwas, ein paar Löffel Dosenbohnen und eine Handvoll Cracker. Aber ich bin auch noch da, ich bin fit und bereit zu helfen, doch niemand sieht mich an.

»Was ist mit mir?«, frage ich. »Was soll ich tun?«

»Wir übernehmen das schon, Millie. Du musst gar nichts machen.« Sein Ton lässt keine Widerrede zu, ganz bestimmt nicht von der Frau, die es gewagt hat, sich auf Johnnys Seite zu stellen. Wortlos verlasse ich die Runde am Feuer und schlüpfe in unser Zelt. Heute Nacht werde ich wieder bei Richard schlafen, weil Keiko mich nicht mehr in ihrem Zelt haben will. Ich bin der Paria, die Verräterin, bei der man befürchten muss, dass sie einem im Schlaf ein Messer in die Rippen stößt.

Als Richard sich eine Stunde später neben mich legt, bin ich noch wach.

»Es ist aus zwischen uns«, sage ich.

Er widerspricht mir gar nicht erst. »Ja. Offenbar.«

»Und, welche wirst du nehmen? Sylvia oder Vivian?«

»Spielt das eine Rolle?«

»Nein, wahrscheinlich nicht. Der Name tut nichts zur Sache, Hauptsache, du hast was Neues zum Vögeln.«

»Was ist mit dir und Johnny? Gib's zu, du warst drauf und dran, mich zu verlassen und dich an *ihn* zu hängen.«

Ich drehe mich zu Richard um, aber ich kann nur seine Silhouette vor dem Hintergrund des Feuerscheins sehen, der durch die Zelthaut dringt. »Ich bin geblieben, oder nicht?«

»Nur weil wir das Gewehr haben.«

»Und damit bist du der Sieger, nicht wahr? Der König des Buschs?«

»Ich kämpfe um unser Leben, verdammt noch mal. Die anderen verstehen das. Warum fällt es dir so schwer?«

Ich lasse den Atem in einem langen, kummervollen Seufzer entweichen. »Ich verstehe sehr wohl, Richard. Ich weiß, dass du *glaubst*, das Richtige zu tun. Auch wenn du keinen blassen Schimmer hast, wie es weitergehen soll.«

»Was immer unsere Probleme sind, Millie, wir müssen jetzt zusammenhalten, sonst schaffen wir es nicht. Wir haben das Gewehr und die Vorräte, und wir sind in der Überzahl. Aber ich kann nicht vorhersehen, was Johnny tun wird. Ob er sich nur in den Busch flüchten wird oder ob er irgendwann zurückkommt und versucht, uns auch noch zu erledigen.« Er hält inne. »Wir sind schließlich Zeugen.«

»Zeugen wovon? Wir haben ihn nie irgendeinen Mord begehen sehen. Wir können nicht beweisen, dass er irgendetwas Unrechtes getan hat.«

»Dann soll die Polizei es beweisen. Wenn wir erst mal hier weg sind.«

Wir liegen eine Weile schweigend da. Durch die Zelthaut höre ich Elliot und Vivian am Feuer reden, während sie Wache halten. Ich höre das schrille Zirpen von Insekten, das ferne Keckern der Hyänen, und ich frage mich, ob Johnny da draußen noch am Leben ist, oder ob seine Leiche jetzt in diesem Moment in Stücke gerissen und verschlungen wird.

Richards Hand berührt meine. Langsam, zaghaft verschränken sich seine Finger mit meinen. »Menschen verändern sich nun mal, Millie. Das heißt nicht, dass die letzten drei Jahre vergeudete Zeit waren.«

»Vier Jahre.«

»Wir sind nicht mehr dieselben wie damals, als wir uns kennengelernt haben. So ist nun mal das Leben, und wir müssen damit umgehen wie erwachsene Menschen. Und überlegen, wie wir unsere Sachen aufteilen, wie wir es unseren Freunden beibringen. Und das alles, ohne ein Drama daraus zu machen.«

Für ihn ist es so viel leichter, solche Dinge zu sagen. Ich mag die Erste gewesen sein, die offen ausgesprochen hat, dass es zwischen uns aus ist, aber eigentlich ist er es, der mich verlassen hat. Mir wird jetzt klar, dass das schon vor sehr langer Zeit angefangen hat. Aber Afrika hat es erst an den Tag gebracht, Afrika hat uns gezeigt, wie wenig wir eigentlich zueinander passen.

Mag sein, dass ich ihn einmal geliebt habe, aber jetzt denke ich, dass ich ihn nie wirklich gemocht habe. Auf jeden Fall mag ich ihn jetzt nicht, ich mag es nicht, wie nüchtern und sachlich er über die Abwicklung unserer Beziehung redet. Dass ich mir eine neue Wohnung suchen soll, sobald wir wieder in London sind. Ob meine Schwester mich wohl bei sich wohnen ließe, bis ich das Richtige gefunden hätte? Und dann sind da all die Sachen, die wir zusammen gekauft haben. Die Küchengeräte kann ich mitnehmen, die CDs und die Elektronik bleiben bei ihm, einverstanden? Und wie gut, dass wir keine Haustiere haben, um die wir uns streiten müssen. Wie weit weg scheint jetzt der Abend, als wir eng umschlungen auf dem Sofa gesessen und diese Reise nach Botswana geplant haben. Ich hatte mir Abende unter dem Sternenhimmel und Cocktails am Lagerfeuer vorgestellt, nicht diese blutleeren Auflösungsverhandlungen.

Ich drehe mich auf die Seite, wende ihm den Rücken zu.

»Also gut«, sagt er. »Wir reden später darüber. Wie zivilisierte Menschen.«

»Klar«, murmele ich. »Zivilisiert.«

»Jetzt muss ich aber schlafen. In vier Stunden muss ich aufstehen und meine Wache antreten.«

Das sind die letzten Worte, die er an mich richtet.

Ich erwache in der Dunkelheit, und im ersten Moment weiß ich nicht, in welchem Zelt ich bin. Dann kommt die Erinnerung zurück und trifft mich mit einer Wucht, die mir fast körperliche Schmerzen bereitet. Meine Trennung von Richard. Die einsamen Tage, die vor mir liegen. Es ist so stockdunkel im Zelt, dass ich nicht sagen kann, ob er neben mir liegt. Ich strecke die Hand aus und fühle nur Leere. Das ist die Zukunft – ich werde mich daran gewöhnen müssen, allein zu schlafen.

Zweige knacken, als jemand – oder etwas – an meinem Zelt vorbeigeht.

Ich versuche angestrengt, durch die Zelthaut etwas zu erkennen, aber es ist so dunkel, dass ich nicht einmal einen schwachen Schein des Lagerfeuers ausmachen kann. Wer hat das Feuer niederbrennen lassen? Jemand muss Holz nachlegen, bevor es ganz erlischt. Ich ziehe eine Hose an und greife nach meinen Schuhen. Da reden wir die ganze Zeit davon, dass wir wachsam sein und die Augen offen halten müssen, und dann können diese hoffnungslosen Idioten nicht mal die simpelsten Sicherheitsmaßnahmen einhalten.

Im gleichen Moment, als ich den Reißverschluss des Zelts aufziehe, kracht der erste Schuss.

Eine Frau schreit. Sylvia? Vivian? Ich kann nicht sagen, wer es ist, ich höre nur ihre Panik.

»Er hat das Gewehr! Mein Gott, er hat das...«

Ich taste blind nach meinem Rucksack, in dem ich meine Taschenlampe aufbewahre. Meine Finger haben sich gerade um den Gurt geschlossen, da fällt der zweite Schuss.

Ich krieche aus dem Zelt, kann aber nur Schatten über Schatten sehen. Etwas streicht an der fast erloschenen Glut der Feuerstelle vorbei. *Johnny. Er ist zurückgekommen, um sich zu rächen.*

Ein dritter Schuss donnert, und ich renne auf die dunkle Wand des Gebüschs zu. Ich habe fast den Absperrdraht erreicht, als ich über etwas stolpere und auf die Knie falle. Ich spüre warmes Fleisch, lange, zerzauste Haare. Und Blut. *Eine der Blondinen.*

Sofort bin ich wieder auf den Beinen und flüchte blind in die Nacht. Höre Glöckchen läuten, als ich mit dem Schuh am Draht hängen bleibe.

Die nächste Kugel verfehlt mich so knapp, dass ich sie vorbeizischen höre.

Aber ich bin jetzt in Dunkelheit gehüllt, ein Ziel, das Johnny nicht sehen kann. Hinter mir höre ich panische Schreie und einen letzten, donnernden Gewehrschuss.

Ich habe keine Wahl. Allein, unbewaffnet und schutzlos stürze ich mich in die Nacht.

19

Boston

»Er will doch immer beweisen, was für ein toller Typ er ist, da sollte man meinen, dass er sich wenigstens bemüht, pünktlich zu sein«, sagte Crowe und sah mit finsterer Miene auf seine Uhr. »Er hätte schon vor zwanzig Minuten hier sein sollen.«

»Ich bin sicher, dass Detective Tam einen triftigen Grund für seine Verspätung hat«, sagte Maura. Als sie den rechten Oberschenkelknochen der unbekannten Toten an die anatomisch korrekte Stelle legte, gab der Edelstahltisch ein unheilvolles Scheppern von sich. Im klinisch kalten Licht des Sektionssaals wirkten die Knochen künstlich wie aus Plastik. Wenn man Haut und Fleisch vom Körper einer jungen Frau entfernte, war dies alles, was übrig blieb: das Knochengerüst, an dem dieses Fleisch gehangen hatte. Wenn menschliche Skelette in die Rechtsmedizin eingeliefert wurden, waren sie oft unvollständig. Besonders häufig fehlten die kleinen Hand- und Fußknochen, die nur allzu leicht von Aasfressern verschleppt werden. Aber diese Tote war in eine Plane gehüllt und tief genug verscharrt worden, um sie vor Klauen, Zähnen und Schnäbeln zu schützen. Stattdessen hatten Insekten und Mikroorganismen sich an Eingeweiden und Gewebe gütlich getan und die Knochen blank gefressen. Maura positionierte diese Knochen nun auf dem

Obduktionstisch mit der Präzision einer Meisterstrategin, die sich auf eine Partie Anatomie-Schach vorbereitet.

»Alle meinen, er ist so eine Art Superhirn, bloß weil er Chinese ist«, sagte Crowe. »Aber er ist längst nicht so schlau, wie er denkt.«

Maura hatte keine Lust, sich auf diese Diskussion einzulassen – oder überhaupt auf ein Gespräch mit Detective Crowe. Wenn er, wie so oft, zu einer seiner Schimpftiraden über die Inkompetenz von anderen anhob, waren normalerweise vor allem Rechtsanwälte und Richter die Zielscheiben seines Zorns. Dass er nun über seinen eigenen Partner, Tam, herzog, war Maura besonders unangenehm.

»Er hat auch so was Heimlichtuerisches an sich. Ist Ihnen das schon mal aufgefallen? Irgendwas treibt er hinter meinem Rücken«, sagte Crowe. »Gestern habe ich zufällig ein Dokument auf seinem Laptop gesehen und ihn danach gefragt. Da drückt er ganz schnell die Escape-Taste und schließt das Dokument. Und sagt, das wäre bloß irgendeine Sache, der er auf eigene Faust nachgehen wollte. Pah.«

Maura fand das linke Wadenbein und legte es parallel zu dem dazugehörigen Schienbein auf den Tisch wie knöcherne Eisenbahnschienen.

»Ich habe gesehen, dass das auf seinem Computer eine VICAP-Akte war. Was zum Teufel versucht er, vor mir zu verbergen? Was treibt er für ein Spiel?«

Maura blickte von dem Skelett auf. »Es ist ja wohl nicht verboten, eine VICAP-Suche durchzuführen.«

»Ohne seinen Partner zu informieren? Ich sag's Ihnen, der verheimlicht mir was. Und es lenkt ihn von *unserem* Fall ab.«

»Vielleicht geht es ja um Ihren Fall.«

»Und warum hält er es dann unter Verschluss? Damit er es im richtigen Moment aus dem Ärmel zaubern kann, um alle zu verblüffen? Überraschung, der geniale Detective Tam hat den Fall gelöst! Oh ja, er würde mich zu gerne alt aussehen lassen.«

»Ich kann mir nicht vorstellen, dass er so etwas tut.«

»Sie haben ihn noch nicht durchschaut, Doc.«

Aber ich habe *dich* durchschaut, dachte Maura. Crowes Schimpfkanonade war ein klassischer Fall von Projektion. Wenn irgendjemand nach Aufmerksamkeit und Anerkennung gierte, dann war es Crowe selbst, der im Kollegenkreis als »Cop Hollywood« bekannt war. Es musste nur ein Nachrichtenteam vom Fernsehen irgendwo in der Nähe sein, und schon war er zur Stelle, sonnengebräunt und telegen in seinem maßgeschneiderten Anzug. Während Maura den letzten Knochen auf den Tisch legte, zog Crowe schon wieder sein Handy aus der Tasche und hinterließ Tam noch eine genervte Nachricht. Wie viel einfacher war es doch, mit dem Schweigen der Toten zurechtzukommen. Während das unbekannte Opfer so geduldig auf dem Tisch wartete, ging Crowe hektisch im Raum hin und her und strahlte eine regelrechte Giftgaswolke der Feindseligkeit aus.

»Soll ich Ihnen etwas über diese Gebeine erzählen, Detective? Oder warten Sie lieber auf meinen schriftlichen Bericht?«, fragte sie in der Hoffnung, er würde sich für die zweite Möglichkeit entscheiden und sie in Frieden lassen.

Er steckte das Telefon ein. »Ja, ja, legen Sie nur los. Was haben wir da?«

»Zum Glück liegt uns ein vollständiges Skelett vor, sodass wir wohl nicht extrapolieren müssen. Es handelt sich um eine weibliche Person, die zum Zeitpunkt des Todes zwischen achtzehn und fünfunddreißig Jahre alt war. Ausgehend von der Länge des Oberschenkelknochens schätze ich ihre Größe auf circa ein Meter sechzig bis fünfundsechzig. Die Gesichtsrekonstruktion wird uns eine Vorstellung von ihrem Aussehen geben, aber wenn wir uns ihren Schädel anschauen…« Maura hob ihn auf und betrachtete die Nasenknochen. Dann drehte sie den Schädel um und inspizierte die Zähne im Oberkiefer. »Schmale Nasenhöhle, hohe Nasenwurzel. Glatte obere Schneidezähne. Das sind alles Merkmale des kaukasischen Typus.«

»Eine Weiße.«

»Ja, mit gutem Gebiss. Alle vier Weisheitszähne wurden gezogen, und sie hat keine Karies. Ihre Zähne sind vollkommen gerade.«

»Also eine reiche Weiße. Und keine Engländerin.«

»Glauben Sie mir, die Engländer haben inzwischen auch die Kieferorthopädie entdeckt.« Sie ignorierte seine nervigen Kommentare und wandte ihre Aufmerksamkeit dem Brustkorb zu. Wieder fiel ihr Blick sofort auf den Einschnitt im Schwertfortsatz des Brustbeins. Sie versuchte, sich vorzustellen, wie diese Kerbe sonst noch entstanden sein könnte, doch eine Messerklinge schien ihr die einzig plausible Erklärung zu sein. Wenn man eine Klinge durch die Bauchdecke senkrecht nach oben zöge, würde die Klinge genau hier anstoßen, an dem Knochenschild, der Herz und Lunge schützte.

»Vielleicht ist es eine Stichwunde«, sagte Crowe. »Vielleicht wollte er das Herz treffen.«

»Möglich wäre es wohl.«

»Sie glauben immer noch, dass sie ausgeweidet wurde. Wie Leon Godt.«

»Ich glaube, dass wir zu diesem Zeitpunkt keine Theorie ausschließen sollten.«

»Können Sie mir vielleicht einen besseren Todeszeitpunkt nennen?«

»Es gibt keinen *besseren* Todeszeitpunkt. Nur einen genaueren.«

»Von mir aus.«

»Wie ich Ihnen schon an der Leichenfundstelle sagte, kann die vollständige Skelettierung Monate oder gar Jahre dauern, je nachdem, wie tief die Leiche vergraben wurde. Eine genaue Zeitangabe ist nicht möglich, aber die Tatsache, dass die Zersetzung der Gelenkverbindungen weit fortgeschritten ist, verrät mir…« Sie hielt inne und heftete den Blick auf eine der sternalen Rippen. Am Fundort hatte sie dieses Detail übersehen, und auch jetzt, im hellen Schein der OP-Lampen, waren die Male kaum zu erkennen. Drei parallele Kerben, alle im gleichen Abstand, in der Rückseite der Rippe. Genau wie die Kerben im Schädel dieser Frau. *Das war das gleiche Werkzeug.*

Die Tür des Sektionssaals wurde aufgestoßen, und Detective Tam trat ein.

»Fünfundvierzig Minuten zu spät«, fuhr Crowe ihn an. »Da hätten Sie es auch gleich bleiben lassen können.«

Tam würdigte seinen Partner kaum eines Blickes, seine Aufmerksamkeit galt nur Maura. »Ich habe die Antwort für Sie, Dr. Isles«, sagte er und übergab ihr eine Aktenmappe.

»Was denn, arbeiten Sie jetzt für die Rechtsmedizin?«, fragte Crowe.

»Dr. Isles hat mich um einen Gefallen gebeten.«

»Komisch, dass Sie es nicht für nötig gehalten haben, mich zu informieren.«

Maura schlug die Mappe auf und starrte die erste Seite an. Sie blätterte weiter zur zweiten, zur dritten.

»Ich mag keine Heimlichtuerei, Tam«, sagte Crowe. »Und am allerwenigsten mag ich Partner, die mir Dinge vorenthalten.«

»Haben Sie Detective Rizzoli davon erzählt?«, warf Maura unvermittelt ein und sah Tam an.

»Noch nicht.«

»Am besten rufen wir sie gleich an.«

»Wieso ziehen Sie Rizzoli da mit rein?«, fragte Crowe.

Maura blickte auf die Knochen auf dem Tisch. »Weil Sie und Detective Rizzoli gemeinsam an diesem Fall arbeiten werden.«

Für einen Polizisten, der erst vor einem Monat zum Morddezernat gestoßen war, fand Tam sich schon verblüffend gut in der Online-Verbrecherdatei des FBI zurecht, dem VICAP oder *Violent Criminal Apprehension Program*. Mit ein paar schnellen Tastenanschlägen loggte er sich in dem Portal ein, das ihn auf die FBI-Datenbank mit über hundertfünfzigtausend Fällen von Gewaltverbrechen im ganzen Land zugreifen ließ.

»Es ist sehr mühsam, solche detaillierten Fallberichte einzureichen«, sagte Tam. »Niemand hat Lust, zweihundert Fragen zu beantworten und dazu noch einen Bericht zu schreiben, nur um seinen Fall in die Datenbank eintragen zu können. Von daher bin ich sicher, dass das hier nur eine unvollständige Liste ist. Aber *was* in VICAP drin ist, finde ich schon alarmierend genug.« Er drehte seinen Laptop um, sodass die anderen am Besprechungstisch den Monitor sehen konnten. »Hier ist das Ergebnis meiner vorläufigen Suche, basierend auf meinen ursprünglichen Kriterien. Alle diese Fälle haben sich in den letzten zehn Jahren ereignet. Sie finden eine Zusammenfassung in den Mappen, die ich Ihnen gegeben habe.«

Maura, die am Ende des Tischs saß, beobachtete, wie Jane, Frost und Crowe den Stapel Papiere durchblätterten, den Tam ausgeteilt hatte. Durch die geschlossene Tür hörte sie Gelächter draußen auf dem Flur und das *Ping* des Fahrstuhls, aber in diesem Raum war nur das Rascheln von Papier und ab und zu ein skeptisches Schnauben zu vernehmen. Es kam nicht oft vor, dass sie bei einer Fallbesprechung im Morddezernat dabei war, aber an diesem Morgen hatte Tam sie gebeten, als Beraterin teilzunehmen. Ihr Platz war im Sektionssaal, wo die Toten einem nicht widersprechen konnten, und sie fühlte sich unwohl in diesem Raum voller Polizisten, in dieser Atmosphäre von Streit und Dissens.

Crowe warf das Blatt, das er in der Hand hielt, auf den Stapel zurück. »Sie glauben also, dass es *einen* Täter gibt, der im Land herumreist und alle diese Opfer auf dem Gewissen hat? Und Sie werden ihn von Ihrem Schreibtisch aus überführen, indem Sie am Computer VICAP-Bingo spielen?«

»Diese erste Liste war nur ein Ausgangspunkt«, erklärte Tam. »Damit erhielt ich einen vorläufigen Datensatz als Arbeitsgrundlage.«

»Sie haben da Morde in acht verschiedenen Staaten! Drei Frauen, acht Männer. Neun Weiße, ein Latino, ein Schwarzer. Alter vollkommen uneinheitlich, von zwanzig bis vierundsechzig. Was ist denn das für ein irres Täterprofil?«

»Ihr wisst, wie sehr es mir gegen den Strich geht, Crowe beipflichten zu müssen«, sagte Jane, »aber wo er recht hat, hat er recht. Diese Opfer sind einfach zu verschieden. Wenn es ein einziger Täter ist, warum hat er sich ausgerechnet diese Opfer ausgesucht? Soweit ich das erkennen kann, haben sie rein gar nichts gemeinsam.«

»Weil der gemeinsame Faktor, von dem wir ausgegangen sind, die Beobachtung war, die Dr. Isles bei unserer unbekannten Toten gleich auf den ersten Blick gemacht hat: das orangefarbene Nylonseil um die Knöchel. Genau wie bei Leon Godt.«

»Das habe ich mit ihr schon diskutiert«, sagte Jane. »Ich fand nicht, dass das eine ausreichende Parallele ist.«

Maura fiel auf, dass Jane sie nicht ansah, während sie das sagte. Ist sie böse auf mich?, fragte sie sich. Weil sie findet, dass ich nicht die Detektivin spielen sollte, nach dem Motto: Rechtsmedizinerin, bleib bei deinem Skalpell?

»Das ist alles, was Sie an Verbindungen zwischen diesen elf Morden vorweisen können? *Mit Nylonseil gefesselt!*«

»Bei beiden Opfern wurde orangefarbenes Nylonseil verwendet, Spiralgeflecht, Stärke 3/16 Zoll«, sagte Tam.

»Zu kaufen in jedem Baumarkt im Land.« Crowe schnaubte verächtlich. »Mann, das hab ich vielleicht sogar selber in meiner Garage.«

»Nylonseil war nicht mein *einziger* Suchbegriff«, erklärte Tam. »Diese elf Opfer wurden alle an den Füßen aufgehängt aufgefunden. Manche an Bäumen, andere an Deckenbalken.«

»Das reicht immer noch nicht für die Signatur eines Serientäters«, wandte Crowe ein.

»Lassen Sie ihn doch ausreden, Detective Crowe«, schaltete Maura sich ein. Bis zu diesem Moment hatte sie kaum ein Wort gesagt, doch jetzt konnte sie nicht länger an sich halten. »Vielleicht sehen Sie dann, worauf wir hinauswollen. Es könnte wirklich eine Verbindung zwischen unseren beiden Fällen und anderen Morden im ganzen Land geben.«

»Und Sie und Tam werden das Kaninchen aus dem Hut zaubern.« Crowe nahm eine Handvoll Blätter aus der Mappe und breitete sie auf dem Tisch aus. »Okay, mal sehen, was Sie da gefunden haben. Opfer Nummer eins, ein fünfzigjähriger Anwalt aus Sacramento. Vor sechs Jahren in seiner Garage hängend aufgefunden, an Händen und Füßen gefesselt, die Kehle aufgeschlitzt. – Opfer Nummer zwei, ein zweiundzwanzigjähriger hispanoamerikanischer Lastwagenfahrer, in Phoenix, Arizona an den Füßen aufgehängt aufgefunden. Hände und Füße gefesselt, ganzer Rumpf mit

Schnitten und Brandmalen übersät, Genitalien entfernt. Na, sauber. Wenn ich raten müsste: Drogenkartell. – Opfer Nummer drei: ein zweiunddreißigjähriger Weißer, wegen Bagatelldiebstahls vorbestraft, wurde in Maine an einem Baum hängend aufgefunden, Bauch aufgeschlitzt, innere Organe entfernt. Hoppla, wie ich sehe, kennen wir in diesem Fall den Täter schon. Es wurde ein Haftbefehl gegen einen Kumpel von ihm erlassen. Also können wir den wohl von der Liste streichen.« Er blickte auf. »Muss ich noch weitermachen, Dr. Isles?«

»Hier geht es nicht nur um die gefesselten Fußgelenke und das Nylonseil.«

»Ja, ich weiß, da sind noch diese drei Kerben, die vielleicht von einem Messer stammen, vielleicht auch nicht. Das ist nur ein Ablenkungsmanöver. Vielleicht mag Tam für Sie den Laufburschen spielen, aber ich habe meinen eigenen Fall, auf den ich mich konzentrieren muss. Und Sie können mir immer noch nicht sagen, wann unsere Unbekannte gestorben ist.«

»Ich habe Ihnen eine Schätzung des Todeszeitpunkts gegeben.«

»Ja, klar, irgendwo zwischen zwei und zwanzig Jahren. Wirklich *sehr* genau.«

»Detective Crowe, Ihr Partner hat viele Stunden Arbeit in diese Analyse gesteckt. Da könnten Sie ihn wenigstens zu Ende anhören.«

»Okay.« Crowe warf seinen Stift hin. »Also los, Tam. Erzählen Sie uns, was die toten Leute auf dieser Liste alle mit unserem unbekannten Opfer zu tun haben.«

»Nicht alle haben etwas damit zu tun«, erwiderte Tam. Obwohl die Stimmung im Raum zunehmend gereizt war, blieb er ganz ruhig und gelassen. »Die erste Liste, die Sie gesehen haben, war nur unser ursprünglicher Satz von markierten Mordfällen, basierend auf den Kriterien des verwendeten Seils und der Tatsache, dass die Opfer an den Füßen aufgehängt waren. Dann habe ich eine separate Suche mit dem Begriff *Ausweidung* durchgeführt, weil wir wissen, dass das mit Leon Godt gemacht wurde. Und Dr. Isles schließt aus dem Einschnitt im Brustbein, dass es vermutlich auch mit der unbekannten Toten gemacht wurde. VICAP hat ein paar zusätzliche Namen von Opfern ausgespuckt, die lediglich ausgeweidet, aber nicht an einem Seil aufgehängt wurden.«

Jane sah Frost an. »Das ist ein Ausdruck, den man nicht alle Tage zu hören bekommt. *Lediglich ausgeweidet.*«

»Als ich mir diese Fälle von Ausweidung durchlas, fiel mir einer besonders ins Auge, der sich vor vier Jahren ereignete. Das Opfer war eine fünfunddreißigjährige Wanderin in Nevada, die mit Freunden auf Campingtour war. Die Gruppe bestand aus zwei Frauen und zwei Männern, aber sie war die Einzige, deren Leiche gefunden wurde. Die anderen werden immer noch vermisst. Aufgrund des Insektenbefalls nimmt man an, dass sie drei bis vier Tage dort gelegen hatte. Die Leiche war noch so gut erhalten, dass der Rechtsmediziner mit Bestimmtheit sagen konnte, dass eine Ausweidung stattgefunden hatte.«

»Drei bis vier Tage unter freiem Himmel in der Wildnis, und es war noch genug von ihr übrig, um das sehen zu können?«

»Ja. Weil sie nämlich nicht auf der Erde lag. Die Leiche wurde in einem Baum gefunden, sie hing über einem Ast. Ausweidung *und* Aufhängen beziehungsweise erhöhte Lagerung. Ich fragte mich, ob *diese* Kombination der Schlüssel sein könnte. Es ist das Gleiche, was ein Jäger mit dem erlegten Wild macht. Aufhängen und ausweiden. Und das brachte mich wieder zurück zu Leon Godt und seiner Verbindung zur Großwildjagd und zu anderen Jägern. Ich bin wieder in die VICAP-Datenbank gegangen und habe noch einmal von vorn angefangen. Diesmal suchte ich nach ungelösten Fällen in Nationalparks und Naturschutzgebieten. Alle Opfer mit Einschnitten am Brustbein oder anderen Hinweisen auf Ausweidung. Und da stieß ich auf etwas Interessantes. Nicht nur ein einzelnes Opfer, sondern wiederum eine ganze Gruppe von Vermissten wie diese vier Wanderer in Nevada. Vor drei Jahren verschwanden in Montana drei Hirschjäger, alles Männer. Einer wurde später gefunden, die Leiche war teilweise skelettiert und steckte in einer Astgabel. Monate später tauchte in der Nähe einer Pumahöhle der Kieferknochen eines zweiten Mannes auf – nur der Kieferknochen. Der Rechtsmediziner ging von einem Angriff durch einen Bären oder einen Puma aus, aber ein Bär würde seine Beute nicht auf einen Baum schleppen. Deswegen lautete die Schlussfolgerung im Obduktionsbericht, es habe sich wahrscheinlich um einen Puma-Angriff gehandelt. Ich bin mir allerdings nicht sicher, ob Pumas ihre Beute auf Bäume schleppen.«

»Sie sagten, es seien Jäger gewesen, also dürften sie bewaffnet gewesen sein«, bemerkte Frost. »Wie kann ein Mörder drei Männer mit Gewehren überwältigen?«

»Gute Frage. Eines der Gewehre wurde nie gefunden. Die beiden anderen lagen noch in den Zelten der Männer. Der Täter muss seine Opfer überrascht haben.«

Bis jetzt hatte Jane den Vortrag mit skeptischer Miene verfolgt. Jetzt beugte sie sich vor und richtete ihre ganze Aufmerksamkeit auf Tam. »Erzählen Sie mir mehr von dieser Wanderin in Nevada. Was hat der Rechtsmediziner über die Todesursache gesagt?«

»In diesem Fall wurde auch ein Puma-Angriff für möglich gehalten. Aber wir sprechen hier von *vier* Wanderern, von denen zwei Männer waren. Die genaue Todesursache war laut Fallakte nicht zu ermitteln.«

»Könnte ein einzelner Puma vier Erwachsene überwältigen?«

»Ich weiß es nicht«, sagte Tam. »Da müssten wir einen Experten für Großkatzen zurate ziehen. Selbst wenn alle vier von einem Puma getötet worden wären, es bleibt immer noch ein Detail, das auch dem Rechtsmediziner Kopfzerbrechen bereitete. Es ist auch der Grund, warum das weibliche Opfer in die VICAP-Datenbank eingetragen wurde.«

»Kerben im Brustbein.«

»Ja. Und drei Geschosshülsen. Sie wurden in der Nähe am Boden liegend gefunden. Die Wanderer waren nicht bewaffnet, aber es war offensichtlich jemand mit einer Waffe in der Nähe.« Tam sah die drei Detectives am Tisch an. »Ich bin von dem Nylonseil ausgegangen, und am Ende hatte ich eine völlig andere Kombination von Gemeinsamkeiten. Ausweidung, Aufhängen und Gegenden, in denen Jäger unterwegs sind.«

»Was ist mit dem Kleinkriminellen in Maine, der aufgeschlitzt und an einem Baum aufgehängt wurde?«, fragte Frost. »Sie sagten, in dem Fall sei ein Verdächtiger identifiziert worden.«

Tam nickte. »Der Name des Verdächtigen ist Nick Thibodeau, der sogenannte Kumpel des Opfers. Weiß, eins achtundachtzig groß, neunzig Kilo schwer. Vorbestraft wegen Einbruch, Diebstahl und Körperverletzung.«

»Also früher schon durch Gewaltbereitschaft aufgefallen.«

»Auf jeden Fall. Und nun hören Sie zu: Thibodeaus große Leidenschaft ist die Hirschjagd.« Tam drehte seinen Laptop um und zeigte ihnen ein Foto eines jungen Mannes mit kurz geschorenen Haaren und durchdringendem Blick. Er stand neben seiner Trophäe, einem teilweise gehäuteten Hirsch, der an den Hinterbeinen an einem Baum aufgehängt war. Trotz der unförmigen Jagdmontur, die er trug, konnte man erkennen, wie kräftig und muskulös er war, mit Stiernacken und fleischigen Händen.

»Dieses Foto wurde vor ungefähr sechs Jahren aufgenommen, Sie müssen ihn sich jetzt also ein wenig älter vorstellen«, sagte Tam. »Er ist in Maine aufgewachsen, er kennt sich in der Wildnis aus, und er weiß mit einem Gewehr umzugehen. Und nach diesem Foto zu schließen, weiß er auch, wie man einen Hirsch abzieht und ausweidet.«

»Und vielleicht anderes Großwild auch«, sagte Maura. »Da haben wir unseren roten Faden: die Jagd. Vielleicht ist die Hirschjagd Thibodeau irgendwann zu langweilig geworden. Vielleicht hat das Töten ihm einen solchen Kick verschafft, dass er beschloss, auf anspruchsvollere Beute Jagd zu machen. Betrachten Sie einmal die zeitliche Reihenfolge dieser Morde. Vor fünf Jahren wird Thibodeaus Kumpel ermordet, aufgehängt und ausgeweidet. Thibodeau verschwindet. Ein Jahr darauf werden vier unbewaffnete Wanderer in Nevada überfallen. Wiederum ein Jahr später sind es drei bewaffnete Jäger in Montana. Dieser Mörder erhöht immer wieder den Einsatz, sucht sich immer schwierigere Bedingungen aus, um es spannender zu machen. Und damit auch riskanter.«

»Leon Godt war sicher auch eine Herausforderung für ihn«, pflichtete Frost ihr bei. »Er war bis an die Zähne bewaffnet und in Jägerkreisen wohlbekannt. Der Mörder dürfte von ihm gehört haben.«

»Aber warum sollte dieser Jäger sich an unserer Unbekannten vergreifen?«, warf Crowe ein. »An einer Frau – wo bleibt denn da die Herausforderung?«

Jane schnaubte. »Ach ja, weil wir so schwache, hilflose

Wesen sind… Woher willst du wissen, ob sie nicht auch eine Jägerin war?«

»Vergesst nicht Jodi Underwood. Sie war eine Frau«, sagte Frost. »Und der Mord an ihr scheint mit dem Fall Godt in Verbindung zu stehen.«

»Ich glaube, die unbekannte Tote ist die, auf die wir uns konzentrieren sollten«, meinte Tam. »Wenn sie vor mehr als sechs Jahren ermordet wurde, war sie vielleicht eins der allerersten Opfer. Wenn wir sie identifizieren, könnte das der Schlüssel zur Lösung dieses Falls sein.«

Jane schlug die Mappe zu und sah Tam an. »Sie und Maura scheinen ja ein richtiges Dream-Team zu sein. Seit wann denn das?«

»Seit sie mich gebeten hat, in VICAP nach ähnlichen Fällen zu suchen«, antwortete Tam. »Alles Weitere hat sich dann ergeben.«

Jane sah Maura an. »Du hättest doch mich anrufen können.«

»Ja, das hätte ich tun können«, gab Maura zu. »Aber ich hatte nichts vorzuweisen außer meiner Intuition. Und ich wollte deine Zeit nicht vergeuden.« Sie stand auf. »Vielen Dank, Detective Tam. Sie haben alles abgedeckt, und ich habe dem nichts mehr hinzuzufügen. Ich gehe dann zurück in mein Institut.« Dorthin, wo ich eigentlich hingehöre: zu den Toten, die mir nicht widersprechen, dachte sie und verließ den Besprechungsraum.

Als sie den Aufzug betrat, schlüpfte Jane rasch zu ihr hinein.

»Red mit mir«, sagte Jane, als die Tür sich schloss und Maura dem Gespräch nicht mehr ausweichen konnte. »Warum hast du dich an Tam gewandt?«

Maura hielt den Blick starr auf die Stockwerksanzeige gerichtet. »Er war bereit, mir zu helfen.«

»Und ich vielleicht nicht?«

»Du warst nicht meiner Meinung, was die Parallelen betrifft.«

»Hast du mich je *ausdrücklich* gebeten, für dich eine Datenbanksuche vorzunehmen?«

»Tam wollte sowieso einen Bericht über unsere unbekannte Tote in VICAP eingeben. Er ist neu im Morddezernat, und er will sich unbedingt beweisen. Er war offen für meine Theorie.«

»Und ich bin nur eine abgestumpfte Zynikerin.«

»Du bist eine Skeptikerin, Jane. Ich hätte dich dazu überreden müssen, und das war mir zu anstrengend.«

»Zu anstrengend? Unter Freundinnen?«

»Selbst unter Freundinnen«, erwiderte Maura und trat aus dem Aufzug.

Aber so leicht wollte Jane sich nicht abwimmeln lassen, und sie hielt mit Maura Schritt, als diese das Gebäude verließ und in Richtung Tiefgarage ging. »Du bist immer noch angefressen, weil ich nicht deiner Meinung war.«

»Nein.«

»Doch, sonst hättest du mich gefragt und nicht Tam.«

»Du hast dich geweigert, die Parallelen zwischen Leon Godt und der Unbekannten zu sehen, aber sie sind da. Ich spüre es.«

»Du *spürst* es? Seit wann hörst du auf dein Bauchgefühl und nicht nur auf harte Beweise?«

»Du bist doch diejenige, die immer von Instinkt redet.«

»Aber du tust das nie. Du verlässt dich nur auf Fakten und Logik – also sag schon, was hat sich plötzlich geändert?«

Maura hatte ihren Wagen erreicht, doch sie schloss ihn nicht auf. Stattdessen verharrte sie an der Tür und starrte ihr Spiegelbild im Fenster an. »Sie hat mir wieder geschrieben«, sagte sie. »Meine Mutter.«

Es war lange still. »Und du hast den Brief nicht einfach weggeworfen?«, sagte Jane schließlich.

»Ich konnte es nicht, Jane. Es gibt Dinge, die ich wissen muss, solange sie noch lebt. Warum sie mich aufgegeben hat. Wer ich wirklich bin.«

»Du weißt, wer du bist, und es hat nichts mit ihr zu tun.«

»Woher willst du das wissen?« Sie trat einen Schritt auf Jane zu. »Vielleicht siehst du ja nur, was ich dich sehen lasse. Vielleicht habe ich die Wahrheit vor dir verborgen.«

»Was für eine Wahrheit – dass du eine Art Ungeheuer bist, so wie sie?« Maura war jetzt so nahe herangetreten, dass sie sich Auge in Auge gegenüberstanden, doch Jane lachte nur. »Ich kenne niemanden, der mir *weniger* Angst macht als du. Na ja, vielleicht mit Ausnahme von Frost. Amalthea ist ein Monster, aber das hat sie dir nicht vererbt.«

»Aber eines hat sie mir vererbt. Wir sehen beide die dunkle Seite. Wo alle anderen nur eitel Sonnenschein sehen, bemerken wir, was sich im Schatten verbirgt. Das Kind mit den blauen Flecken. Die Frau, die zu eingeschüchtert ist, um etwas zu sagen. Das Haus, wo die Vorhänge stets zugezogen sind. Amalthea nannte es die *Gabe*, das Böse zu erkennen.« Maura zog einen Umschlag aus ihrer Handtasche und gab ihn Jane.

»Was ist das?«

»Zeitungsmeldungen, die sie gesammelt hat. Sie hebt alle Artikel auf, in denen ich erwähnt werde, und verfolgt alle meine Fälle.«

»Auch den Fall Godt und den unserer unbekannten Toten?«

»Natürlich.«

»Jetzt weiß ich, was dahintersteckt. Amalthea Lank sagt dir, dass es eine Verbindung gibt, und du glaubst ihr.« Jane schüttelte den Kopf. »Habe ich dich nicht vor ihr gewarnt? Sie manipuliert dich.«

»Sie sieht Dinge, die niemand sonst sieht. Sie entdeckt die entscheidenden Hinweise, die inmitten der ganzen Details untergehen.«

»Wie soll das gehen? Sie hat doch gar keinen Zugang zu den Details.«

»Auch im Gefängnis bekommt sie so einiges mit. Die Leute erzählen ihr Dinge, oder sie schreiben ihr und schicken ihr Zeitungsausschnitte. Sie sieht die Verbindungen, und auch in diesem Fall hat sie richtiggelegen.«

»Na klar. Wenn sie keine verurteilte Mörderin wäre, würde sie eine hervorragende Kriminalistin abgeben.«

»Vielleicht. Sie ist schließlich meine Mutter.«

Jane hob beide Hände in einer Geste der Resignation. »Okay. Wenn du ihr diese Macht geben willst, kann ich dich nicht daran hindern. Aber ich weiß, wenn jemand einen Fehler macht.«

»Und du bist nur zu bereit, einen darauf hinzuweisen.«

»Wer soll es dir denn sonst sagen? Dafür bin ich als Freundin da. Um dich zu warnen, bevor du wieder dein Leben versaust.«

Wieder. Maura konnte nichts entgegnen. Und so starrte sie Jane nur schweigend an, getroffen von der Wahrheit ihrer Worte. *Wieder.* Wie oft hatte Jane versucht, sie daran zu hindern, den einen Fehler zu machen, der sie jetzt, nach so vielen Monaten, immer noch verfolgte. Als sie und Pater Daniel Brophy einander immer nähergekommen waren, als sie in eine Affäre hineingeschlittert waren, die von Anfang an zum Scheitern verurteilt war, da war Jane die Stimme der Vernunft gewesen und hatte sie vor dem unvermeidlichen Ende in Tränen gewarnt. Eine Stimme, die Maura ignoriert hatte.

»Bitte«, sagte Jane leise. »Ich will doch nur nicht, dass du leidest.« Sie fasste Mauras Arm mit dem festen Griff einer Freundin. »Du bist doch sonst immer so klug.«

»Außer wenn es um Menschen geht.«

Jane lachte. »Die *Menschen* sind das Problem, nicht wahr?«

»Vielleicht sollte ich mich an Katzen halten«, sagte Maura, während sie die Autotür öffnete und einstieg. »Bei denen weiß man wenigstens immer genau, woran man ist.«

20

Hummer, Elche und wilde Heidelbeeren. Das stellten die meisten Leute sich vor, wenn sie an den Staat Maine dachten, doch die Bilder, die Jane im Kopf hatte, waren wesentlich düsterer. Sie dachte an dunkle Wälder und neblige Sümpfe, an all die entlegenen Orte, an denen ein Mensch einfach verschwinden konnte. Und sie dachte an das letzte Mal, als sie mit Frost diese Fahrt in den Norden gemacht hatte, an einem Abend, der in einem Dunst aus Blut und Tod geendet hatte. Für Jane war Maine kein Urlaubsland, es war eine Gegend, wo schlimme Dinge passierten.

Vor fünf Jahren war hier einem Kleinkriminellen namens Brandon Tyrone etwas Schlimmes passiert.

Der Regen verwandelte sich in kleine Geschosse aus Eis, als sie mit Frost am Steuer auf der Coastal Route 1 in Richtung Norden fuhren. Obwohl die Heizung voll aufgedreht war, waren Janes Füße eiskalt, und sie wünschte, sie hätte an diesem Morgen Stiefel angezogen und nicht die dünnen Halbschuhe, die sie jetzt trug. So ungern sie sich eingestehen mochte, dass der Sommer vorbei war, es genügte ein Blick aus dem Autofenster auf kahle Bäume und den dunkelgrauen Himmel, um zu erkennen, dass die düstere Jahreszeit begonnen hatte. Es schien, als führen sie direkt in den Winter hinein.

Frost ging vom Gas, als sie an zwei Jägern in leuchtendem Orange vorbeikamen, die eine ausgeweidete Hirschkuh auf die Ladefläche eines Pick-ups wuchteten. Er schüttelte betrübt den Kopf. »Bambis Mutter.«

»Wir haben November. Das ist nun mal die Jagdsaison.«

»Wenn überall wie wild rumgeballert wird, traue ich mich kaum, über die Staatsgrenze zu fahren. *Peng! Wieder so ein Massachusetts-Schwein erwischt!*«

»Hast du schon mal gejagt?«

»Nein. Ist nicht mein Ding.«

»Wegen Bambis Mutter?«

»Ich habe eigentlich nichts gegen Jäger. Ich verstehe bloß nicht, was daran so reizvoll sein soll, mit einer Knarre durch den Wald zu stapfen und sich den Hintern abzufrieren. Und dann …« Er schüttelte sich.

»Einen Hirsch ausweiden zu müssen?« Sie lachte. »Nein, das kann ich mir bei dir auch nicht vorstellen.«

»Könntest du's denn?«

»Wenn es sein müsste. Ich esse ja schließlich auch Fleisch.«

»Also, mein Fleisch kommt aus dem Supermarkt, schön in Plastikfolie verpackt. Da ist nichts mit Gedärmen.«

Kaltes Wasser tropfte von den Bäumen, an denen sie vorbeifuhren, und über dem Horizont hingen dunkle Wolken. Es war ein scheußlicher Tag für einen Waldspaziergang, und als sie zwei Stunden später endlich den Wandererparkplatz erreichten, war Jane nicht überrascht, keine anderen Autos vorzufinden. Sie blieben noch einen Moment im Wagen sitzen und betrachteten die mit Laub übersäten Picknicktische vor dem Hintergrund des düsteren Walds.

»Also, da wären wir. Und wo ist er jetzt?«, fragte sie.

»Er hat erst zehn Minuten Verspätung.« Frost zog sein Handy aus der Tasche. »Kein Netz. Wie sollen wir ihn erreichen?«

Jane stieß die Tür auf. »Also, ich kann nicht länger warten. Ich geh mal ein Stück in den Wald.«

»Bist du sicher, dass du da reingehen willst? In der Jagdsaison?«

Sie deutete auf das Schild mit der Aufschrift JAGEN VER-BOTEN, das an einen nahen Baum genagelt war. »Hast du nicht das Schild gesehen? Hier muss man keine Angst haben, über den Haufen geschossen zu werden.«

»Ich finde, wir sollten im Wagen auf ihn warten.«

»Nein, ich kann wirklich nicht mehr warten. Ich muss pinkeln.« Sie stieg aus und ging auf den Wald zu. Der Wind drang durch den dünnen Stoff ihrer Hose, und ihre Blase schmerzte in der Kälte. Sie stapfte ein paar Meter zwischen die Bäume hinein, doch sie hatten ihr Laub bereits abgeworfen, und durch das kahle Astwerk konnte sie immer noch den Wagen sehen. Sie ging weiter, und in der Stille des Walds hörte sich jedes Knacken eines Zweigs wie eine Explosion an. Endlich fand sie Deckung hinter ein paar jungen Nadelbäumen. Sie zog die Hose herunter, hockte sich hin und hoffte nur, dass nicht ausgerechnet jetzt ein Wanderer vorbeikam und ihren blanken Hintern durchs Unterholz leuchten sah.

Ein Schuss hallte durch den Wald.

Noch ehe sie wieder aufspringen konnte, hörte sie Frost ihren Namen rufen. Schon kamen schwere Schritte durch das Unterholz auf sie zu. Plötzlich stand er vor ihr, und er war nicht allein – ein paar Schritte hinter ihm war ein bulliger Mann, der amüsiert zusah, wie sie hastig die Hose hochzog.

»Wir haben einen Schuss gehört«, sagte Frost, der ganz rot im Gesicht war, und wandte rasch den Blick ab. »Tut mir leid, ich wollte nicht ...«

»Vergiss es«, fauchte Jane, nachdem es ihr endlich gelungen war, den Reißverschluss hochzuziehen. »Hier ist Jagen verboten. Wer zum Teufel ballert da rum?«

»Hört sich an, als käme es vom Ende des Tals«, sagte der kräftige Mann. »Und Sie sollten eigentlich nicht ohne

Warnkleidung hier im Wald rumlaufen.« Seine eigene orangefarbene Weste, die er über dem Parka trug, war jedenfalls nicht zu übersehen. »Sie müssen Rizzoli sein.« Er sah auf die Stelle hinunter, wo sie gehockt hatte, und verzichtete darauf, ihr die Hand zu geben.

»Das ist Detective Barber von der Maine State Police«, sagte Frost.

Barber nickte ihr knapp zu. »Ich war überrascht, als Sie gestern anriefen. Hätte nie gedacht, dass es Nick Thibodeau mal nach Boston verschlagen würde.«

»Wir sagen ja nicht, dass er dort ist«, erwiderte Jane. »Wir wollen nur mehr über ihn erfahren. Wer er ist, und ob er vielleicht der Kerl ist, nach dem wir suchen.«

»Also schön, Sie wollten die Stelle sehen, wo Tyrones Leiche vor fünf Jahren gefunden wurde. Dann will ich sie Ihnen mal zeigen.«

Er ging voran und stapfte mit sicherem Schritt durch das Unterholz. Schon nach wenigen Metern blieb Jane mit dem Hosenbein an einem stachligen Brombeerzweig hängen und musste stehen bleiben, um sich zu befreien. Als sie wieder aufblickte, sah sie Barbers orangefarbene Warnweste schon weit voraus zwischen einem Gestrüpp von kahlen Ästen aufblitzen.

Wieder krachte in der Ferne ein Schuss. *Und ich laufe hier in Schwarz und Braun rum wie ein Bär.* Sie beeilte sich, zu Barber aufzuschließen und sich in die schützende Nähe dieser grellen Weste zu begeben. Als sie ihn endlich erreichte, hatte Barber sie schon auf einen gespurten Weg geführt.

»Zwei Camper aus Virginia haben Tyrones Leiche gefunden«, sagte Barber, ohne sich nach ihr umzusehen. »Sie hatten einen Hund dabei, und der hat sie direkt hingeführt.«

»Ja, hier draußen sind es immer die Hunde, die die Leichen aufspüren«, bemerkte Frost, der sich auf einmal anhörte wie ein Experte für Leichenfunde in der Wildnis.

»Es war im Spätsommer, also waren die Bäume noch voll belaubt, sodass er von Weitem nicht zu sehen war. Vielleicht hätten sie's selbst gerochen, wenn der Wind in die richtige Richtung geweht hätte. Aber hier im Wald stößt man öfter mal auf ein verendetes Tier, damit rechnet man eigentlich immer. Womit man nicht rechnet, ist, dass da plötzlich ein Typ mit dem Kopf nach unten und aufgeschlitztem Bauch im Baum hängt.« Er deutete auf den Weg vor ihnen. »Wir sind gleich da.«

»Woher wissen Sie das so genau?«, fragte Jane. »Für mich sehen diese Bäume alle gleich aus.«

»Deswegen.« Er zeigte auf ein JAGEN-VERBOTEN-Schild, das neben dem Weg aufgestellt war. »Nach diesem Schild sind es nur noch ein paar Dutzend Schritte in den Wald hinein.«

»Sie glauben, der Ort ist signifikant? Sollte dieses Schild eine Art Botschaft darstellen?«

»Aber ja. Eine Botschaft an die Staatsgewalt. Ein großes, fettes *Ihr könnt mich mal.*«

»Oder vielleicht ist das ja die Botschaft: Jagen verboten. Eines unserer Opfer in Boston war nämlich Jäger, und wir fragen uns, ob der Mörder vielleicht ein politisches Statement abgeben wollte.«

Barber schüttelte den Kopf. »Dann suchen Sie hier nach dem falschen Mann. Nick Thibodeau war keiner von diesen Tierrechts-Spinnern. Die Jagd war sein Ding.« Er verließ den Weg und ging geradewegs in den Wald hinein. »Ich zeige Ihnen mal den Baum.«

Mit jedem Schritt schien es noch kälter zu werden. Janes Schuhe waren feucht, und die Kälte drang schon durch das Leder. Hier versank man bis zu den Waden im toten Laub, und darunter verbargen sich Schlammlöcher und Wurzeln, die zu Stolperfallen wurden. An jenem warmen Augusttag vor fünf Jahren war es für den Mörder sicher ein wesentlich angenehmerer Spaziergang durch diesen Wald gewesen, auch wenn ihn vielleicht Schwärme von Mücken geplagt hatten, aufgescheucht von seinen Schritten. Hatte das Opfer noch gelebt? War Brandon Tyrone bereitwillig an seiner Seite marschiert, ohne zu ahnen, was sein Begleiter im Schilde führte? Oder war er bereits tot gewesen, wie ein ausgeweideter Hirsch über die Schultern seines Mörders geworfen?

»Das ist der Baum«, sagte Barber. »Er hing mit dem Kopf nach unten an diesem Ast.«

Jane blickte zu dem Ast auf, zu den Zweigen, an denen noch einige wenige braune Blätter zitterten. Sie sah nichts, was diese Eiche von all den anderen Bäumen unterschieden hätte, keinen Hinweis auf das, was vor fünf Jahren an diesem Ast gehangen hatte. Es war ein ganz gewöhnlicher Baum, der keine Geheimnisse verriet.

»Laut Auskunft des Rechtsmediziners hatte Tyrone schon etwa zwei Tage hier gehangen«, sagte Barber. »Dort oben kamen allenfalls Vögel und Insekten an ihn heran, deshalb war er noch relativ gut erhalten.« Er hielt inne. »Bis auf die Eingeweide, über die sich die Aasfresser wohl gleich hergemacht haben.« Er starrte zu dem Ast hinauf, als könne er Brandon Tyrone immer noch dort hängen sehen, beschattet vom Laubdach des Sommers. »Seine Geldbörse und seine Kleider haben wir nie gefunden. Wahrscheinlich hat der Täter sie vernichtet, um die Identifizierung zu erschweren.«

»Oder er hat sie als Trophäen mitgenommen«, meinte Jane. »So wie ein Jäger das Fell eines Tiers aufbewahrt, als Erinnerung an den Nervenkitzel der Jagd.«

»Nein, ich kann mir nicht vorstellen, dass es irgendwie

als Ritual gemeint war. Nicko hat einfach praktisch gedacht, wie üblich.«

Jane sah Barber an. »Das klingt, als ob Sie den Verdächtigen kennen.«

»Allerdings. Wir sind in derselben Stadt aufgewachsen, daher kenne ich ihn und seinen Bruder Eddie ziemlich gut.«

»Wie gut?«

»Gut genug, um zu wissen, dass diese Burschen schon immer Ärger bedeutet haben. Mit zwölf hat Nick schon anderen Kindern das Kleingeld aus der Jackentasche geklaut. Mit vierzehn hat er Autos geknackt. Mit sechzehn ist er in Häuser eingebrochen. Das Opfer, Brandon Tyrone, war vom gleichen Kaliber. Nick und Tyrone sind zusammen hier rausgefahren und haben Sachen aus den Zelten und Autos der Camper geklaut. Nachdem Nick Tyrone umgebracht hatte, fanden wir eine Tasche mit gestohlenen Gegenständen, die Tyrone in seiner Garage versteckt hatte. Vielleicht hatten sie sich deswegen zerstritten. Da waren ein paar hübsche Sachen in dieser Tasche. Kameras, ein silbernes Feuerzeug, eine Brieftasche voll mit Kreditkarten. Ich schätze, sie haben sich über die Aufteilung der Beute in die Haare gekriegt, und Tyrone hat verloren. Mieser kleiner Dreckskerl. Hätte keinen Sympathischeren erwischen können.«

»Und was glauben Sie, wo Nick Thibodeau jetzt ist?«

»Ich nahm an, dass er sich in den Westen abgesetzt hätte. Vielleicht nach Kalifornien. Hätte nicht gedacht, dass er nicht weiter als bis Boston gekommen ist, aber vielleicht wollte er ja in der Nähe seines Bruders Eddie bleiben.«

»Wo wohnt Eddie?«

»Das ist ungefähr fünf Meilen von hier. Wir haben Eddie in die Mangel genommen, das können Sie mir glauben, aber bis heute weigert er sich, uns zu verraten, wo Nick steckt.«

»Weigert er sich, oder weiß er es wirklich nicht?«

»Er schwört, dass er es nicht weiß. Aber diese Thibodeau-Jungs, für die heißt es immer, wir gegen den Rest der Welt. Sie dürfen nicht vergessen, Maine ist das nördliche Ende der Appalachen, und für viele dieser Bergbewohner geht die Loyalität zur Familie über alles. Halte zu deinem Bruder, ganz egal, was er angestellt hat. Wenn Sie mich fragen, hat Eddie genau das getan. Er hat sich einen Plan zurechtgelegt, Nick von hier fortzuschaffen, und ihm geholfen unterzutauchen.«

»Fünf Jahre lang?«

»Ist doch nicht so schwer, wenn man einen Bruder hat, der einem hilft. Deshalb behalte ich Eddie nach wie vor im Auge. Ich weiß immer, wo er sich aufhält und wen er anruft. Oh, mir ist schon klar, wie sehr ihm das stinkt, weil er weiß, dass ich einfach nicht lockerlasse. Er weiß, dass ich ihn auf dem Kieker habe.«

»Wir müssen mit Eddie Thibodeau sprechen«, sagte Jane.

»Von ihm werden Sie nicht die Wahrheit erfahren.«

»Wir würden es trotzdem gerne versuchen.«

Barber sah auf seine Uhr. »Okay, ich hätte eine Stunde Zeit. Wir können gleich zu seinem Haus fahren.«

Jane und Frost wechselten einen Blick, und Frost sagte: »Vielleicht wäre es besser, wenn wir uns allein mit ihm treffen.«

»Sie wollen mich nicht dabeihaben?«

»Sie beide haben eine gemeinsame Vorgeschichte«, sagte Jane, »und zwar eine nicht gerade freundschaftliche. Wenn Sie dabei sind, wird er gleich dichtmachen.«

»Oh, ich hab schon verstanden. Ich bin der böse Bulle, und Sie wollen die guten Bullen spielen. Doch, das leuchtet ein.« Sein Blick fiel auf die Pistole in Janes Gürtelholster. »Und wie ich sehe, sind Sie beide bewaffnet. Das ist gut.«

»Wieso? Ist Eddie ein Problem?«, fragte Frost.

»Er ist unberechenbar. Denken Sie daran, was Nick mit Tyrone gemacht hat, und seien Sie immer auf der Hut. Diese Brüder sind nämlich zu allem fähig.«

Ein ausgeweideter Vierender hing mit dem Kopf nach unten in Eddie Thibodeaus Garage. Vollgestopft mit Werkzeug und Ersatzreifen, Mülleimern und Angelgeräten, hätte es eine Garage in einer beliebigen amerikanischen Vorstadt sein können, wäre da nicht das Tier gewesen, das von dem Haken an der Decke baumelte und dessen Blut sich in einer Lache auf dem Betonboden sammelte.

»Ich weiß nicht, was ich noch über meinen Bruder erzählen soll. Hab doch der Polizei schon alles gesagt, was es zu sagen gibt.« Eddie setzte ein Messer am Hinterlauf des Bocks an, schnitt um das Sprunggelenk herum und schlitzte dann die Haut vom Knöchel bis zur Leiste auf. Mit den geschickten und flinken Bewegungen eines Mannes, der schon so manchen Hirsch aufgebrochen hatte, packte er den Balg mit beiden Händen und löste ihn dann, vor Anstrengung ächzend, von den dunkelroten Muskeln und den von silbrigen Faszien umhüllten Sehnen. Es war kalt in der offenen Garage, und sein Atem stieg in weißen Wolken auf, als er innehielt, um zu verschnaufen. Wie sein Bruder Nick auf dem Foto hatte Eddie breite Schultern, dunkle Augen und den gleichen harten Blick, doch er war eine ungepflegte Version seines Bruders, mit seiner blutbefleckten Latzhose und der Wollmütze auf dem Kopf, und seine Bartstoppeln waren im zarten Alter von neununddreißig bereits mit Grau gesprenkelt.

»Nachdem sie Tyrone in diesem Baum gefunden haben, hat die State Police mir die Hölle heißgemacht und mir immer wieder dieselben Fragen gestellt. Wo könnte Nick untergetaucht sein? Wer versteckt ihn? Ich hab ihnen ein ums andere Mal gesagt, dass sie auf dem falschen Dampfer sind. Dass Nick auch etwas zugestoßen sein muss. Er wäre doch nie ohne seinen Fluchtrucksack abgehauen.«

»Ohne was?«

»Sagen Sie bloß, Sie haben noch nie was von einem Fluchtrucksack gehört.« Eddie musterte ihn und Jane stirnrunzelnd über die gespreizten Hinterläufe des Bocks hinweg.

»Was ist das genau?«

»Da bewahren Sie Ihre Überlebensausrüstung auf. Für den Fall, dass das ganze System zusammenbricht. Sehen Sie mal, wenn es zu einer Katastrophe kommt, also zum Beispiel durch eine schmutzige Bombe oder einen Terroranschlag, dann sehen die Leute in den Großstädten ganz schön alt aus. Kein Strom, Massenpanik. Und deshalb braucht man so einen Fluchtrucksack.« Eddie zog den Balg noch weiter ab, und bei dem Geruch nach blutigem Hirschfleisch, roh und streng, wandte Frost sich mit angewiderter Miene ab.

Eddie beäugte ihn amüsiert. »Sind wohl kein Wildliebhaber?«

Frost starrte auf das glitzernde, von Fettstreifen durchzogene Fleisch. »Ich hab's ein Mal probiert.«

»Und hat's Ihnen nicht geschmeckt?«

»Nicht besonders.«

»Dann war es nicht richtig zubereitet. Oder nicht richtig erlegt. Damit das Fleisch gut schmeckt, muss der Hirsch schnell zu Boden gehen. Ein sauberer Schuss, kein Kampf. Wenn das Tier nur verletzt ist und Sie es hetzen müssen, wird das Fleisch nach Angst schmecken.«

Frost starrte die freigelegten Muskeln an, mit denen dieser Bock noch vor Kurzem durch Felder und Wälder gelaufen war. »Und wie schmeckt Angst?«

»Wie verbranntes Fleisch. Die Panik jagt alle möglichen

Hormone durch den Körper von so einem Tier, und man schmeckt den Stress. Das ruiniert das Aroma.« Mit einem sauberen Schnitt löste er ein faustgroßes Stück Fleisch aus der Keule und warf es in eine Edelstahlschüssel. »Der hier wurde sauber geschossen. Hat überhaupt nicht gemerkt, wie ihm geschah. Das wird ein feines Ragout.«

»Sind Sie je mit Ihrem Bruder auf die Jagd gegangen?«, fragte Jane.

»Nick und ich haben schon von klein auf zusammen gejagt.« Er schnitt noch ein Stück heraus. »Das vermisse ich echt.«

»War er ein guter Schütze?«

»Besser als ich. Total ruhige Hand, hat sich immer genug Zeit gelassen.«

»Dann könnte er also draußen im Wald überleben.«

Eddie bedachte sie mit einem kalten Blick. »Es ist fünf Jahre her. Glauben Sie vielleicht, er treibt sich immer noch da draußen rum wie so eine Art Waldmensch?«

»Was glauben *Sie*, wo er ist?«

Eddie warf das Messer in einen Eimer, und das vom Blut verfärbte Wasser spritzte auf den Beton. »Sie sind hinter dem falschen Mann her.«

»Wer ist denn der richtige?«

»Jedenfalls nicht Nick. Er ist kein Mörder.«

Sie betrachtete den toten Bock, bei dessen linkem Hinterlauf jetzt schon der Knochen freilag. »Als Nicks Kumpel Tyrone gefunden wurde, war er ausgeweidet und aufgehängt, genau wie ein Hirsch.«

»Na und?«

»Nick war Jäger.«

»Das bin ich auch, und ich habe keinen umgebracht. Ich ernähre nur meine Familie – etwas, wovon Leute wie Sie so weit entfernt sind, dass Sie wahrscheinlich noch nie im

Leben ein Ausbeinmesser in der Hand hatten.« Er fischte das abgewaschene Messer aus dem Eimer und hielt es Jane hin. »Wollen Sie es nicht mal versuchen, Detective? Na los, nehmen Sie es. Schneiden Sie ein Stück ab, und finden Sie raus, wie es sich anfühlt, sich sein Essen selbst zu beschaffen. Oder haben Sie Angst, sich die Hände blutig zu machen?«

Jane sah die Geringschätzung in seinen Augen. Oh nein, so ein Stadtkind würde sich nie die Finger schmutzig machen. Es waren Männer wie die Thibodeau-Brüder, die jagten, den Acker bestellten und schlachteten, damit sie ihr Steak auf dem Teller serviert bekam. Sie mochte für seinesgleichen nur Verachtung übrig haben, aber das beruhte auf Gegenseitigkeit.

Sie nahm das Messer, trat auf den Bock zu und schnitt tief ins Fleisch, bis auf den Knochen. Als der erkaltete Muskel sich teilte, roch sie all das, was der Hirsch einmal gewesen war: frisches Gras, Eicheln und Moos. Und Blut, roh und metallisch. Das Fleisch löste sich vom Knochen, ein fester, dunkelroter Keil, den sie in die Schüssel warf. Sie sah Eddie nicht an, als sie sich anschickte, das nächste Stück abzuschneiden.

»Wenn Nick seinen Freund Tyrone nicht getötet hat«, sagte sie und zog die Klinge durch das Muskelgewebe, »wer ist es dann Ihrer Meinung nach gewesen?«

»Keine Ahnung.«

»Nick hat eine Vorgeschichte von Gewalttaten.«

»Er war kein Engel. Hat sich öfter mal geprügelt.«

»Hat er sich je mit Tyrone geprügelt?«

»Ein Mal.«

»Soweit Sie wissen.«

Eddie nahm ein anderes Messer und griff tief in den Kadaver, um ein Filet herauszuschneiden. Er hantierte kaum eine Armlänge von ihr entfernt mit der scharfen Klinge, doch Jane schnitt seelenruhig ein weiteres Stück aus der Keule heraus.

»Tyrone war auch kein Engel, und sie haben beide gerne getrunken.« Eddie zog das blutige Filetstück heraus, glitschig wie ein Aal, und warf es in die Schüssel. Dann spülte er die Klinge in dem Eimer mit eiskaltem Wasser ab. »Nur weil ein Mann ab und zu mal die Beherrschung verliert, ist er noch lange kein Ungeheuer.«

»Vielleicht hat Nick ja nicht nur die Beherrschung verloren. Vielleicht hatten sie einen Streit, der in etwas weit Schlimmerem als einer Schlägerei mündete.«

Eddie sah sie unverwandt an. »Warum sollte er ihn in einen Baum hängen, dort draußen im Freien, wo jeder, der vorbeikam, ihn finden konnte? Nick ist nicht blöd. Er weiß, wie man seine Spuren verwischt. Wenn er Tyrone umgebracht hätte, dann hätte er ihn in den Wald geschleppt und verscharrt. Oder ihn zerstückelt und die Teile den Tieren zum Fraß hingeworfen. Was mit Tyrone gemacht wurde, das war etwas ganz anderes. Das war pervers. Das war *nicht* mein Bruder.« Er ging zu einer Werkbank, um sein Messer zu schleifen, und das Kreischen der Schleifmaschine brachte das Gespräch vorläufig zum Erliegen. In der Stahlschüssel türmte sich inzwischen ein Fleischberg, sicherlich an die zehn Kilo, und noch war der Hirsch nicht einmal zur Hälfte zerlegt. Draußen fiel inzwischen ein eisiger Nieselregen. An dieser einsamen Landstraße gab es nur eine Handvoll Häuser, und in der letzten halben Stunde hatte sie keine Autos vorbeifahren sehen. Und hier in dieser gottverlassenen Gegend standen sie in einer Garage und sahen zu, wie ein wütender Mann sein Messer schliff.

»Ist Ihr Bruder oft nach Boston gefahren?«, rief sie laut, um das Kreischen zu übertönen.

»Manchmal. Nicht oft.«

»Hat er mal einen Mann namens Leon Godt erwähnt?«

Eddie blickte kurz zu ihr auf. »Darum geht es also, wie? Um den Mord an Leon Godt?«

»Kannten Sie ihn?«

»Nicht persönlich, aber sein Name war mir natürlich ein Begriff. Wie den meisten Jägern. Ich konnte mir seine Arbeiten nie leisten, aber wenn Sie Ihre Jagdbeute präpariert haben wollten, dann war Godt *die* Adresse.« Eddie hielt inne. »Sind Sie deswegen hier und stellen Fragen über Nick? Sie glauben, dass *er* Leon Godt auf dem Gewissen hat?«

»Wir wollen nur wissen, ob die beiden sich kannten.«

»Wir haben Godts Artikel im *Trophy Hunter* gelesen. Und wir sind mal in die Stadt gefahren, um uns ein paar von seinen Großwildpräparaten anzuschauen. Aber soweit ich weiß, ist Nick dem Mann nie begegnet.«

»War er jemals in Montana?«

»Vor Jahren mal. Wir sind zusammen hingefahren, um uns den Yellowstone anzuschauen.«

»Wie lange ist das her?«

»Ist das wichtig?«

»Ja, das ist es.«

Eddie legte das Messer beiseite, das er geschliffen hatte, und sagte mit Argwohn in der Stimme: »Wieso fragen Sie nach Montana?«

»Es wurden noch andere Menschen ermordet, Mr. Thibodeau.«

»Sie meinen, so wie Tyrone?«

»Es gab Parallelen.«

»Wer waren diese anderen Leute?«

»Jäger, in Montana. Es passierte vor drei Jahren.«

Eddie schüttelte den Kopf. »Mein Bruder ist vor fünf Jahren verschwunden.«

»Aber er war in Montana. Er kennt den Staat.«

»Es war *ein* verdammter Trip zum Yellowstone!«

»Was ist mit Nevada?«, fragte Frost. »War er jemals dort?«

»Nein. Was denn, soll er dort auch jemanden umgebracht haben?« Eddie blickte zwischen Jane und Frost hin und her und schnaubte. »Sonst noch irgendwelche Morde, die Sie Nick anhängen wollen? Er kann sich nicht verteidigen, also können Sie ihn auch gleich für Ihre ganzen ungelösten Fälle verantwortlich machen.«

»Wo ist er, Eddie?«

»Das wüsste ich auch gerne!« Frustriert wischte er eine leere Schüssel vom Tisch, die mit ohrenbetäubendem Scheppern auf dem Betonboden landete. »Ich wünschte, ihr Scheißbullen würdet einfach mal euren verdammten Job machen und tatsächlich mal was rausfinden! Stattdessen schikaniert ihr mich immer noch wegen Nick. Ich habe seit fünf Jahren nichts mehr von ihm gehört. Als ich ihn das letzte Mal gesehen habe, da hat er auf der Veranda gesessen und mit Tyrone gesoffen. Sie haben über irgendwelchen Krempel gefeilscht, den sie oben vom Campingplatz mitgenommen hatten.«

»Mitgenommen?« Jetzt war es Jane, die verächtlich schnaubte. »Sie meinen gestohlen.«

»Von mir aus. Aber es war keine Schlägerei, okay? Es war eine… lebhafte Diskussion, mehr nicht. Sie sind dann zu Tyrone gefahren, und das war's. Das war das letzte Mal, dass ich sie gesehen habe. Ein paar Tage später kreuzt die State Police hier auf. Sie haben Nicks Truck auf dem Wandererparkplatz gefunden. Und sie haben Tyrone gefunden. Aber sie haben nie auch nur eine Spur von Nick gefunden.« Als sei er zu erschöpft, um noch länger zu stehen, sank Eddie auf eine Bank und schnaufte schwer. »Das ist alles. Mehr weiß ich nicht.«

»Sie sagten, Nicks Truck habe auf dem Wandererparkplatz gestanden.«

»Genau. Die Polizei vermutete, er hätte sich in die Wälder geschlagen. Sie meinen, er streift immer noch irgendwo durch die Wildnis wie Rambo und ernährt sich von Beeren und Pilzen.«

»Was glauben Sie, was passiert ist?«

Eddie war einen Moment lang still und starrte auf seine schwieligen Hände mit den blutverkrusteten Fingernägeln hinunter. »Ich glaube, dass mein Bruder tot ist«, sagte er leise. »Ich glaube, dass seine Knochen irgendwo verstreut sind und dass wir ihn bloß noch nicht gefunden haben. Oder vielleicht hängt er irgendwo an einem Baum, wie Tyrone.«

»Sie glauben also, er wurde ermordet.«

Eddie hob den Kopf und sah sie an. »Ich glaube, sie sind da draußen im Wald jemandem über den Weg gelaufen.«

21

Botswana

Als die Sonne aufgeht, finde ich mich allein in der Wildnis. Stundenlang bin ich durch die Dunkelheit gestolpert, und ich habe keine Ahnung, wie weit ich mich vom Lager entfernt habe. Ich weiß nur, dass ich flussabwärts gegangen bin, denn die ganze Nacht über hörte ich Rauschen des Wassers stets zu meiner Linken. Das Rosa der Morgendämmerung weicht dem Gold des Tages, und inzwischen bin ich so durstig, dass ich am Ufer auf die Knie falle und trinke wie ein wildes Tier. Noch gestern hätte ich darauf bestanden, dass das Wasser zuerst abgekocht oder mit Jod gereinigt würde. Ich hätte mir Sorgen gemacht wegen all der scheußlichen Mikroorganismen, die ich mir damit einverleibe – jeder Schluck eine tödliche Dosis Bakterien und Parasiten. Das alles spielt jetzt keine Rolle mehr, weil ich ohnehin sterben werde. Ich schöpfe das Wasser mit den hohlen Händen und trinke so gierig, dass es mein Gesicht bespritzt und von meinem Kinn herabrinnt.

Nachdem mein Durst endlich gestillt ist, lasse ich mich auf die Fersen sinken und blicke über den Fluss hinweg auf ein Dickicht von Papyrusstauden und wogendem Gras. Für die Wesen, die diese grüne und fremde Welt bevölkern, bin ich nur eine wandelnde Fleischquelle, und wohin ich schaue, glaube ich, gierige Mäuler zu sehen, die nur darauf warten, mich zu verschlingen. Mit dem Sonnenaufgang hat das laute Geschnatter der Vögel eingesetzt, und als ich den Kopf hebe, sehe ich Geier, die am Himmel gemächlich ihre Kreise ziehen. Haben sie mich schon als ihre nächste Mahlzeit auserkoren? Ich richte den Blick flussaufwärts, zum Lager zurück, und sehe die deutliche Spur von Fußabdrücken, die ich am Ufer hinterlassen habe. Ich erinnere mich, wie mühelos Johnny selbst die schwächsten Tatzenabdrücke lesen konnte. Meine Spur wird ihn zu mir führen, als wäre sie ein leuchtendes Neonband. Jetzt, da der Tag angebrochen ist, wird er sich auf die Jagd nach mir machen, denn er kann es sich nicht leisten, mich am Leben zu lassen. Ich bin die einzige Überlebende, ich allein weiß, was passiert ist.

Ich stehe auf und setze meine Flucht flussabwärts fort.

Ich darf nicht über Richard oder die anderen nachdenken. Meine ganze Energie muss ich aufs Überleben konzentrieren. Die Angst treibt mich voran, tiefer in die Wildnis hinein. Ich habe keine Ahnung, wohin dieser Fluss führt. Ich weiß nur, was ich im Reiseführer gelesen habe: dass die Flüsse und Bäche des Okavangodeltas durch die Regenfälle im Hochland von Angola gespeist werden. Das ganze Wasser, das Jahr für Jahr diese Lagunen und Sümpfe überflutet, aus denen auf wundersame Weise eine solche Vielfalt von Leben hervorgeht, wird am Ende in der ausgedörrten Kalahari versickern. Ich blicke nach oben, um den Stand der Sonne abzuschätzen, die sich eben erst über die Wipfel der Bäume erhebt. Ich gehe in südlicher Richtung.

Und ich habe Hunger.

In meinem Rucksack finde ich sechs Energieriegel, zweihundertvierzig Kalorien pro Stück. Ich erinnere mich, sie in London in meinen Koffer gepackt zu haben, für den Fall, dass mir das Essen im Busch nicht behagen würde, und ich weiß noch, wie Richard sich über meinen Mangel an kulinarischer Abenteuerlust mokiert hat. In wenigen Sekunden schlinge ich den Energieriegel hinunter, und ich muss mich zwingen, die übrigen fünf für später aufzuheben. Wenn ich in der Nähe des Flusses bleibe, werde ich wenigstens Wasser haben, einen unerschöpflichen Vorrat davon, auch wenn es eine Unzahl von Krankheiten überträgt, deren Namen ich nicht einmal aussprechen kann. Aber das Flussufer ist eine gefährliche Zone, wo sich die Wege von Räubern und Beutetieren oft kreuzen, wo Leben und Tod aufeinandertreffen. Zu meinen Füßen liegt ein von der Sonne gebleichter Tierschädel. Irgendein Paarhufer, der hier am Fluss sein Ende gefunden hat. Eine Reihe kleiner Wellen kräuselt die Wasserfläche, ein Krokodil taucht auf und sieht mich mit seinen stechenden Augen an. Besser, ich halte mich hier nicht zu lange auf. Ich schlage mich ins Gras und stelle fest, dass hier schon ein Pfad getrampelt wurde. Die tiefen Abdrücke in der staubigen Erde verraten mir, dass ich den Spuren einer Elefantenherde folge.

Angst schärft die Sinne, lässt alles überdeutlich hervortreten. Man sieht zu viel, hört zu viel, und ich muss mich gegen die Flut von Bildern und Geräuschen stemmen, die mich zu überwältigen droht. Und doch könnte jeder Sinneseindruck eine Warnung vor etwas sein, das mir nach dem Leben trachtet. All das muss ich gleichzeitig verarbeiten. Dieses Schwanken im Gras? Nur der Wind. Der Schatten der Schwingen, die über das Schilf hinwegstreichen? Ein Fischadler. Das Rascheln im Unterholz ist nur ein Warzenschwein, das an mir vorbeitrottet. Am Horizont ziehen hellbraune Impalas und die dunkleren Silhouetten von Kaffernbüffeln vorüber. Überall sehe ich Leben, es flattert und schnattert, schwimmt und schlingt. Schön anzusehen, hungrig und gefährlich. Und jetzt haben die Moskitos mich entdeckt und laben sich an meinem Blut. Meine kostbaren Tabletten habe ich im Zelt zurückgelassen, also kann ich noch Malaria auf die Liste meiner möglichen Todesarten setzen, wenn ich nicht vorher von einem Löwen zerfleischt, von einem Büffel niedergetrampelt, von einem Krokodil unter Wasser gezogen oder von einem Flusspferd erdrückt werde.

Je heißer es wird, desto gnadenloser attackieren mich die Moskitos. Im Gehen schlage ich wie wild nach ihnen, doch sie ballen sich zu einer stechenden Wolke zusammen, der ich nicht entkommen kann. In meiner Verzweiflung lasse ich mich zum Flussufer zurücktreiben, wo ich mit beiden Händen in den Schlamm greife und ihn mir ins Gesicht, auf Hals und Arme klatsche. Der Schlick ist schleimig, und von dem Gestank nach verrottender Vegetation muss ich würgen, aber ich schmiere mich so lange damit ein, bis ich von Kopf bis Fuß darin eingehüllt bin. Ich richte mich auf, wie ein Urzeitwesen, das sich aus dem Lehm formt. Wie Adam.

Ich folge weiter der Spur der Elefanten. Auch sie bleiben gerne in der Nähe des Flusses, und während ich marschiere, entdecke ich weitere Spuren, die mir verraten, dass dieser Pfad von einer Vielzahl anderer Tiere benutzt wird. Es ist so etwas wie eine Buschautobahn, auf der wir alle in den Fußstapfen der Elefanten wandern. Wenn Impalas und Kudus hier entlangkommen, dann mit Sicherheit auch Löwen.

Auch dies ist eine Todeszone, in der Räuber und Beute sich finden.

Doch das hohe Gras zu beiden Seiten birgt ebenso viele Gefahren, und ich habe nicht die Kraft, mir selbst einen Pfad durch diesen dichten Busch zu bahnen. Ich muss schnell vorankommen, denn Johnny ist mir sicher schon auf den Fersen – Johnny, das gefährlichste Raubtier von allen. Warum habe ich mich geweigert, es zu sehen? Während einer nach dem anderen aus unserer Gruppe abgeschlachtet wurde, ihr Fleisch und ihre Knochen an dieses hungrige Land verfüttert, war ich blind für das, was er im Schilde führte. Jeder Blick, den Johnny mir schenkte, jedes freundliche Wort war nur das Vorspiel zu einer neuen Bluttat.

Als die Sonne ihren Höchststand erreicht, schleppe ich mich immer noch den Elefantenpfad entlang. Der Schlamm trocknet zu einer harten Kruste auf meiner Haut, und Klümpchen davon geraten in meinen Mund, als ich einen zweiten Energieriegel verzehre, doch ich schlucke alles hinunter, mitsamt Sandkörnern und allem. Ich weiß, dass ich mit meinen Nahrungsvorräten haushalten sollte, aber ich bin schon ganz ausgehungert, und es wäre eine tragische Ironie, wenn ich hier tot zusammenbrechen sollte, während ich noch etwas Essbares in meinem Rucksack habe. Der Pfad schwenkt wieder zurück zum Flussufer, wo ich auf eine Lagune stoße. Die Oberfläche ist so schwarz und still, dass der ganze Himmel sich in ihrem Wasser spiegelt. Die Mittagshitze hat die Geräusche des Buschs verstummen lassen, sogar die Vögel schweigen. Am Ufer steht ein Baum, an dessen Ästen Dutzende von merkwürdigen sackartigen Gebilden hängen wie eine Art Christbaumkugeln. Mit meinem von Hitze und Erschöpfung benebelten Hirn frage ich mich, ob ich auf eine Kolonie von Kokons außerirdischer Lebewesen gestoßen bin, die hier heranreifen, wo sie vor Entdeckung sicher sind. Dann flattert ein Vogel vorbei und verschwindet in einem der Säcke. Es sind Nester von Webervögeln.

Das Wasser der Lagune bewegt sich, als ob etwas darin erwacht wäre. Ich weiche zurück, spüre die Nähe von etwas Bösem, das hier auf ahnungslose Opfer lauert. Ich fühle es wie einen kalten Schauer im Rücken, als ich mich wieder ins Gras zurückziehe.

An diesem Abend laufe ich geradewegs in die Elefantenherde hinein.

Wo der Busch derart undurchdringlich ist, kann auch ein so großes Tier wie ein Elefant einen überraschen, und als ich aus einer Gruppe von Akazien trete, steht sie urplötzlich direkt vor mir. Offenbar ist sie genauso erschrocken wie ich, und sie gibt einen schmetternden Trompetenton von sich, der mich fast von den Füßen holt. Ich bin zu schockiert, um wegzulaufen, und stehe wie angewurzelt da, die Akazien in meinem Rücken, die Elefantenkuh vor mir, ebenso regungslos wie ich. Während wir einander anstarren, registriere ich riesige graue Gestalten, die mich umzingeln. Es ist eine ganze Herde, die an den Ästen rüttelt und Zweige abbricht. Sie wissen natürlich, dass ich hier bin, und sie halten im Fressen inne, um den schlammbeschmierten Eindringling argwöhnisch zu beäugen. Wie mühelos jedes einzelne dieser Tiere mich töten könnte. Ein Schwinger mit dem Rüssel, ein mächtiger Fuß auf meiner Brust würde ihnen diese Bedrohung vom Leib schaffen. Ich spüre ihre forschenden Blicke, während sie sich über mein Schicksal zu beraten scheinen. Dann reckt eine Kuh ruhig den Rüssel, bricht einen Zweig ab und steckt ihn sich ins Maul. Eins nach dem anderen setzen sie ihre Mahlzeit fort. Sie haben ihr Urteil über mich gefällt und mir eine Gnadenfrist gewährt.

Lautlos ziehe ich mich ins Unterholz zurück und suche Schutz unter einem majestätischen Baum, der sich hoch über die Akazien erhebt. Ich klettere an dem mächtigen Stamm empor, bis ich hoch genug bin, um vor der Herde sicher zu sein, und mache es mir in einer Astgabel bequem. Wie meine Vorfahren, die ersten Primaten, finde ich Schutz in den Bäumen. In der Ferne bellen Hyänen und brüllen Löwen, Vorboten des Gemetzels, das die Dämmerung bringen wird. Von meiner hohen Warte aus sehe ich zu, wie die

Sonne untergeht, und ich höre, wie unten im Schatten der Bäume die Elefanten weiterfressen, höre das Rascheln der Zweige, das Schlurfen ihrer Schritte. Beruhigende Geräusche.

Das Schreien und Brüllen ringsum macht die Nacht zum Tag. Die Sterne beginnen zu funkeln, kristallklar an einem tiefschwarzen Himmel. Durch das Dach der Zweige erspähe ich das Sternbild des Skorpions, das Johnny mir am ersten Abend gezeigt hat. Es ist nur eines der vielen Dinge, die er mir über das Leben im Busch beigebracht hat, und ich frage mich, warum er sich die Mühe gemacht hat. Damit ich eine reelle Chance habe und eine würdigere Beute abgebe?

Irgendwie habe ich länger durchgehalten als alle anderen. Ich denke an Clarence und Elliot, an die Matsunagas und die Blondinen. Am meisten aber denke ich an Richard und an das, was uns einmal verbunden hat. Ich erinnere mich an die Versprechen, die wir uns gegeben haben, an die Abende, an denen wir eng umschlungen eingeschlafen sind. Plötzlich weine ich um Richard, um alles, was wir verloren haben, und meine Schluchzer sind wie die Rufe eines der unzähligen Tiere in diesem lärmenden nächtlichen Konzert. Ich weine, bis meine Brust schmerzt und mein Hals wund ist. Bis ich so erschöpft bin, dass meine Glieder erschlaffen.

Ich schlafe ein wie meine Vorfahren vor einer Million Jahren, in einem Baum, unter dem Sternenhimmel.

*

Als der vierte Tag anbricht, wickle ich den letzten Energieriegel aus. Ich esse ihn langsam, jeder Bissen ein Akt der Ehrfurcht vor dem Wunder der Nahrung. Denn es ist meine letzte Mahlzeit, jede Nuss, jede Haferflocke ein Hochgenuss, eine Geschmacksexplosion, die ich nie wirklich zu schätzen gewusst habe. Ich denke an die vielen Festessen, bei denen ich mir den Bauch vollgeschlagen habe, aber keines war so festlich wie dieses Mahl, das ich in einem Baum zu mir nehme, während das Gold der aufgehenden Sonne sich über den Himmel ergießt. Ich lecke die letzten Krümel vom Papier und steige dann hinunter zum Flussufer, wo ich auf die Knie sinke wie zum Gebet und von dem vorbeifließenden Wasser trinke.

Als ich mich wieder erhebe, fühle ich mich eigenartig gesättigt. Ich kann mich nicht erinnern, wann das Flugzeug am Landeplatz sein soll, aber es spielt jetzt kaum noch eine Rolle. Johnny wird dem Piloten erzählen, es habe ein furchtbares Unglück gegeben, und es sei niemand mehr am Leben, nach dem man suchen müsse. Niemand wird je nach mir suchen. In den Augen der Welt bin ich tot.

Ich schöpfe Schlamm aus dem Flussbett und schmiere mir eine neue Schicht auf Gesicht und Arme. Schon spüre ich die Hitze der Sonne im Nacken, und Schwärme von stechenden Insekten steigen aus dem Schilf auf. Der Tag hat kaum begonnen, und ich bin bereits erschöpft.

Ich zwinge mich aufzustehen. Und setze meinen Marsch nach Süden fort.

Am Nachmittag des folgenden Tages bin ich schon so hungrig, dass ich mich vor Magenkrämpfen krümme. Ich trinke aus dem Fluss und hoffe, dass das Wasser die Qualen lindern wird, aber ich schlucke zu viel zu schnell hinunter, und es kommt alles wieder hoch. Ich knie im Schlamm, würgend und schluchzend. Wie leicht wäre es, jetzt einfach aufzugeben! Mich hinzulegen und meinen Körper den Tieren darzubieten. Mein Fleisch, meine Knochen werden von der Wildnis verschlungen und bleiben für immer ein Teil von Afrika. Aus diesem Land sind wir alle hervorgegangen, und in dieses Land werde ich zurückkehren. Es ist ein passender Ort zum Sterben.

Im Wasser plätschert es, und als ich den Kopf hebe, sehe ich zwei Ohren auftauchen. Ein Flusspferd. Ich bin nahe genug, um es aufzuschrecken, aber ich empfinde keine Angst mehr, es ist mir egal, ob ich lebe oder sterbe. Obwohl das Tier mich bemerkt hat, setzt es sein Sonnenbad unbekümmert fort. Kleine Fische und Insekten kräuseln die trübe Wasserfläche, und Kraniche stoßen aus der Luft herab. An diesem Ort, wo ich dem Tod entgegensehe, ist so viel Leben. Ich sehe zu, wie ein Insekt auf ein Dickicht von Papyrusstauden zuschwebt, und plötzlich bin ich so hungrig, dass ich auch diese Libelle verschlingen würde. Aber ich bin nicht schnell genug, und ich erwische nur eine Handvoll Halme, dick und faserig. Ich weiß nicht, ob ich mich damit vergifte, es ist mir gleich. Ich will nur etwas im Magen haben, damit die Krämpfe aufhören.

Mit dem Taschenmesser aus meinem Rucksack schneide ich eine Handvoll Halme ab und beiße hinein. Die Rinde ist weich, das Mark mehlig. Ich kaue und kaue, bis ich nur noch einen harten Faserklumpen im Mund habe, den ich ausspucke. Die Krämpfe lassen nach. Ich schneide noch eine Handvoll Papyrushalme ab und kaue sie wie ein Tier. Wie das Flusspferd, das friedlich daneben grast. Schneiden, kauen, schneiden, kauen. Mit jedem Mundvoll nehme ich den Busch in mich auf, spüre, wie er eins wird mit mir.

Die Frau, die ich einmal war, Millie Jacobson, hat das Ende ihrer Reise erreicht. Ich knie hier am Flussufer und gebe ihre Seele preis.

22

Boston

Maura konnte ihn nicht sehen, doch sie wusste, dass er sie beobachtete.

»Dort, auf dem Felsvorsprung«, sagte Dr. Alan Rhodes, der Großkatzenexperte des Zoos. »Er ist gleich hinter diesem Grasbüschel. Er ist schwer zu sehen, weil er vor dem Hintergrund der Felsen so perfekt getarnt ist.«

Jetzt erst entdeckte Maura die gelbbraunen Augen. Sie fixierten sie und nur sie, mit dieser kalten, laserartigen Konzentration, die Räuber und Beute verbindet. »Ich hätte ihn völlig übersehen«, murmelte sie. Sie fröstelte bereits von dem kalten Wind, doch als sie den unerbittlichen Blick des Pumas auf sich ruhen fühlte, schien ihr die Kälte bis in die Knochen zu dringen.

»Aber er hat *Sie* bestimmt nicht übersehen«, sagte Rhodes. »Wahrscheinlich beobachtet er Sie schon, seit wir um diese Wegbiegung gekommen und in sein Blickfeld getreten sind.«

»Sie sagen, er beobachtet mich. Warum nicht Sie?«

»Für ein Raubtier dreht sich alles darum, die leichteste Beute zu identifizieren. Ein Puma wird immer zuerst ein Kind oder eine Frau anfallen, ehe er sich an einen erwachsenen Mann heranwagt. Sehen Sie da drüben die Familie, die auf uns zukommt? Beobachten Sie mal, was der Puma macht. Achten Sie auf seine Augen.«

Oben auf dem Felsen schwenkte der Kopf des Pumas plötzlich herum, und er spannte sich schlagartig an. Sie sah das Spiel seiner Muskeln, als er sich zum Sprung duckte. Sein Blick war nicht mehr auf Maura gerichtet. Diese laserscharfen Augen fixierten jetzt ein neues Angriffsziel, das auf das Gehege zugerannt kam. Ein Kind.

»Er spricht sowohl auf die Größe als auch auf die Bewegung an«, erklärte Rhodes. »Wenn ein Kind am Gehege einer Großkatze vorbeikommt, ist es, als würde in ihrem Kopf ein Schalter umgelegt. Es ist eine rein instinktive Reaktion.« Rhodes wandte sich zu ihr um. »Ich wüsste gerne, warum Sie sich plötzlich so für Pumas interessieren. Nicht dass ich ein Problem damit hätte, Fragen zu beantworten«, fügte er rasch hinzu. »Im Gegenteil, es wäre mir ein Vergnügen, Ihnen demnächst einmal beim Lunch noch mehr zu erzählen.«

»Ich finde Großkatzen faszinierend, aber eigentlich bin ich hier wegen eines Falls, an dem wir arbeiten.«

»Dann ist Ihr Interesse also beruflicher Natur.«

War das Enttäuschung, was sie aus seiner Stimme heraushörte? Sie konnte seine Miene nicht lesen, denn er hatte sich zum Gehege umgedreht und die Ellbogen auf das Geländer gestützt, sein Blick war wieder auf den Puma gerichtet. Sie überlegte, wie es wohl wäre, mit Alan Rhodes essen zu gehen. Ein interessantes Gespräch mit einem Mann, der offenbar mit Herzblut seinem Beruf nachging. Sie sah Intelligenz in seinen Augen; er war zwar nicht besonders groß, aber durch die viele Arbeit im Freien braun gebrannt und fit. In so einen soliden, zuverlässigen Mann *hätte* sie sich verlieben sollen – aber der Funke sprang nicht über. Es war die Jagd nach diesem verdammten Funken, die ihr nichts als Kummer eingebracht hatte. Warum funkte es nie bei einem Mann, der sie glücklich machen konnte?

»Was hat das Verhalten von Pumas mit einem Fall für die Rechtsmedizin zu tun?«, fragte er.

»Ich möchte mehr über ihr Jagdverhalten wissen. Wie sie töten.«

Er runzelte die Stirn. »Hat es hier in diesem Staat einen Puma-Angriff gegeben? Das würde jedenfalls die Gerüchte bestätigen, die mir zu Ohren gekommen sind.«

»Was für Gerüchte?«

»Über Pumas in Massachusetts. Es werden aus ganz Neuengland Sichtungen gemeldet, aber im Moment sind das noch mehr oder weniger Phantome, denn es gibt nie eine Bestätigung. Bis auf den einen, der vor einigen Jahren in Connecticut getötet wurde.«

»In Connecticut? War das ein entlaufenes Haustier?«

»Nein, dieser Puma war eindeutig wild. Er wurde auf einem Highway in Milford von einem SUV überfahren. Die DNS-Analyse ergab, dass er aus einer Gruppe wilder Pumas in South Dakota hier eingewandert war. Es steht also fest, dass diese Katzen schon an der Ostküste angekommen sind. Wahrscheinlich haben wir sie auch hier in Massachusetts.«

»Ich finde das beängstigend. Aber Sie scheint diese Aussicht ja fast zu begeistern.«

Er lachte verlegen. »Haiexperten lieben Haie. Wer sich mit Dinosauriern befasst, flippt aus, wenn er einen Tyrannosaurus findet. Das heißt noch nicht, dass wir gerne einem begegnen würden, aber was uns allen gemeinsam ist, das ist dieses ehrfürchtige Staunen über die großen Räuber. Wussten Sie, dass Pumas früher auf dem ganzen Kontinent verbreitet waren, von Küste zu Küste, ehe wir sie vertrieben haben? Ich finde es einfach aufregend, dass sie jetzt wieder da sind.«

Die Familie mit dem Kind war inzwischen weitergegangen, und der Blick des Pumas heftete sich erneut auf Maura.

»Wenn sie hier im Staat sind«, sagte sie, »dann ist jetzt wohl Schluss mit friedlichen Spaziergängen im Wald.«

»Ich würde deswegen nicht gleich in Panik geraten. Sehen Sie sich doch nur an, wie viele Pumas es in Kalifornien gibt. Aufnahmen von Nachtsichtkameras mit Bewegungsmelder haben sie schon beim Umherstreifen im Griffith Park in L.A. erwischt. Aber man hört nur selten von Zwischenfällen, obwohl es schon Angriffe auf Jogger und Radfahrer gegeben hat. Sie sind darauf gepolt, fliehende Beutetiere zu jagen, deshalb merken sie sofort auf, wenn etwas sich bewegt.«

»Sollte man dann lieber stehen bleiben? Oder versuchen, sie zu vertreiben?«

»Ehrlich gesagt, Sie würden einen Puma überhaupt nicht kommen sehen. Ehe Sie überhaupt merken, dass er da ist, hat er seine Zähne schon in Ihre Kehle geschlagen.«

»Wie bei Debbie Lopez.«

Rhodes schwieg einen Moment. Und sagte leise: »Ja. Wie bei der armen Debbie.« Er sah sie an. »Hat es denn nun hier bei uns einen Puma-Angriff gegeben?«

»Es geht um einen Fall in Nevada. In den Sierras.«

»Da gibt es natürlich Pumas. Was waren die genauen Umstände?«

»Das Opfer war eine Wanderin. Ihre Leiche war bereits von Vögeln angefressen, als sie gefunden wurde, aber es gab diverse Anzeichen, die den Rechtsmediziner einen Puma-Angriff vermuten ließen. Zum einen wurde das Opfer ausgeweidet…«

»Was bei Angriffen durch Großkatzen durchaus nicht selten ist.«

»Die andere Sache, die den Rechtsmediziner verwirrte, war der Fundort der Leiche. Sie hing in einem Baum.«

Er starrte sie an. »In einem Baum?«

»Sie hing in etwa drei Meter Höhe über einem Ast. Die Frage ist, wie kam sie dorthin? Könnte ein Puma sie hinaufgeschleppt haben?«

Er dachte einen Moment darüber nach. »Das ist nicht das typische Verhalten von Pumas.«

»Nachdem der Leopard Debbie Lopez getötet hatte, schleifte er sie auf den Felsen. Sie sagten, das tue er instinktiv, um seine Beute zu sichern.«

»Ja, dieses Verhalten ist typisch für den Afrikanischen Leoparden. Im Busch hat er es mit der Konkurrenz durch andere Fleischfresser zu tun – Löwen, Hyänen, Krokodile. Indem er ein großes Beutetier auf einen Baum schleppt, schützt er es vor Aasfressern. Wenn er das Tier erst einmal sicher auf einem Ast deponiert hat, kann er in Ruhe fressen. Wenn Sie in Afrika eine tote Impala in einem Baum sehen, kann sie nur von einem Tier dorthin gebracht worden sein.«

»Was ist mit Pumas? Kennt man dieses Verhalten auch von ihnen?«

»Der nordamerikanische Puma hat nicht die Konkurrenz durch Aasfresser wie die Fleischfresser in Afrika. Ein Puma schleppt seine Beute vielleicht einmal in dichtes Unterholz oder in eine Höhle, bevor er sich ans Fressen macht. Aber auf einen Baum?« Er schüttelte den Kopf. »Das wäre ungewöhnlich. Das ist eher das Verhalten des Afrikanischen Leoparden.«

Sie wandte sich wieder zum Gehege um. Die Augen des Pumas waren immer noch auf sie gerichtet, als ob sie allein seinen Hunger stillen könnte. »Erzählen Sie mir mehr über Leoparden«, sagte sie leise.

»Ich kann mir kaum vorstellen, dass in Nevada ein Leopard frei herumläuft, es sei denn, er wäre aus einem Zoo entkommen.«

»Trotzdem, ich wüsste gerne mehr über diese Tiere. Ihr Verhalten, ihre Jagdtechnik.«

»Nun ja, *Panthera pardus*, der Afrikanische Leopard, ist die Art, mit der ich mich am besten auskenne. Es gibt dann noch eine Reihe von Unterarten – *Panthera pardus orientalis*, *Panthera pardus fusca*, *Panthera pardus japonensis* –, aber die sind nicht so gut erforscht. Bevor wir Menschen sie bis an den Rand der Ausrottung gejagt haben, waren Leoparden in ganz Asien und Afrika verbreitet, in Europa drangen sie sogar bis nach England vor. Es ist traurig, feststellen zu müssen, dass es heute auf der ganzen Welt nur noch so wenige gibt. Zumal, da wir ihnen zu Dank verpflichtet sind, denn sie haben uns geholfen, die Evolutionsleiter schneller zu erklimmen.«

»Wie das?«

»Nun, es gibt da diese Theorie, wonach die frühen Hominiden in Afrika ihre Nahrung nicht durch Jagd erbeuteten, sondern indem sie Leoparden das Fleisch wegnahmen, das diese auf Bäumen gelagert hatten. Diese Bäume müssen für unsere Vorfahren so etwas wie Fast-Food-Lokale gewesen sein. Sie konnten sich die Mühe sparen, selbst eine Impala zu jagen. Sie mussten nur warten, bis der Leopard eine erbeutet hatte und sie auf einen Baum schleppte. Nachdem er sich satt gefressen hat, verschwindet er normalerweise für ein paar Stunden. Das ist dann die Gelegenheit, sich den Rest des Kadavers zu schnappen. Und diese leicht zugängliche Proteinquelle könnte die Gehirnentwicklung unserer Vorfahren gefördert haben.«

»Und der Leopard lässt sich das einfach so gefallen?«

»Man hat mithilfe von Halsbandsendern festgestellt, dass Leoparden tagsüber nicht bei ihrer Beute bleiben. Sie schlagen sich den Bauch voll, verschwinden für eine Weile und kommen später wieder, um weiterzufressen. Da die Kadaver oft ausgeweidet sind, hält sich das Fleisch einige Tage lang. Das gab unseren Vorfahren die Gelegenheit, sich heranzuschleichen und ihm die Mahlzeit zu stibitzen. Aber Sie haben recht, so ganz ungefährlich dürfte das nicht gewesen sein. Viele prähistorische Hominidenknochen wurden in alten Leopardenhöhlen gefunden. Wir haben ihnen das Essen geklaut, aber manchmal haben sie auch den Spieß umgedreht und *uns* zu ihrem Essen gemacht.«

Sie dachte an die Katze in ihrem eigenen Haus, die sie genauso durchdringend anstarrte wie jetzt dieser Puma. Die Beziehung zwischen Katzen und Menschen war nicht einfach eine zwischen Jäger und Beute, sie war viel komplexer. Eine Hauskatze mochte auf deinem Schoß sitzen und dir aus der Hand fressen, aber sie hatte immer noch die Instinkte eines Jägers.

Wie wir auch.

»Es sind Einzelgänger?«, fragte sie.

»Ja, wie die meisten Katzen. Löwen bilden die Ausnahme. Gerade Leoparden leben sehr einzelgängerisch. Die Weibchen lassen ihre Jungen bis zu einer Woche allein, weil sie lieber ohne sie auf die Jagd und auf Futtersuche gehen. Wenn die Jungen eineinhalb Jahre alt sind, lösen sie sich ganz von der Mutter und ziehen los, um sich ihr eigenes Revier zu sichern. Außer zur Paarungszeit halten sie sich von Artgenossen fern. Sie sind sehr scheu und schwer zu finden. Sie sind nächtliche Jäger und haben den Ruf, besonders gerissen zu sein, und man kann verstehen, warum sie in der Mythologie einen so großen Raum einnehmen. Und warum die Urmenschen die Dunkelheit fürchteten, denn sie wussten, dass sie in der Nacht jederzeit damit rechnen mussten, dass ein Leopard ihnen die Kehle durchbeißen würde.«

Sie dachte an Debra Lopez, für die dieser Moment des

Schreckens wohl die letzte bewusste Wahrnehmung gewesen war. Maura blickte zum Leopardengehege, das nur wenige Meter entfernt war. Nach dem Tod der Tierpflegerin hatte man eine Sichtschutzwand vor dem Käfig errichtet, dennoch standen dort jetzt zwei Zoobesucher und machten Fotos mit ihren Handys. Der Tod war ein Star, der immer sein Publikum anzog.

»Sie sagten, dass Großkatzen ihre Beute ausweiden.«

»Das ist einfach eine Folge der Art und Weise, wie sie das Beutetier auffressen. Leoparden reißen die Körperhöhlen von hinten nach vorn auf. Dabei werden die Eingeweide freigelegt, die sie innerhalb der ersten vierundzwanzig Stunden verzehren. Das verhindert, dass das Fleisch zu schnell schlecht wird, und so kann die Katze sich mit dem Fressen Zeit lassen.« Er hielt inne, als sein Handy klingelte. Mit einem entschuldigenden Blick nahm er den Anruf an. »Hallo? Oh Gott, Marcy, das war mir vollkommen entfallen. Ich komme sofort.« Mit einem Seufzer legte er auf. »Tut mir leid, aber ich werde bei einer Vorstandssitzung erwartet. Es ist mal wieder der endlose Kampf um Finanzmittel.«

»Danke, dass Sie sich Zeit für mich genommen haben. Sie haben uns sehr geholfen.«

»Gerne, jederzeit.« Er wandte sich zum Gehen, drehte sich aber nach ein paar Schritten noch einmal um und rief: »Wenn Sie mal Lust auf eine Privatführung außerhalb der Öffnungszeiten haben, rufen Sie mich einfach an!«

Sie sah ihm hinterher, als er davoneilte und hinter der Wegbiegung verschwand, und plötzlich war sie allein und stand fröstelnd im Wind.

Nein, nicht ganz allein. Durch die Gitterstäbe des leeren Leopardenkäfigs erhaschte sie einen Blick auf helle Haare, flachsblond wie eine Löwenmähne, und breite Schultern, bekleidet mit einer braunen Fleecejacke. Es war der Zoo-Tierarzt Dr. Oberlin. Einen Moment lang beäugten sie sich wie zwei scheue Kreaturen, die sich im Busch unverhofft gegenüberstehen. Dann nickte er ihr knapp zu, winkte und verschwand im Schutz des Gebüschs.

So unsichtbar wie ein Puma, dachte sie. Ich habe die ganze Zeit nicht gewusst, dass er da war.

23

»Wenn es tatsächlich eine Verbindung zwischen diesen diversen Überfällen in verschiedenen Staaten gibt, dann haben wir es mit einem hochkomplexen rituellen Verhaltensmuster zu tun«, sagte Dr. Lawrence Zucker. Der Kriminalpsychologe war für das Boston PD als Berater tätig, und seine hünenhafte Gestalt mit dem auffällig blassen Gesicht war inzwischen eine vertraute Erscheinung im Morddezernat. Von seinem Platz am Kopfende des Tischs beobachtete er Maura und die vier Detectives, die sich an diesem Morgen im Besprechungsraum zusammengefunden hatten. Zucker hatte etwas verstörend Reptilienartiges an sich, und als sein Blick Maura streifte, hatte sie das Gefühl, als ob eine kalte Echsenzunge über ihr Gesicht leckte.

»Bevor wir hier voreilige Schlüsse ziehen«, sagte Detective Crowe, »müssten wir doch erst einmal klären, ob es diese Verbindung zwischen den Fällen überhaupt gibt. Dr. Isles hat diese Theorie aufgebracht, nicht wir.«

»Und wir gehen dem immer noch nach«, sagte Jane. »Frost und ich sind gestern nach Maine gefahren, um über den Fall zu recherchieren, der sich vor fünf Jahren dort ereignet hat. Das Opfer war ein Mann namens Brandon Tyrone, er wurde ausgeweidet und an einem Ast hängend aufgefunden.«

»Und was halten Sie davon?«, fragte Zucker.

»Ich kann nicht sagen, dass wir sehr viel klarer sehen als vorher. Die Maine State Police ist ganz auf einen bestimmten Verdächtigen fixiert, einen Mann namens Nick Thibodeau. Er war mit dem Opfer bekannt. Es ist möglich, dass ein Streit zwischen den beiden der Auslöser für den Mord war.«

»Ich habe mit Montana und Nevada telefoniert«, warf Crowe ein, »und mit den Kollegen über ihre Fälle gesprochen. Laut ihrer Einschätzung lassen sich beide Vorfälle durch Puma-Angriffe erklären. Ich wüsste nicht, wie diese auswärtigen Fälle mit unserem oder dem Mord in Maine in Zusammenhang stehen.«

»Es ist die *Symbolik*, die sie alle verbindet«, sagte Maura, die nicht länger an sich halten konnte. Weder Polizistin noch Psychologin, war sie wieder einmal die Außenseiterin bei dieser Besprechung, an der sie auf Einladung von Dr. Zucker teilnahm. Als alle Augen sich auf sie richteten, spürte sie, wie eine Mauer der Skepsis sich vor ihr auftürmte. Eine Mauer, die sie niederreißen musste. Crowe hatte schon sämtliche Schutzschilde hochgefahren. Frost und Jane bemühten sich, aufgeschlossen zu wirken, aber sie hörte den Mangel an Begeisterung in Janes Stimme. Johnny Tam schließlich war so undurchschaubar wie eh und je und behielt seine Meinung für sich.

»Nachdem ich mit Dr. Rhodes über das Verhalten von Leoparden gesprochen hatte, wurde mir klar, dass *das* der rote Faden war. Die Art, wie ein Leopard jagt, wie er frisst, wie er seine Beute an einen hoch gelegenen Ort schafft. All das können wir bei diesen Opfern beobachten.«

»Also, wonach suchen wir?« Crowe lachte höhnisch. »Nach dem Leopardenmenschen?«

»Sie ziehen das ins Lächerliche, Detective Crowe«, entgegnete Zucker. »Aber ich würde Dr. Isles' Theorie nicht so vorschnell verwerfen. Als sie mich gestern deswegen anrief, hatte ich auch meine Zweifel. Aber dann habe ich mich näher mit diesen Mordfällen in den anderen Staaten beschäftigt.«

»Die Fälle in Nevada und Montana waren vielleicht gar keine Morde«, wandte Crowe ein. »Noch einmal: Die Rechtsmediziner sind der Meinung, es *könnten* Puma-Angriffe gewesen sein.«

»Dr. Rhodes sagt, dass Pumas ihre Beute normalerweise nicht auf Bäume schleppen«, sagte Maura. »Und was ist mit den anderen Mitgliedern dieser beiden Gruppen passiert? Die Gruppe in Nevada bestand aus vier Wanderern, von denen nur eine gefunden wurde. In Montana waren es drei Jäger, und nur von zweien wurden die Leichen gefunden. Sie können doch nicht *alle* von einem Puma verschleppt worden sein.«

»Vielleicht von einer Pumafamilie.«

»Es war kein Puma«, sagte Maura.

»Wissen Sie, Dr. Isles, es fällt mir ein bisschen schwer, mit Ihren ständig wechselnden Theorien mitzukommen.« Crowe sah in die Runde. »Zuerst hören wir, dass dieser Mörder Jäger hasst und sie deswegen aufhängt und ausweidet. Und was soll es jetzt sein? Irgendein Irrer, der sich für einen Leoparden hält?«

»Er muss nicht unbedingt verrückt sein.«

»Also, wenn ich so tun würde, als wäre ich ein Leopard«, meinte Crowe, »dann würden Sie sicher gleich die Jungs in den weißen Kitteln rufen und mich wegsperren lassen.«

Jane murmelte leise: »Könnten wir das bitte gleich in die Wege leiten?«

»Sie müssen sich anhören, was Dr. Isles zu sagen hat.« Dr. Zucker sah Maura an. »Schildern Sie uns doch bitte noch einmal den Zustand von Mr. Godts Leiche.«

»Wir haben alle den Obduktionsbericht gelesen«, sagte Crowe.

»Trotzdem würde ich Dr. Isles bitten, die Verletzungen noch einmal zu beschreiben.«

Maura nickte. »Ich fand eine Impressionsfraktur am rechten Scheitelbein, die vermutlich von einem Schlag mit einem stumpfen Gegenstand herrührt. Es fanden sich auch mehrere parallele Risswunden im Rumpf, die dem Opfer wahrscheinlich postmortal zugefügt wurden. Der Schildknorpel war eingedrückt, was höchstwahrscheinlich zum Erstickungstod führte. Ein einzelner Schnitt zog sich vom Schwertfortsatz des Brustbeins bis hinunter zum Schambein, und sowohl aus der Brust- als auch aus der Bauchhöhle wurden sämtliche Organe entfernt.« Sie hielt inne. »Soll ich fortfahren?«

»Nein, ich denke, das Bild ist jetzt klar genug. Und nun möchte ich Ihnen allen die Schilderung eines Arztes vorlesen. Sie stammt von einem anderen Tatort.« Zucker setzte seine Brille auf. »›Bei dem Opfer handelt es sich um eine junge Frau von circa achtzehn Jahren, die bei Tagesanbruch tot in ihrer Hütte aufgefunden wurde. Ihr Kehlkopf war eingedrückt, Gesicht und Hals wie von zahlreichen Krallenhieben aufgerissen, die Weichteile so schrecklich verstümmelt, dass es den Anschein hat, als sei sie teilweise aufgefressen worden. Gedärme und Leber fehlen, aber hier muss ich auf ein eigenartiges Detail hinweisen: Das eine Ende des Darms war erstaunlich sauber abgetrennt. Eine eingehendere Untersuchung ergab, dass das Abdomen durch einen auffällig geraden und sauberen Schnitt aufgetrennt wurde – eine Wunde, die kein mir bekanntes Wildtier hätte verursachen können. Ich muss daher entgegen meinem ersten Eindruck, dass diese arme Seele das Opfer eines Angriffs durch einen Leoparden oder Löwen geworden sei, zu dem Schluss kommen, dass die Tat ohne jeden Zweifel von einem Menschen verübt wurde.‹« Er legte das Blatt weg, von dem er abgelesen hatte. »Sie werden doch sicher alle zustimmen, dass dieser Bericht eine verblüffende Ähnlichkeit mit dem aufweist, was Dr. Isles soeben geschildert hat.«

»Und was war das für ein Fall?«, fragte Frost.

»Der Bericht wurde von einem deutschen Missionsarzt geschrieben, der in Sierra Leone arbeitete.« Zucker machte eine Kunstpause. »Im Jahr 1948.«

Es wurde mucksmäuschenstill im Raum. Maura sah sich am Tisch um und las Verwunderung in Frosts und Tams Mienen, Skepsis in der von Crowe. *Und was denkt Jane? Dass ich jetzt endgültig den Verstand verloren habe und Phantomen hinterherjage?*

»Damit wir uns richtig verstehen«, sagte Crowe, »Sie glauben, wir haben es mit einem Mörder zu tun, der schon *1948* aktiv war? Dann müsste er jetzt wie alt sein? Mindestens fünfundachtzig, oder?«

»Das wollen wir ganz bestimmt nicht behaupten«, sagte Maura.

»Und was *ist* dann Ihre neue Theorie, Dr. Isles?«

»Es geht darum, dass es einen historischen Präzedenzfall für diese Ritualmorde gibt. Was wir heute beobachten – die parallelen Risswunden, das Ausweiden –, ist ein Echo dessen, was schon seit Jahrhunderten geschieht.«

»Reden wir hier von einem Kult? Von Geistern? Oder sind wir jetzt wieder beim Leopardenmenschen gelandet?«

»Herrgott noch mal, lass sie doch ausreden, Crowe!« Jane sah Maura an. »Ich hoffe nur, du hast mehr zu bieten als irgendwelchen übernatürlichen Hokuspokus.«

»Das ist alles sehr real«, erwiderte Maura. »Aber zunächst einmal ist eine kleine Geschichtsstunde nötig, für die wir fast ein Jahrhundert zurückgehen müssen.« Sie wandte sich an Zucker. »Möchten Sie den Hintergrund erläutern?«

»Mit Vergnügen. Denn diese Geschichte ist wirklich faszinierend«, sagte Zucker. »In Westafrika gab es um die Zeit des Ersten Weltkriegs zahlreiche Berichte von mysteriösen

Todesfällen. Die Opfer waren Männer, Frauen und Kinder. Ihre Leichen wiesen Risswunden auf, die von Krallen zu stammen schienen, die Kehlen waren durchschnitten, die Bauchhöhlen ausgenommen. Manche waren teilweise aufgefressen. Das waren alles Merkmale von Großkatzenangriffen, und ein Zeuge wollte gesehen haben, wie ein Leopard in den Busch flüchtete. Man glaubte, dass eine riesige Raubkatze ihr Unwesen triebe, die nachts in die Dörfer eindrang und die Menschen im Schlaf anfiel. Doch bald schon wurde den Polizeikräften vor Ort klar, dass kein echter Leopard hinter den Überfällen steckte. Die Täter waren Menschen, Angehörige eines uralten Kults, dessen Ursprünge Jahrhunderte zurücklagen. Eine Geheimgesellschaft, die sich so stark mit Leoparden identifiziert, dass die Mitglieder glauben, sie würden sich tatsächlich in das Tier verwandeln, wenn sie das Blut des Opfers trinken oder sein Fleisch essen. Sie töten, um Macht zu erlangen, um die Stärke ihres Totemtiers auf sich zu übertragen. Um diese Ritualmorde zu begehen, zieht der Anhänger des Kults sich ein Leopardenfell über und benutzt Krallen aus Stahl, um sein Opfer aufzuschlitzen.«

»Ein *Leopardenfell*?«, rief Jane erstaunt aus.

Zucker nickte. »Damit gewinnt der Diebstahl dieses Schneeleopardenfells eine ganz neue Bedeutung, nicht wahr?«

»Existiert dieser Leopardenkult in Afrika immer noch?«, fragte Tam.

»Es gibt Gerüchte«, antwortete Zucker. »In den 1940er Jahren gab es in Nigeria Dutzende von Morden, die den Leopardenmenschen zugeschrieben wurden, einige wurden sogar am helllichten Tag begangen. Die Behörden griffen hart durch und setzten Hunderte von zusätzlichen Polizeikräften ein, die schließlich eine Reihe von Verdächtigen verhafteten und hinrichteten. Die Überfälle hörten auf, aber wurde der Kult auch wirklich eliminiert? Oder ist er einfach in den Untergrund gegangen – und hat sich weiter verbreitet?«

»Bis nach Boston?«, fragte Crowe.

»Nun ja, wir hatten hier schon Fälle, bei denen Voodoo und Satanismus im Spiel waren«, meinte Tam. »Warum nicht auch Leopardenmenschen?«

»Was war bei diesen Morden durch den Leopardenkult in Afrika das Motiv?«, wollte Frost wissen.

»Zum Teil waren es wohl politische Hintergründe«, antwortete Zucker. »Das Ausschalten von Rivalen. Aber das erklärt nicht das scheinbar willkürliche Töten von Frauen und Kindern. Nein, da steckte etwas anderes dahinter, das Gleiche, was auch andere Ritualmord-Kulte in aller Welt antreibt und angetrieben hat. Zahllose Menschenleben wurden im Namen verschiedener Glaubenssysteme geopfert. Ob man nun tötet, um seine Feinde abzuschrecken oder um Götter wie Zeus oder Kali zu besänftigen, es läuft letztlich immer auf das eine hinaus: *Macht*.« Zucker blickte in die Runde, und wieder glaubte Maura diesen kalten Reptilienkuss zu spüren. »Zählen Sie die Besonderheiten dieser Morde zusammen, dann werden Sie den roten Faden erkennen, der sie alle verbindet: Jagd als Macht. Dieser Mörder sieht vielleicht völlig normal aus und arbeitet in einem normalen Beruf. Aber der verschafft ihm nicht den gleichen Nervenkitzel oder das gleiche Machtgefühl wie das Töten. Also streift er auf der Suche nach Beute umher, und er hat auch die nötigen Mittel und die Freiheit dazu. Wie viele andere Todesfälle sind vielleicht fälschlich als Wildunfälle eingeordnet worden? Wie viele vermisste Wanderer oder Camper sind in Wahrheit ihm zum Opfer gefallen?«

»Leon Godt ist weder wandern gegangen noch hat er gecampt«, sagte Crowe. »Er wurde in seiner eigenen Garage ermordet.«

»Vielleicht, weil der Täter es auf dieses Leopardenfell abgesehen hatte«, entgegnete Zucker. »Es ist sein Totemsymbol, das er für rituelle Zwecke benötigt.«

»Wir wissen, dass Godt in Jagdforen im Internet mit dem Schneeleoparden geprahlt hat«, bemerkte Frost. »Er hat aller Welt verkündet, dass er den Auftrag hatte, eines der seltensten Tiere der Welt zu präparieren.«

»Was wiederum auf einen Jäger als Täter hindeutet. Das ist einleuchtend, sowohl in symbolischer als auch in praktischer Hinsicht. Dieser Täter identifiziert sich mit Leoparden, den vollkommensten Jägern, welche die Natur hervorgebracht hat. Er fühlt sich auch in der freien Natur wie zu Hause. Aber anders als bei anderen Jägern sind seine Beute nicht Hirsche oder Wapitis – nein, er hat es auf Menschen abgesehen. Auf Wanderer oder Camper. Es ist die größte Herausforderung für ihn, und er schleicht sich vorzugsweise in Wildnisgebieten an seine Opfer an. In den Bergen von Nevada, in den Wäldern von Maine oder in Montana.«

»Botswana«, sagte Jane leise.

Zucker sah sie fragend an. »Wie bitte?«

»Leon Godts Sohn ist in Botswana verschollen. Er hatte mit einer Touristengruppe an einer Safari in einer abgelegenen Region teilgenommen.«

Bei der Erwähnung von Elliot Godt begann Mauras Puls zu rasen. »Genau wie die Wanderer. Genau wie die Jäger«, sagte sie. »Sie brechen in die Wildnis auf, und sie werden nie wieder gesehen.« *Muster. Es geht immer darum, die Muster zu erkennen.* Sie sah Jane an. »Wenn Elliot Godt eines seiner Opfer war, dann bedeutet das, dass dieser Täter schon vor sechs Jahren aktiv war.«

Jane nickte. »In Afrika.«

Die elektronische Akte befand schon seit Tagen auf Janes Laptop, nachdem das Nationale Zentralbüro von Interpol in Botswana sie ihr zugeschickt hatte. Sie umfasste an die hundert Seiten und enthielt ausführliche Berichte von der Polizeidienststelle in Maun, der südafrikanischen Polizeibehörde und dem Interpol-Büro in Johannesburg. Als Jane die Mail erhalten hatte, war sie noch nicht überzeugt gewesen, dass es einen Zusammenhang mit dem Mord an Leon Godt sechs Jahre später gab, und so hatte sie die Berichte nur überflogen. Doch das Verschwinden der Wanderer in Nevada und der Jäger in Montana wies beunruhigende Parallelen zu Elliot Godts verhängnisvoller Safari auf, und deshalb setzte sie sich nun an ihren Schreibtisch und klickte die Datei an. Während im Morddezernat die Telefone klingelten und Frost an seinem Schreibtisch geräuschvoll sein Sandwichpapier zusammenknüllte, las Jane die Akte noch einmal durch, diesmal jedoch gründlicher.

Der Bericht von Interpol enthielt eine kurze Zusammenfassung der Ereignisse und der Ermittlungen. Am 20. August vor sechs Jahren hatten sieben Touristen aus vier verschiedenen Ländern in Maun in Botswana ein Buschflugzeug bestiegen, das sie ins Okavangodelta gebracht hatte. Sie waren auf einem entlegenen Flugfeld abgesetzt worden, wo sie von ihrem Führer und dessen Fährtensucher, beide aus Südafrika, in Empfang genommen wurden. Die Safari sollte sie tief in das Delta hineinführen, wo sie ihr Lager jeden Abend an einem anderen Ort aufschlagen würden. Sie waren mit einem Jeep unterwegs, schliefen in Zelten und ernährten sich von erlegten Wildtieren. Die Website des Safari-Guides versprach ein »echtes Wildnis-Abenteuer in einem der letzten Paradiese der Erde«.

Für sechs dieser sieben bedauernswerten Touristen war das Abenteuer zu einer Reise ohne Wiederkehr geworden.

Jane klickte weiter zur nächsten Seite, wo sie eine Liste der bekannten Opfer fand, mit Angaben zu ihrer Nationalität und dem Verbleib ihrer sterblichen Überreste.

Sylvia van Ofwegen (Südafrika). Verschollen. Leiche nicht gefunden.
Vivian Kruiswyk (Südafrika). Verstorben. Leichenteile geborgen, Identität durch DNS bestätigt.
Elliot Godt (USA). Verschollen. Leiche nicht gefunden.
Isao Matsunaga (Japan). Verstorben. Vergrabene Leiche in der Nähe des Camps gefunden, Identität durch DNS bestätigt.
Keiko Matsunaga (Japan). Verschollen. Leiche nicht gefunden.
Richard Renwick (Großbritannien). Verschollen. Leiche nicht gefunden.
Clarence Nghobo (Südafrika). Verstorben. Leichenteile geborgen, Identität durch DNS bestätigt.

Sie wollte gerade zur nächsten Seite weiterklicken, als sie plötzlich innehielt, den Blick auf einen ganz bestimmten Namen auf dieser Liste geheftet. Einen Namen, der eine vage Erinnerung weckte. Warum kam er ihr bekannt vor? Sie kramte in ihrem Gedächtnis nach dem Bild, das er heraufbeschwor. Und sah vor ihrem inneren Auge eine andere Liste, in der derselbe Name auftauchte.

Sie schwenkte zu Frost herum, der gerade genüsslich sein übliches Truthahnsandwich verzehrte. »Du hast doch die Akte Brandon Tyrone aus Maine?«

»Ja.«

»Hast du sie schon gelesen?«

»Ja. Steht auch nicht viel mehr drin als das, was Detective Barber uns erzählt hat.«

»Da war doch eine Liste von gestohlenen Gegenständen, die in Tyrones Garage gefunden wurden. Kann ich die noch mal sehen?«

Frost legte sein Sandwich hin und blätterte den Aktenstapel auf seinem Schreibtisch durch. »Wüsste nicht, dass da irgendetwas Bemerkenswertes dabei war. Ein paar Kameras. Kreditkarten und ein iPod…«

»War nicht auch ein silbernes Feuerzeug darunter?«

»Doch.« Er zog eine Mappe aus dem Stapel und reichte sie ihr. »Und?«

Sie blätterte die Akte durch, bis sie die Liste von Gegenständen gefunden hatte, die Brandon Tyrone und Nick Thibodeau aus Zelten und Autos auf dem Campingplatz in Maine gestohlen hatten. Sie überflog die Aufstellung und hatte bald gefunden, was sie suchte: *Ein Feuerzeug, Sterling-Silber. Eingraviert der Name »R. Renwick«.* Sie sah auf ihren Laptop, auf die Namen der Opfer in Botswana.

Richard Renwick (Großbritannien). Verschollen. Leiche nicht gefunden.

»Verdammt«, stieß sie hervor und griff nach dem Telefon.

»Was ist?«, fragte Frost.

»Vielleicht gar nichts. Oder vielleicht der Durchbruch.« Sie tippte eine Nummer ein.

Nach dreimaligem Läuten meldete sich eine Stimme: »Detective Barber.«

»Hallo, hier ist Jane Rizzoli vom Boston PD. Sie erinnern sich doch an die Akte zum Mordfall Brandon Tyrone, die Sie uns gegeben haben? Darin ist eine Liste von Gegenständen, die Sie in Tyrones Garage gefunden haben.«

»Ja, die Sachen, die er und Nick auf dem Campingplatz geklaut hatten.«

»Haben Sie von allen diesen Gegenständen die Besitzer ermitteln können?«

»Von den meisten. Bei den Kreditkarten und den Sachen, die mit einem Namen gekennzeichnet waren, war es kein Problem. Und nachdem bekannt wurde, dass wir gestohlene Gegenstände von dem Campingplatz sichergestellt hatten, haben sich noch ein paar weitere Geschädigte gemeldet.«

»Ich interessiere mich für einen ganz bestimmten Gegenstand. Ein Feuerzeug aus Sterling-Silber mit eingraviertem Namen.«

»Nein«, antwortete Barber prompt. »Den Besitzer haben wir nicht ausfindig machen können.«

»Sind Sie sicher, dass niemand sich gemeldet hat?«

»Ja. Ich habe alle vernommen, die Ansprüche angemeldet haben, für den Fall, dass jemand auf dem Campingplatz etwas beobachtet hatte. Hätte ja sein können, dass jemand Nick und Tyrone am Tatort gesehen hat. Wegen des Feuerzeugs hat sich nie jemand gemeldet, was mich überrascht hat. Es ist schließlich Sterling-Silber. Dafür muss doch jemand eine Stange Geld bezahlt haben.«

»Haben Sie versucht, die Person ausfindig zu machen, deren Name darauf eingraviert ist? R. Renwick?«

Barber lachte. »Geben Sie mal ›R. Renwick‹ in eine Suchmaschine ein. Da kriegen Sie um die zwanzigtausend Treffer. Wir konnten nicht mehr tun, als es in den Nachrichten zu bringen und zu hoffen, dass der Besitzer sich bei uns melden würde. Vielleicht hatte er es ja nicht mitbekommen. Oder vielleicht hatte er gar nicht gemerkt, dass er es verloren hatte.« Barber schwieg einen Moment. »Wieso fragen Sie nach dem Feuerzeug?«

»Dieser Name, R. Renwick, ist im Zusammenhang mit einem anderen Fall aufgetaucht. Es gab ein Opfer namens R. Renwick.«

»Was für ein Fall?«

»Mehrfacher Mord, ist sechs Jahre her. In Botswana.«

»*Afrika?*« Barber schnaubte. »Das ist ja ganz schön weit hergeholt. Meinen Sie nicht, dass die Namensgleichheit eher ein Zufall ist?«

Vielleicht, dachte Jane, als sie auflegte. Oder vielleicht war es genau der Punkt, an dem all diese Fälle zusammenliefen. Vor sechs Jahren war Richard Renwick in Afrika ermordet worden. Ein Jahr darauf tauchte ein Feuerzeug mit dem Namen *R. Renwick* in Maine auf. War es in der Tasche des Mörders nach Amerika gelangt?

»Willst du mir vielleicht mal verraten, was los ist?«, fragte Frost, als sie die nächste Nummer wählte.

»Ich muss jemanden ausfindig machen.«

Er warf einen Blick über ihre Schulter auf den Computerbildschirm. »Die Botswana-Akte? Was hat das denn mit…«

Sie hob eine Hand, um ihn zum Schweigen zu bringen, als ihr Mann sich wie üblich mit einem knappen »Gabriel Dean« meldete.

»Hi, Mr. Special Agent. Kannst du mir einen Gefallen tun?«

»Darf ich raten?«, erwiderte er und lachte. »Wir haben keine Milch mehr im Haus.«

»Nein, ich muss mal eben deine FBI-Kontakte missbrauchen. Ich suche jemanden, und ich habe keine Ahnung, wo ich sie finden kann. Du hast doch diesen Kumpel bei Interpol in Südafrika. Henk Sowieso.«

»Henk Andriessen.«

»Genau. Vielleicht kann er mir helfen.«

»Geht es um einen internationalen Fall?«

»Ein Mehrfachmord in Botswana. Ich hab dir davon erzählt. Diese Touristen, die während einer Safari verschwunden sind. Das Problem ist, es ist sechs Jahre her, und ich bin nicht sicher, wo diese Person heute lebt. Ich nehme an, dass sie wieder in London ist.«

»Wie ist ihr Name?«

»Millie Jacobson. Die einzige Überlebende.«

24

Südafrika

Seit fünf Tagen kommt jeden Morgen ein karminroter Bie-
nenfresser geflogen und setzt sich in den Zylinderputzer-
Baum. Auch als ich mit meiner Kaffeetasse in den Garten
hinaustrete, bleibt der Vogel ganz ruhig sitzen, ein leuch-
tend rotes Schmuckstück inmitten des fröhlich bunten Ge-
wirrs von Strauchwerk und Blüten. Ich habe viel Arbeit in
diesen Garten gesteckt, habe gegraben und kompostiert, ge-
gossen und Unkraut gejätet und so ein Stück Buschland in
meinen privaten Rückzugsort verwandelt. Doch an diesem
warmen Novembertag nehme ich das sommerliche Blüten-
meer oder den Besuch des Bienenfressers kaum wahr. Der
Anruf von gestern Abend hat mich so aufgewühlt, dass ich
an nichts anderes mehr denken kann.

Christopher kommt aus dem Haus, um sich zu mir zu
setzen, und ich höre das Scharren von Schmiedeeisen auf
den Terrassenplatten, als er mit seinem Kaffee am Garten-
tisch Platz nimmt. »Was wirst du tun?«, fragt er.

Ich atme den Duft der Blüten ein und richte den Blick auf
das von prächtigen Kletterpflanzen umrankte Spalier. »Ich
will nicht fliegen.«

»Dann hast du dich also entschieden.«

»Ja.« Ich seufze. »Nein.«

»Ich kann das für dich regeln. Ich sage ihnen, dass sie

dich in Ruhe lassen sollen. Du hast alle ihre Fragen beantwortet, was erwarten sie denn noch von dir?«

»Ein bisschen mehr Mut vielleicht«, flüstere ich.

»Mein Gott, Millie. Du bist die mutigste Frau, die ich kenne.«

Ich muss lachen, denn ich finde mich überhaupt nicht mutig. Ich komme mir vor wie ein zitterndes Mäuschen, weil ich Angst habe, dieses Haus zu verlassen, in dem ich mich so sicher fühle. Ich will nicht hier weg, weil ich weiß, was da draußen in der Welt auf mich wartet. Ich weiß, *wer* da draußen auf mich wartet, und meine Hände zittern bei dem bloßen Gedanken, ihn noch einmal zu sehen. Aber das ist es, was sie von mir verlangt, diese Polizistin, die aus Boston angerufen hat. *Sie kennen sein Gesicht. Sie kennen seine Jagdmethoden. Wir brauchen Ihre Hilfe, um ihn zu fassen.*

Bevor er wieder tötet.

Christopher beugt sich über den Tisch und nimmt meine Hand. Da merke ich erst, wie kalt ich bin. Wie warm er ist. »Du hattest letzte Nacht wieder den Albtraum, nicht wahr?«

»Du hast es mitbekommen.«

»Das ist ja nicht schwer, schließlich schlafe ich direkt neben dir.«

»Ich hatte diesen Traum seit Monaten nicht mehr. Ich dachte, ich wäre darüber hinweg.«

»Dieser verdammte Anruf«, murmelt er. »Du weißt ja, dass sie nichts Konkretes in der Hand haben. Es ist lediglich ihre Theorie. Es kann gut sein, dass sie nach jemand ganz anderem suchen.«

»Sie haben Richards Feuerzeug gefunden.«

»Du kannst nicht sicher wissen, ob es dasselbe Feuerzeug ist.«

»Ein anderer R. Renwick?«

»Es ist ein ziemlich häufiger Name. Und überhaupt, *wenn* es dasselbe Feuerzeug ist, dann heißt das, dass der Mörder weit weg ist. Er ist weitergezogen, auf einen anderen Kontinent.«

Und genau deshalb will ich hier bleiben, wo Johnny mich nicht finden kann. Es wäre verrückt von mir, mich auf die Suche nach einer Bestie zu machen. Ich trinke meinen Kaffee aus, und die Stuhlbeine schrammen quietschend über die Platten, als ich aufstehe. Ich weiß nicht, was ich mir dabei gedacht habe, als ich diese schmiedeeisernen Gartenmöbel gekauft habe. Vielleicht war es das Gefühl der Beständigkeit, die Vorstellung, mich darauf verlassen zu können, dass sie ewig halten würden, aber die Stühle sind schwer und unhandlich. Als ich ins Haus zurückgehe, habe ich das Gefühl, noch eine andere Last zu schleppen, schwer wie Eisen, geschmiedet aus Angst, eine Last, die mich an diesen Ort bindet. Ich gehe zum Spülbecken, wasche Tassen und Untertassen ab und räume die Arbeitsplatte auf, die ohnehin schon makellos ist.

Sie kennen seine Jagdmethoden.

Plötzlich taucht ein Bild von Johnny Posthumus' Gesicht vor meinem inneren Auge auf, so real, als ob er direkt vor meinem Küchenfenster stünde und zu mir hereinstarrte. Ich zucke zusammen, und ein Löffel fällt klirrend auf den Boden. Er ist immer da, verfolgt mich auf Schritt und Tritt, stets nur einen flüchtigen Gedanken entfernt. Nachdem ich Botswana verlassen hatte, war ich sicher, dass er mich eines Tages finden würde. Ich bin die Einzige, die es überlebt hat, die eine Zeugin, die er nicht töten konnte. Das muss doch eine Provokation für ihn sein, die er nicht ignorieren kann. Doch aus den Monaten wurden Jahre, ich hörte nichts von der Polizei in Botswana oder in Südafrika, und ich begann zu hoffen, dass Johnny tot sei. Dass seine Knochen irgendwo draußen in der Wildnis lägen, so wie Richards Gebeine. Wie die der anderen. Nur so konnte ich mich wieder sicher fühlen, indem ich mir vorstellte, er sei tot. Seit sechs Jahren hatte ihn niemand mehr gesehen oder von ihm gehört, ich konnte also mit Fug und Recht davon ausgehen, dass er den Tod gefunden hatte und mir nichts mehr antun konnte.

Der Anruf aus Boston verändert alles.

Ich höre das Getrappel leichter Schritte auf der Treppe, und unsere Tochter Violet kommt in die Küche getänzelt. Mit ihren vier Jahren ist sie noch frei von Angst, denn wir haben sie angelogen. Wir haben ihr weisgemacht, die Welt sei ein friedlicher, lichtvoller Ort, und sie weiß nicht, dass es Ungeheuer und Monster wirklich gibt. Christopher nimmt sie hoch, wirbelt sie herum und trägt sie lachend ins Wohnzimmer, um mit ihr Trickfilme anzuschauen, ihr Ritual am Samstagmorgen. Das Geschirr ist abgewaschen, die Kaffeekanne ausgespült, und alles ist so, wie es sein sollte, doch ich gehe in der Küche hin und her und suche nach neuen Aufgaben, nach irgendeiner Ablenkung.

Dann setze ich mich an den Computer und sehe, dass sich seit gestern Abend ein ganzer Packen E-Mails in meinem Posteingang angesammelt hat – von meiner Schwester in London, von den anderen Müttern in Violets Spielgruppe, von irgendeinem Nigerianer, der mir ein Vermögen überweisen will, wenn ich ihm nur meine Kontonummer nenne.

Und da ist eine Mail von Detective Rizzoli aus Boston. Abgeschickt gestern Abend, kaum eine Stunde nach unserem Telefonat.

Ich zögere, sie zu öffnen, denn ich ahne bereits, dass es dann kein Zurück mehr geben wird. Wenn ich einmal diese Linie überschritten habe, kann ich mich nicht mehr hinter meinen festen Schutzwall der Verleugnung zurückziehen. Nebenan lachen Christopher und Violet über irgendein Trickfilm-Gemetzel, während ich hier sitze, mit pochendem Herzen und eiskalten Händen.

Ich klicke die Mail an. Es ist, als hätte ich die Lunte an einer Dynamitstange angezündet, denn was da auf meinem Bildschirm erscheint, trifft mich wie eine Explosion. Es ist ein Foto des Feuerzeugs aus Sterling-Silber, das die Polizei in einer Tasche mit Diebesgut in Maine gefunden hat. Ich sehe den Namen R. RENWICK, eingraviert in der Schriftart Engravers Bold, die Richard so mochte. Aber es ist der Kratzer, auf den sich mein Blick heftet. Nicht besonders tief, aber dennoch nicht zu übersehen, zieht er sich wie von einer Kralle eingeritzt über die glänzende Oberfläche, quer durch den Kopf des »R«. Ich denke an den Tag, als es passierte, den Tag in London, an dem das Feuerzeug Richard aus der Tasche fiel und auf dem Gehsteig landete. Ich denke daran, wie oft ich ihn dieses Feuerzeug habe benutzen sehen, und wie er sich gefreut hat, als ich es ihm zum Geburtstag schenkte. Er hatte es sich gewünscht, dieses überflüssige und protzige Geschenk, aber so war Richard nun mal. Immer musste er sein Revier markieren, selbst wenn dieses Revier nur aus einem glänzenden Stück Sterling-Silber bestand. Ich weiß noch, wie er sich damit am Lagerfeuer seine Gauloises anzündete, höre noch das elegante Klicken, mit dem es zuschnappte.

Ich habe keinen Zweifel, dass dies tatsächlich sein Feuerzeug ist. Irgendwie hat es das Okavangodelta verlassen, in der Tasche eines Mörders, und ist über den Ozean nach Amerika gelangt. Und jetzt fordern sie mich auf, der Spur dieses Mörders zu folgen.

Ich lese die Nachricht, die Detective Rizzoli mir mit dem Foto geschickt hat. Ist das sein Feuerzeug? Wenn ja, müssen wir uns dringend weiter darüber unterhalten. Werden Sie nach Boston kommen?

Durch das Küchenfenster sehe ich strahlenden Sonnenschein und meinen Garten in all seiner sommerlichen Pracht. In Boston naht jetzt der Winter, und ich stelle es mir kalt und grau vor, sogar noch grauer als London. Sie hat keine Ahnung, was sie von mir verlangt. Sie sagt, sie wisse über die Ereignisse von damals Bescheid, sie kenne die Fakten, aber Fakten sind kalt und blutleer wie Metallteile, zusammengeschweißt zu einer Statue, aber ohne Seele. Sie kann unmöglich verstehen, was ich dort im Delta durchgemacht habe.

Ich hole tief Luft und tippe meine Antwort. Es tut mir leid. Ich kann nicht nach Boston kommen.

25

Bei den Marines hatte Gabriel so manche Survivaltechnik gelernt, und dazu gehörte eine Fähigkeit, um die Jane ihren Mann besonders beneidete: Wann immer sich eine Gelegenheit bot, konnte er ein paar kostbare Stunden Schlaf nachholen. Nur Minuten, nachdem die Flugbegleiterinnen das Licht in der Kabine gedimmt hatten, stellte er seinen Sitz zurück, schloss die Augen und war im Nu fest eingeschlafen. Jane dagegen saß hellwach da, zählte die Stunden bis zur Landung und dachte über Millie Jacobson nach.

Die einzige Überlebende der verhängnisvollen Safari war nicht nach London zurückgekehrt, wie Jane angenommen hatte, sondern lebte heute in einer Kleinstadt im südafrikanischen Hex River Valley. Nach dem Albtraum ihres zweiwöchigen Überlebenskampfs im Busch, wo sie mit Schlamm beschmiert umhergeirrt war und sich nur von Schilf und Gras ernährt hatte, war die in London aufgewachsene Buchhändlerin nicht in die Großstadt zurückgekehrt, sondern hatte beschlossen, sich in Afrika niederzulassen, dem Kontinent, der sie beinahe das Leben gekostet hätte.

Die Fotos von Millie Jacobson, kurz nachdem sie aus dem Busch entkommen war, ließen erkennen, wie vollkommen ausgemergelt sie am Ende ihrer Leidenszeit gewesen war. Ihr Passbild zeigte eine dunkelhaarige junge Frau mit blauen Augen und herzförmigem Gesicht, auf sympathische Weise normal, weder besonders hübsch noch hässlich. Jane konnte kaum glauben, dass es dieselbe Frau war, die ihr von dem Foto entgegenblickte, das während Millies Genesung im Krankenhaus entstanden war. Irgendwann während ihrer Zeit in der Wildnis hatte Millie Jacobson ihre alte Identität abgeworfen wie eine Schlangenhaut, und darunter war eine knochendürre, sonnenverbrannte Kreatur mit gehetztem Blick zum Vorschein gekommen.

Während alle anderen im Flugzeug zu schlafen schienen, sah Jane noch einmal die Polizeiakte über die Safarimorde in Botswana durch. Damals hatte die Presse in Großbritannien, wo Richard Renwick ein populärer Thrillerautor war, ausführlich über den Fall berichtet. In den Staaten war er nicht so bekannt, und Jane hatte seine Bücher nicht gelesen, die in der Londoner *Times* als »actionreich« und »testosterongetrieben« beschrieben wurden. Der Artikel in der *Times* beschäftigte sich fast ausschließlich mit Renwick und widmete seiner Lebensgefährtin Millie Jacobson nur zwei Absätze. Doch es war Millie, auf die Jane jetzt ihre ganze Aufmerksamkeit richtete, und gebannt betrachtete sie das Foto der jungen Frau aus der Interpol-Akte. Es war kurz nach ihrer Leidenszeit im Busch entstanden, und in Millies Gesicht erkannte Jane ein Spiegelbild ihrer selbst vor noch nicht allzu vielen Jahren. Beide waren sie von der kalten Hand eines Mörders berührt worden und hatten überlebt. Diese Berührung war etwas, was man niemals vergaß.

Sie und Gabriel waren an einem Tag mit böigen Schauern und Eisregen aus Boston abgereist, und das Wetter während ihres kurzen Zwischenaufenthalts in London war nicht weniger grau und winterlich gewesen. So war es ein regelrechter Schock, als sie Stunden später aus dem Flugzeug stieg und in die sommerliche Wärme von Kapstadt eintauchte. Hier schienen die Jahreszeiten auf den Kopf gestellt, und in einem Flughafen, wo alle anderen in Shorts und ärmellosen Kleidern herumliefen, trug Jane immer noch den Rollkragenpulli und die Wolljacke, die sie in Boston angezogen hatte. Als sie ihr Gepäck geholt und die Zollkontrolle passiert hatten, hielt sie die Hitze kaum noch aus und konnte es nicht erwarten, sich bis auf ihr ärmelloses Top auszuziehen.

Sie war gerade dabei, sich von ihrem Rollkragenpulli zu befreien, als sie eine dröhnende Männerstimme rufen hörte: »Dean the Machine! Hast du es endlich nach Afrika geschafft!«

Jane zog gerade noch rechtzeitig den Pulli über den Kopf, um zu sehen, wie ihr Mann und ein blonder Kerl mit der Statur eines Büffels einander auf den Rücken klopften – jene eigentümliche männliche Begrüßung, die irgendwo zwischen Attacke und Umarmung angesiedelt schien.

»Langer Flug, wie?«, sagte Henk. »Aber jetzt könnt ihr erst mal das warme Wetter genießen.« Er wandte sich zu Jane um, und in ihrem dünnen Top hatte sie das Gefühl, seinen Blicken schutzlos ausgeliefert zu sein. Seine Augen wirkten unnatürlich hell in dem von der Sonne geröteten Gesicht; sie waren von dem gleichen silbrigen Blau, das sie einmal in den Augen eines Wolfs gesehen hatte. »Und Sie sind Jane«, sagte er und hielt ihr eine feuchte, fleischige Hand hin. »Henk Andriessen. Freut mich, endlich die Frau kennenzulernen, die Dean the Machine an Land gezogen hat. Hätte nicht gedacht, dass irgendeine das schafft.«

Gabriel lachte. »Jane ist nicht irgendeine Frau.«

Während sie seine Hand schüttelte, spürte sie, wie Henk sie prüfend betrachtete, und sie fragte sich, ob er erwartet hatte, dass Dean the Machine eine Hübschere an Land gezogen hätte, eine, die nicht aussah wie ein ausgewrungener Putzlappen, wenn sie aus dem Flugzeug stieg. »Ich habe auch von Ihnen gehört«, sagte sie. »Zum Beispiel von einem bestimmten feuchtfröhlichen Abend in Den Haag vor zwölf Jahren.«

Henk sah Gabriel an. »Ich hoffe, du hast ihr die zensierte Version erzählt.«

»Soll das heißen, hinter der Geschichte steckte noch mehr als *Zwei Männer kommen in eine Bar?*«

Henk lachte. »Mehr müssen Sie gar nicht wissen.« Er nahm ihren Koffer. »Gehen wir zu meinem Auto.«

Als sie das Flughafengebäude verließen, blieb Jane ein paar Schritte hinter den Männern zurück und gab ihnen die Gelegenheit, sich über die Neuigkeiten in ihrem Leben auszutauschen. Gabriel hatte fast den ganzen Flug von London nach Kapstadt verschlafen und ging mit den kraftvollfedernden Schritten eines Mannes, der vor Tatendrang platzt. Sie wusste, dass Henk gut zehn Jahre älter war als Gabriel, dass er dreimal geschieden war und ursprünglich aus Brüssel stammte, und dass er die letzten zehn Jahre für das Südafrika-Büro von Interpol gearbeitet hatte. Sie wusste auch von seinem Ruf als starker Trinker und Frauenheld, und sie fragte sich, in was für unschöne Situationen er Gabriel an jenem berüchtigten Abend in Den Haag hineingezogen hatte, denn ihren überkorrekten Mann konnte sie sich beim besten Willen nicht als Krawallmacher vorstellen. Sie musste die beiden nur von hinten betrachten, um zu sehen, welcher von beiden der DisziplinIertere war. Gabriel hatte die hagere Statur eines Läufers, und sein Gang strahlte Zielstrebigkeit und Entschlossenheit aus, während Henks füllige Leibesmitte von ungezügeltem Appetit zeugte. Dennoch verstanden sie sich offensichtlich prächtig, eine Freundschaft, die während intensiver Mordermittlungen im Kosovo geschmiedet worden war.

Henk führte sie zu einem silberfarbenen BMW, dem bevorzugten fahrbaren Maskottchen aller Männer auf der Pirsch, und hielt ihr die Beifahrertür auf. »Jane, möchten Sie vorn sitzen?«

»Nein, da lasse ich Gabriel den Vortritt. Ihr beide wollt euch doch sicher erzählen, was ihr in letzter Zeit so alles getrieben habt.«

»Aber vom Rücksitz sehen Sie nicht so gut«, meinte Henk, während sie sich alle anschnallten. »Ich verspreche Ihnen jedenfalls, dass Sie dort, wo wir jetzt hinfahren, von der Aussicht begeistert sein werden.«

»Wohin fahren wir?«

»Zum Tafelberg. Sie sind nur so kurz hier, und das ist die einzige Sehenswürdigkeit, die Sie sich auf keinen Fall entgehen lassen sollten. Ihr Hotelzimmer ist wahrscheinlich sowieso noch nicht fertig, deswegen schlage ich vor, dass wir direkt zum Berg fahren.«

Gabriel drehte sich zu ihr um. »Ist dir das auch nicht zu viel, Jane?«

Eigentlich sehnte sie sich nur nach einer Dusche und einem Bett. Ihr Kopf schmerzte von dem grellen Sonnenlicht, und ihr Mund fühlte sich an wie eine Teergrube, aber wenn Gabriel bereit war, sich gleich ins Sightseeing zu stürzen, würde sie ihr Bestes tun, um mit den Jungs mitzuhalten. »Warum nicht?«, sagte sie.

Eineinhalb Stunden später bogen sie auf den Parkplatz an der Talstation der Tafelberg-Seilbahn ein. Jane stieg aus und starrte die Drahtseile an, die sich steil den Berghang hinaufzogen. Sie litt nicht unbedingt an Höhenangst, aber bei der Vorstellung, in diese schwindelerregenden Höhen hinaufzuschweben, wurde ihr etwas flau im Magen. Plötzlich war sie gar nicht mehr erschöpft, und ihre Gedanken kreisten nur noch um reißende Seile und einen Sturz aus siebenhundert Metern Höhe in den Tod.

»Und da wäre die versprochene Aussicht«, sagte Henk.

»Du liebe Zeit, da hängen ja Menschen in dieser Felswand!«, rief Jane.

»Ja, der Tafelberg ist bei Kletterern sehr beliebt.«

»Sind die denn vollkommen wahnsinnig?«

»Oh, wir verlieren jedes Jahr ein paar Kletterer. Bei einem Sturz aus dieser Höhe reden wir nicht mehr von Rettung, sondern nur noch von Bergung.«

»Und da wollen wir hin? *Da* rauf?«

»Haben Sie etwa Höhenangst?« Die blassen Wolfsaugen musterten sie amüsiert.

»Glaub mir, Henk«, sagte Gabriel und lachte kurz auf, »selbst wenn es so wäre, würde sie es nie zugeben.«

Und dieser Stolz wird eines Tages noch mein Tod sein, dachte sie, als sie sich mit Dutzenden anderer Touristen in die Kabine zwängten. Sie fragte sich, wann die Anlage das letzte Mal inspiziert worden war, beäugte misstrauisch die Seilbahnmitarbeiter, um sich zu vergewissern, dass keiner von ihnen betrunken oder high war oder so aussah, als ob er ausrasten könnte. Sie zählte die Köpfe, um sicherzugehen, dass die auf dem Schild angegebene maximale Personenzahl nicht überschritten war, und hoffte nur, dass die Konstrukteure bei ihrer Berechnung auch solche Schwergewichte wie Henk großzügig einkalkuliert hatten.

Dann schwang die Kabine sich in den Himmel auf, und jetzt hatte sie nur noch Augen für die Aussicht.

»Ihr erster Eindruck von Afrika«, sagte Henk und beugte sich hinunter, um ihr ins Ohr zu murmeln: »Sind Sie überrascht?«

Sie schluckte. »Es ist anders, als ich es mir vorgestellt hatte.«

»Was hatten Sie sich denn vorgestellt? Dass überall Löwen und Zebras herumlaufen?«

»Na ja, irgendwie schon.«

»Das ist das Bild, das die meisten Amerikaner von Afrika haben. Sie sehen zu viele Natursendungen im Fernsehen, und wenn sie dann in Safariwesten und Kakihosen aus dem Flugzeug steigen, sind sie überrascht, eine moderne Groß-stadt wie Kapstadt vorzufinden. Kein Zebra weit und breit, außer im Zoo.«

»Ich hatte irgendwie gehofft, Zebras zu sehen.«

»Dann sollten Sie noch ein paar Tage dranhängen und in den Busch fliegen.«

»Schön wär's«, erwiderte sie und seufzte. »Aber unsere Behörden halten uns an der kurzen Leine. Keine Zeit für Vergnügungen.«

Die Seilbahn hielt an, und die Türen öffneten sich.

»Dann machen wir uns doch gleich an die Arbeit, wie wär's?«, schlug Henk vor. »Wir können ja trotzdem gleich-zeitig die Aussicht genießen.«

Jane stand an der Kante des Tafelberg-Plateaus und kam aus dem Staunen nicht mehr heraus, als Henk ihr die mar-kanten Punkte von Kapstadt zeigte: die Felszungen, die als Devil's Peak und Signal Hill bekannt waren, die Tafelbucht und im Norden Robben Island, wo Nelson Mandela fast zwei Jahrzehnte inhaftiert gewesen war.

»Eine geschichtsträchtige Gegend. Ich könnte Ihnen so viele Geschichten über dieses Land erzählen…« Henk wandte sich ihr zu. »Aber kommen wir jetzt zur Sache. Die Morde in Botswana.«

»Gabriel sagte mir, Sie seien in den Fall involviert gewe-sen.«

»Nicht in die ursprüngliche Ermittlung, die in Botswana stattfand. Interpol schaltete sich erst ein, nachdem die Poli-zei in Botswana erfahren hatte, dass der Mörder die Grenze nach Südafrika überschritten hatte. Er hatte die Kreditkar-ten von zweien seiner Opfer in Grenzstädten benutzt, in Geschäften, die keine PIN verlangten. Der verlassene Jeep wurde am Stadtrand von Johannesburg gefunden. Die Verbrechen wurden zwar in Botswana begangen, aber Johnny Posthumus ist südafrikanischer Staatsbürger. Der Fall ist länderübergreifend, weshalb Interpol hinzugezogen wurde. Wir haben eine Red Notice herausgegeben, um Posthumus festnehmen und ausliefern zu lassen, aber wir haben noch immer keine Ahnung, wo er sich aufhält.«

»Hat es in dem Fall überhaupt Fortschritte gegeben?«

»Keine entscheidenden. Aber Sie müssen die Schwierigkeiten bedenken, mit denen wir hier zu kämpfen haben. In diesem Land werden täglich um die fünfzig Morde begangen, das ist das Sechsfache der Mordrate in den USA. Viele Fälle werden nie aufgeklärt, die Polizei ist überfordert, und die kriminaltechnischen Labors sind unterfinanziert. Zudem ereigneten sich diese Morde in Botswana, in einem anderen Staat, und die Abstimmung zwischen den verschiedenen Zuständigkeiten erschwert die Sache noch zusätzlich.«

»Aber ihr seid sicher, dass Johnny Posthumus euer Kandidat ist?«, fragte Gabriel.

Andriessen antwortete nicht sofort, und diese wenigen Sekunden des Schweigens waren beredter als alle Worte, die noch folgen mochten. »Ich habe ... meine Bedenken.«

»Wieso?«

»Ich habe mich gründlich mit seiner Vergangenheit befasst. Johnny Posthumus wurde in Südafrika als Sohn eines Farmerehepaars geboren. Mit achtzehn ging er von zu Hause weg, um in einer Safari-Lodge im Reservat Sabi Sands zu arbeiten. Von dort zog er weiter nach Mosambik und Botswana und machte sich schließlich als unabhängiger Guide selbstständig. Es gab nie irgendwelche Beschwerden. Im Lauf der Jahre erwarb er sich einen Ruf als zuverlässiger Führer. Abgesehen von einer Kneipenschlägerei war er nicht vorbestraft und nie durch Gewalttätigkeit aufgefallen.«

»Soweit bekannt.«

»Du hast recht, es kann sein, dass es Vorfälle gab, die nie gemeldet wurden. Wenn du im Busch jemanden ermordest, kann es sein, dass die Leiche nie gefunden wird. Was mich an der Sache stört, ist, dass es überhaupt keine Warnzeichen gab. Nichts in seinem früheren Verhalten, was darauf hingedeutet hätte, dass er eines Tages acht Menschen tief ins Delta hineinführen würde, um dort sieben von ihnen abzuschlachten.«

»Laut der einzigen Überlebenden ist aber genau das passiert«, sagte Jane.

»Ja«, gestand Henk ein. »Das hat sie gesagt.«

»Zweifeln Sie an ihrer Aussage?«

»Sie hat Posthumus anhand eines zwei Jahre alten Passfotos identifiziert, das die Polizei in Botswana ihr vorlegte. Es existieren sonst kaum Fotos von ihm. Die meisten wurden vernichtet, als das Farmhaus seiner Eltern vor sieben Jahren abbrannte. Vergessen Sie nicht, dass Millie Jacobson halb tot war, als sie aus dem Busch kam. Nach einem solchen Martyrium und mit einem einzigen Passfoto als Grundlage, kann man sich da wirklich darauf verlassen, dass sie ihn eindeutig identifiziert hat?«

»Aber wenn der Mann nicht Johnny Posthumus war, wer war er dann?«

»Wir wissen, dass er die Kreditkarten seiner Opfer benutzt hat. Er nahm ihre Pässe an sich, und in den paar Wochen, bevor sie als vermisst gemeldet wurden, könnte er sich eine andere Identität zugelegt haben. Dadurch hätte er sich als eine beliebige andere Person ausgeben und fast die ganze Welt bereisen können. Einschließlich Amerika.«

»Und der echte Johnny Posthumus? Glauben Sie, dass er tot ist?«

»Es ist nur eine Theorie.«

»Aber gibt es irgendwelche Indizien, die diese Theorie stützen könnten? Eine Leiche oder zumindest Leichenteile?«

»Oh, wir haben Tausende von nicht identifizierten Toten von Tatorten im ganzen Land. Was uns fehlt, sind die Mittel, um sie alle zu identifizieren. Weil die Labors mit den DNS-Analysen nicht nachkommen, kann es Monate dauern, bis ein Opfer identifiziert ist, wenn nicht Jahre. Posthumus könnte eines dieser Opfer sein.«

»Oder er könnte am Leben sein und sich in diesem Moment in Boston aufhalten«, sagte Jane. »Er ist vielleicht nur deswegen nicht vorbestraft, weil er nie einen Fehler gemacht hat – vor Botswana.«

»Sie meinen Millie Jacobson.«

»Er hat sie entkommen lassen.«

Henk schwieg einen Moment und blickte über die Tafelbucht hinaus. »Ich glaube kaum, dass er das damals als Problem gesehen hat.«

»Die einzige Frau, die ihn identifizieren könnte?«

»Sie war so gut wie tot. Wenn Sie irgendeinen anderen Touristen dort im Delta ausgesetzt hätten, Mann oder Frau, der- oder diejenige hätte keine zwei Tage überlebt, geschweige denn zwei Wochen. *Eigentlich* hätte sie dort sterben sollen.«

»Und warum ist sie nicht gestorben?«

»Eiserner Überlebenswille? Schieres Glück?« Er zuckte mit den Achseln. »Vielleicht war es ein Wunder.«

»Du hast die Frau kennengelernt«, sagte Gabriel. »Was hattest du für einen Eindruck von ihr?«

»Es ist ein paar Jahre her, dass ich sie vernommen habe. Sie heißt jetzt nicht mehr Jacobson, sondern DeBruin. Sie hat einen Südafrikaner geheiratet. Ich habe sie als … absolut unauffällig erlebt. Das war mein Eindruck, und um ehrlich zu sein, ich war überrascht. Ich hatte ihre Aussage gelesen und wusste, was sie angeblich durchgemacht hatte. Da hatte ich so eine Art Superwoman erwartet.«

Jane runzelte die Stirn. »Sie zweifeln an ihrer Aussage?«

»Dass sie unter wilden Elefanten gelebt hat? Dass sie zwei Wochen ohne Nahrung und ohne Waffe durch den Busch gestreift ist? Dass sie sich nur von Gras und Papyrushalmen ernährt hat?« Er schüttelte den Kopf. »Kein Wunder, dass die Polizei in Botswana ihre Geschichte zunächst angezweifelt hat. So lange, bis die Bestätigung kam, dass sieben ausländische Touristen ihre gebuchten Rückflüge nicht angetreten hatten. Sie vernahmen den Piloten, der die Touristen in den Busch geflogen hatte, und fragten ihn, warum er sie nicht als vermisst gemeldet habe. Er sagte, man habe ihn angerufen und ihm gesagt, sie würden alle stattdessen mit dem Auto nach Maun zurückfahren. Es vergingen dann noch einige Tage, bis es der Polizei von Botswana schließlich dämmerte, dass Millie Jacobson die Wahrheit sagte.«

»Und dennoch scheinen Sie Zweifel zu haben.«

»Weil sie, als ich sie persönlich kennenlernte, auf mich ein wenig, nun ja … gestört wirkte.«

»Inwiefern?«

»In sich zurückgezogen. Nicht ganz offen. Sie lebt in einer Kleinstadt draußen auf dem Land, wo ihr Mann eine Farm hat. Sie verlässt so gut wie nie ihren Bezirk. Sie weigerte sich, zu der Vernehmung nach Kapstadt zu kommen. Ich musste nach Touws River fahren, um mich mit ihr zu treffen.«

»Wir fahren morgen dorthin«, sagte Gabriel. »Anders hätte sie einem Treffen mit uns nicht zugestimmt.«

»Es ist eine wunderschöne Strecke. Herrliche Berge und Farmen und Weinberge. Aber es ist eine ziemliche Fahrt. Ihr Mann ist ein kräftiger Afrikaander, der keinen zu nahe heranlässt. Er will wohl den Beschützer geben, jedenfalls gibt er einem deutlich zu verstehen, dass die Polizei seine Frau gefälligst in Ruhe lassen soll. Bevor ihr mit ihr reden könnt, müsst ihr erst mal an ihm vorbei.«

»Ich kann das absolut verstehen«, sagte Gabriel. »Das würde jeder Ehemann genauso machen.«

»Seine Frau in so einem abgelegenen Kaff isolieren?«

»Für ihre Sicherheit sorgen, und zwar mit allen Mitteln. Vorausgesetzt, sie macht das mit.« Er warf Jane einen Seitenblick zu. »Das lässt sich nämlich weiß Gott nicht jede Frau gefallen.«

Henk lachte. »Offenbar habt ihr euch über das Thema schon mal in die Haare gekriegt.«

»Weil Jane verdammt noch mal zu viele Risiken eingeht.«

»Ich bin Polizistin«, entgegnete Jane. »Wie soll ich Verbrecher unschädlich machen, wenn du mich wegsperrst, damit mir nur ja nichts passiert? Für mich hört es sich nämlich so an, als ob dieser Kerl genau das mit seiner Frau gemacht hat. Er hält sie dort auf dem Land unter Verschluss.«

»Und ihr werdet euch zuerst mit ihm auseinandersetzen müssen«, sagte Henk. »Ihr müsst ihm erklären, wie wichtig es ist, dass seine Frau euch behilflich ist. Ihn davon überzeugen, dass ihr sie damit nicht in Gefahr bringt, denn das ist *alles*, was ihn interessiert.«

»Es kümmert ihn nicht, dass Johnny Posthumus vielleicht immer noch mordet?«

»Er kannte diese Opfer nicht. Er beschützt seine Familie, und ihr müsst euch sein Vertrauen verdienen.«

»Glaubst du, dass Millie mit uns kooperieren wird?«, fragte Gabriel.

»Nur bis zu einem gewissen Punkt, und wer will es ihr verdenken? Überleg doch nur, was es sie gekostet haben muss, lebend aus diesem Delta herauszukommen. Wenn man ein solches Martyrium überlebt, ist man hinterher nicht mehr derselbe Mensch.«

»Manche würden aus so einem Erlebnis gestärkt hervorgehen«, sagte Jane.

»Und manche zerstört es.« Henk schüttelte den Kopf. »Ich fürchte, Millie ist heute kaum mehr als ein Geist.«

26

Trotz allem, was Millie Jacobson im Busch durchgemacht hatte, war sie nicht zu den vertrauten Annehmlichkeiten Londons zurückgekehrt, sondern hatte sich in einer Kleinstadt im Tal des Hex River in der Westkap-Provinz niedergelassen. Wäre Jane an ihrer Stelle gewesen, hätte *sie* zwei höllische Wochen in der Wildnis durchstehen müssen, verfolgt von Löwen und Krokodilen und mit Schlamm beschmiert, und sich von Wurzeln und Gras ernähren müssen, sie wäre auf dem schnellsten Weg nach Hause geflogen, zurück zu ihrem eigenen Bett, ihrem eigenen Viertel mit all dem Komfort, den die Großstadt bot. Aber Millie Jacobson, die Londoner Buchhändlerin, geboren und aufgewachsen in der Metropole, hatte alles aufgegeben, was sie je gekannt hatte, was sie je ausgemacht hatte, um in der abgelegenen Provinzstadt Touws River zu leben.

Wenn Jane aus dem Autofenster sah, konnte sie durchaus verstehen, was Millie an dieser Landschaft angezogen hatte. Sie sah Berge, Flüsse und Ackerland, die Vegetation in den satten Farben des Sommers erblüht. Alles an diesem Land erschien ihr irgendwie aus dem Takt, von den umgekehrten Jahreszeiten bis hin zur Sonne, die im Norden stand, und ihr wurde plötzlich schwindlig, als stünde die ganze Welt auf dem Kopf. Sie schloss die Augen und wartete darauf, dass alles aufhörte, sich zu drehen.

»Herrliche Landschaft«, sagte Gabriel. »Da will man gar nicht mehr nach Hause.«

»Ist ganz schön weit weg von Boston«, murmelte sie.

»Und auch von London. Aber ich kann verstehen, warum sie nicht mehr zurückwollte.«

Jane schlug die Augen auf und blickte blinzelnd auf Reihen über Reihen von Weinstöcken, auf Früchte, die in der Sonne reiften. »Na ja, ihr Mann stammt aus dieser Gegend. Die Leute machen schon verrückte Sachen aus Liebe.«

»Wie zum Beispiel ihre Sachen packen und nach Boston umziehen?«

Sie sah ihn an. »Hast du es je bereut? Dass du Washington verlassen hast, um mit mir zusammen zu sein?«

»Da muss ich noch mal drüber nachdenken.«

»Gabriel!«

Er lachte. »Ob ich es bereue, verheiratet zu sein und das bezauberndste Kind auf der ganzen Welt zu haben? Was denkst du denn?«

»Ich denke, viele Männer hätten dieses Opfer nicht gebracht.«

»Sag dir das ruhig immer wieder. Es kann nie schaden, eine dankbare Frau zu haben.«

Sie schaute wieder auf die vorbeiziehenden Weinberge hinaus. »Apropos dankbar, wir stehen bei Mom ganz tief in der Kreide fürs Babysitten. Was meinst du, sollen wir ihr eine Kiste südafrikanischen Wein schicken? Du weißt doch, wie gerne sie und Vince...« Sie brach ab. Es gab keinen Vince Korsak mehr in Angelas Leben, jetzt, da Janes Vater zu ihr zurückgekehrt war. Sie seufzte. »Ich hätte nie geglaubt, dass ich das mal sagen würde, aber Korsak fehlt mir.«

»Deiner Mom offensichtlich auch.«

»Bin ich eine schlechte Tochter, wenn ich mir wünsche, Dad würde zu seiner Tussi zurückgehen und uns in Frieden lassen?«

»Du bist eine gute Tochter. Für deine Mutter.«

»Die nicht auf mich hört. Sie versucht, alle glücklich zu machen außer sich selbst.«

»Es ist ihre Entscheidung, Jane. Die musst du respektieren, auch wenn du sie nicht verstehst.«

Genauso wenig, wie sie Millie Jacobsons Entscheidung verstand, sich in diesen entlegenen Winkel eines Landes zurückzuziehen, der so weit weg war von allem, was sie je gekannt hatte, von allen Menschen, die sie je gekannt hatte. Am Telefon hatte Millie klar gesagt, dass sie nicht bereit sei, nach Boston zu kommen, um bei den Ermittlungen zu helfen. Sie habe eine vierjährige Tochter und einen Mann, sie werde gebraucht – die üblichen akzeptablen Ausreden, die eine Frau bemühen konnte, wenn sie nicht zu ihren wahren Gründen stehen wollte: dass sie panische Angst vor der Welt hatte. Henk Andriessen hatte Millie einen Geist genannt und sie vorgewarnt, dass es ihnen nie gelingen würde, sie aus Touws River herauszulocken. Und Millies Ehemann würde es auch niemals zulassen.

Dieser Ehemann erwartete sie nun auf der Veranda, als sie an dem Farmhaus vorfuhren, und ein Blick in sein gerötetes Gesicht verriet Jane, dass sie vor einer echten Herausforderung standen. Christopher DeBruin war genauso bullig und einschüchternd, wie Henk ihn beschrieben hatte. Er war zehn Jahre älter als Millie, sein blondes Haar war schon halb ergraut, und er stand mit verschränkten Armen da, eine unverrückbare Mauer aus Muskeln, die alle Eindringlinge abhielt. Als Jane und Gabriel aus ihrem Mietwagen stiegen, ging er ihnen nicht entgegen, sondern wartete, bis seine unwillkommenen Gäste auf ihn zukamen.

»Mr. DeBruin?«, sagte Gabriel.

Ein Nicken, mehr nicht.

»Ich bin Special Agent Gabriel Dean vom FBI. Und das ist Detective Jane Rizzoli, Boston PD.«

»Die haben Sie beide also extra den langen Weg hierhergeschickt?«

»Diese Ermittlung überschreitet Bundesstaats- und Landesgrenzen. Eine Reihe verschiedener Behörden sind daran beteiligt.«

»Und Sie glauben, dass die Spuren alle zu meiner Frau führen.«

»Wir glauben, dass sie der Schlüssel zu diesem Fall ist.«

»Und warum sollte mich das interessieren?«

Zwei Männer und eine Überdosis von dem verdammten Testosteron, dachte Jane. Sie trat vor, und DeBruin sah sie stirnrunzelnd an, als sei er sich nicht sicher, wie er es anstellen sollte, einer Frau eine Abfuhr zu erteilen.

»Wir haben eine lange Reise auf uns genommen, Mr. DeBruin«, sagte sie ruhig. »Könnten wir bitte mit Millie sprechen?«

Er beäugte sie einen Moment. »Sie ist unsere Tochter abholen gefahren.«

»Wann kommt sie zurück?«

»Kann noch dauern.« Widerwillig machte er die Haustür auf. »Na, dann kommen Sie besser mal rein. Wir müssen vorher noch ein paar Dinge klären.«

Sie folgten ihm ins Haus, wo Jane Dielenböden und massive Deckenbalken sah. Dieses Haus war in Geschichte getränkt, von dem handgeschnitzten Treppengeländer bis hin zu den alten holländischen Kacheln am Herd. DeBruin bot ihnen weder Tee noch Kaffee an, sondern forderte sie nur mit einer unwirschen Geste auf, auf dem Sofa Platz zu nehmen. Er selbst setzte sich in den Sessel gegenüber.

»Millie fühlt sich hier sicher«, sagte er. »Wir haben uns ein gutes Leben hier auf der Farm aufgebaut. Wir haben eine Tochter. Sie ist erst vier Jahre alt. Und jetzt wollen Sie alles über den Haufen werfen.«

»Sie könnte unsere Ermittlungen entscheidend voranbringen«, sagte Jane.

»Sie wissen ja nicht, was Sie von ihr verlangen. Seit Ihrem ersten Anruf hat sie keine Nacht durchgeschlafen. Sie wacht schreiend auf. Sie verlässt sonst nicht mal dieses Tal, und jetzt erwarten Sie, dass sie um die halbe Welt nach Boston fliegt?«

»Das Boston PD wird sich um sie kümmern. Wir können ihre Sicherheit garantieren.«

»Sicherheit?« Er schnaubte verächtlich. »Haben Sie überhaupt eine Ahnung, wie schwer es für sie ist, sich auch nur hier sicher zu fühlen? Natürlich nicht. Sie wissen ja nicht, was sie im Busch durchgemacht hat.«

»Wir haben ihre Aussage gelesen.«

»Ihre Aussage? Als ob ein paar getippte Seiten die ganze Geschichte erzählen könnten. Ich war dort, an dem Tag, als sie aus dem Busch kam. Ich hatte einen Urlaub in einer Safari-Lodge im Delta gebucht. Jeden Nachmittag wurde uns auf der Veranda Tee serviert, und wir konnten die Elefanten beobachten, wenn sie an den Fluss kamen, um zu trinken. An diesem Tag sah ich eine Kreatur, wie ich sie noch nie im Leben gesehen hatte, aus dem Busch kommen. Sie war so dünn, dass es aussah, als hätte man ein paar Zweige zusammengebunden und mit Schlamm beschmiert. Wir starrten sie an und trauten unseren Augen nicht, als dieses Wesen über den Rasen auf die Verandatreppe zukam. Da saßen wir mit unseren feinen Porzellantassen, mit unseren erlesenen kleinen Törtchen und Sandwiches. Und da tritt dieses Wesen auf mich zu, schaut mir direkt in die Augen und sagt: ›Sind Sie echt? Oder bin ich im Himmel?‹ Ich habe geantwortet: ›Wenn das hier der Himmel ist, dann haben sie mich an den falschen Ort geschickt.‹ Und da fiel sie auf die Knie und fing an zu weinen. Weil sie wusste, dass ihr Albtraum vorüber war. Dass sie in Sicherheit war.« DeBruin sah Jane durchdringend an. »Ich habe ihr geschworen, auf sie aufzupassen. Komme, was da wolle.«

»Das Boston PD wird auch auf sie aufpassen«, sagte Jane. »Wenn wir Sie nur davon überzeugen können, ihr zu gestatten ...«

»Sie müssen nicht mich überzeugen. Sondern meine Frau.« Er sah aus dem Fenster, als ein Wagen in die Einfahrt einbog. »Da ist sie.«

Sie warteten schweigend, während ein Schlüssel im Schloss schabte. Dann waren trippelnde Schritte zu hören, und ein kleines Mädchen kam ins Wohnzimmer gelaufen. Sie war blond und kräftig wie ihr Vater, mit den gesunden rosigen Wangen eines Kindes, das viel an der frischen Luft ist. Sie würdigte die zwei Besucher kaum eines Blickes und rannte sofort in die Arme ihres Vaters.

»Da bist du ja, Violet!«, sagte DeBruin und setzte sich seine Tochter auf den Schoß. »Wie war das Reiten heute?«

»Es hat mich gebissen.«

»Wer, das Pony?«

»Mmh. Ich hab ihm einen Apfel gegeben, und da hat es mich in den Finger gebissen.«

»Das hat es sicher nicht mit Absicht gemacht. Jetzt weißt du, warum ich dir immer sage, du sollst deine Hand flach halten.«

»Dem geb ich keine Äpfel mehr.«

»Ja, das wird dem Pony eine Lehre sein, was?« Er blickte grinsend auf und hielt plötzlich inne, als er seine Frau in der Tür stehen sah.

Im Gegensatz zu ihrem Mann und ihrer Tochter hatte Millie dunkle Haare, die sie zum Pferdeschwanz gebunden trug. Die Frisur ließ ihr Gesicht erschreckend dünn und kantig wirken, die Wangen hohl, die blauen Augen verschattet. Sie schenkte ihren Besuchern ein Lächeln, doch es konnte die Besorgnis in ihrem Blick nicht kaschieren.

»Millie, das sind die Leute aus Boston«, sagte DeBruin.

Jane und Gabriel standen auf, um sich vorzustellen. Als Jane Millies Hand schüttelte, hatte sie das Gefühl, einen Eiszapfen anzufassen, so steif und kalt waren die Finger der Frau.

»Danke, dass Sie sich Zeit für uns nehmen«, sagte Jane, als sie sich alle wieder setzten.

»Waren Sie schon einmal in Afrika?«, fragte Millie.

»Es ist für uns beide das erste Mal. Es ist wunderschön hier. Und Ihr Haus gefällt mir auch.«

»Diese Farm ist schon seit Generationen im Besitz von Chris' Familie. Er muss Sie nachher noch herumführen.« Millie hielt inne, als ob es sie schon anstrengte, ein wenig Small Talk zu machen. Ihr Blick fiel auf den leeren Couchtisch, und sie runzelte die Stirn. »Hast du ihnen keinen Tee angeboten, Chris?«

Sofort sprang DeBruin auf. »Ach ja, tut mir leid. Das habe ich völlig vergessen.« Er nahm seine Tochter an der Hand. »Violet, komm und hilf deinem schusoligen Dad.«

Schweigend sah Millie ihrem Mann und ihrer Tochter nach. Erst als sie das leise Scheppern des Teekessels und das Rauschen des Wassers aus der Küche hörte, sagte sie: »Ich bin nach wie vor nicht bereit, nach Boston zu kommen. Ich nehme an, Chris hat es Ihnen gesagt.«

»Ja, in aller Deutlichkeit«, bestätigte Jane.

»Ich fürchte, Sie vergeuden hier Ihre Zeit. Sie haben diese lange Reise auf sich genommen, nur um zu hören, wie ich das wiederhole, was ich Ihnen schon am Telefon gesagt habe.«

»Es war notwendig, dass wir Sie persönlich treffen.«

»Warum? Um sich mit eigenen Augen davon zu überzeugen, dass ich nicht wahnsinnig bin? Dass alles, was ich der Polizei vor sechs Jahren erzählt habe, tatsächlich passiert ist?« Millie sah kurz Gabriel an und dann wieder Jane. Die beiden Frauen kannten sich immerhin schon vom Telefonieren, deshalb hielt Gabriel sich nun zurück und überließ Jane die Initiative.

»Wir bezweifeln nicht, dass es Ihnen passiert ist«, sagte Jane.

Millie senkte den Blick auf ihre Hände, die sie im Schoß verschränkt hatte, und sagte leise: »Vor sechs Jahren hat die Polizei mir nicht geglaubt. Jedenfalls nicht zu Anfang. Als ich in meinem Bett im Krankenhaus lag und ihnen meine Geschichte erzählte, da konnte ich den Zweifel in ihren Augen sehen. So ein unbedarftes Großstadtkind will zwei Wochen allein im Busch überlebt haben? Sie dachten, ich sei von einer anderen Safari-Lodge aufgebrochen, hätte mich verirrt und sei durch die Hitze in einen Fieberwahn gefallen. Sie sagten, die Tabletten, die ich zur Vorbeugung gegen Malaria genommen hatte, hätten vielleicht eine Psychose ausgelöst und meinen Geist verwirrt. Das passiere Touristen immer wieder. Sie sagten, meine Geschichte sei unglaubwürdig, weil jeder andere mit Sicherheit verhungert wäre. Oder von Löwen oder Hyänen zerrissen. Oder von Elefanten totgetrampelt. Und woher sollte ich gewusst haben, dass ich mich am Leben halten konnte, indem ich Papyrushalme kaute, wie es die Eingeborenen tun? Sie konnten nicht glauben, dass ich nur durch schieres Glück überlebt hatte. Aber genau so war es. Es war Glück, dass ich mich entschied, flussabwärts zu gehen, und so bei der Lodge herauskam. Es war Glück, dass ich mich nicht mit irgendwelchen wilden Beeren oder Rinden vergiftet hatte, sondern das nahrhafteste Gras gegessen hatte, das ich finden konnte. Es war reines Glück, dass ich nach zwei Wochen im Busch lebend

wieder herauskam. Die Polizei meinte, das sei unmöglich.«
Sie holte tief Luft. »Und doch habe ich es geschafft.«

»Ich glaube, Sie irren sich«, sagte Jane. »Das war kein
Glück – das waren Sie selbst. Wir haben Ihre Schilderung
der Ereignisse gelesen. Wie Sie jede Nacht in den Bäumen
geschlafen haben. Wie Sie dem Fluss gefolgt und immer
weitermarschiert sind, auch über die Grenze der Erschöpfung hinaus. Irgendwie haben Sie den Willen zum Überleben gefunden, in einer Situation, in der fast jeder andere aufgegeben hätte.«

»Nein«, sagte Millie leise. »Es war der Busch, dem es gefallen hat, mich zu verschonen.« Sie sah zum Fenster hinaus
auf einen majestätischen Baum, der seine Äste wie schützende Arme ausstreckte und alles darunter beschirmte.
»Das Land ist ein lebendes, atmendes Wesen. Es entscheidet,
wer lebt und wer stirbt. In der Nacht, im Dunkeln, konnte
ich seinen Herzschlag hören, so wie ein Baby den Herzschlag
seiner Mutter hört. Und jeden Morgen fragte ich mich beim
Aufwachen, ob das Land mich diesen Tag würde überleben
lassen. Nur so konnte es mir gelingen, lebend dort herauszukommen. Weil das Land es zuließ. Es hat mich beschützt.«
Sie sah Jane an. »Vor ihm.«

»Johnny Posthumus.«

Millie nickte. »Als sie endlich anfingen, nach Johnny zu
suchen, war es zu spät. Er hatte reichlich Zeit gehabt zu verschwinden. Wochen später fanden sie den abgestellten Jeep
in Johannesburg.«

»Denselben Jeep, der im Busch nicht anspringen wollte.«

»Ja. Ein Mechaniker hat mir später erklärt, wie das gehen
konnte. Wie man ein Auto vorübergehend lahmlegen kann,
ohne dass man erkennt, woran es liegt. Irgendetwas mit
dem Sicherungskasten und dem Schaltrelais aus Plastik.«

Jane sah Gabriel an, der nickte.

»Man steckt einfach das Anlasser- oder das Einspritzrelais aus«, sagte er. »Das ist nur schwer zu entdecken. Und es lässt sich leicht wieder rückgängig machen.«

»Er ließ uns in dem Glauben, wir säßen fest«, sagte Millie. »Er lockte uns in eine Falle, um uns einen nach dem anderen töten zu können. Zuerst Clarence. Dann Isao. Elliot war wahrscheinlich der Nächste. Er schaltete zuerst die Männer aus und hob sich die Frauen für später auf. Wir glaubten, auf Safari zu sein, aber in Wirklichkeit war es Johnnys Jagdausflug. Und wir waren das Wild.« Millie holte tief Luft und atmete mit einem zitternden Seufzer aus. »An dem Abend, als er die anderen tötete, rannte ich davon. Ich hatte keine Ahnung, wohin ich lief. Wir waren Meilen von der nächsten Straße entfernt, Meilen vom Landeplatz. Er wusste, dass ich keine Überlebenschance hatte, also hat er einfach das Lager abgebrochen, ist davongefahren und hat die Leichen den wilden Tieren überlassen. Alles andere hat er mitgenommen. Unsere Brieftaschen, unsere Kameras, unsere Pässe. Die Polizei sagt, er habe Richards Kreditkarte benutzt, um in Maun zu tanken. Und mit Elliots Karte kaufte er Vorräte in Gaborone. Dann ging er über die Grenze nach Südafrika, und dort verlor sich seine Spur. Er hatte unsere Pässe und Kreditkarten, es wäre also ein Leichtes für ihn gewesen, sich die Haare braun zu färben und sich als Richard auszugeben. Er hätte nach London zurückfliegen und ungehindert durch die Grenzkontrolle marschieren können.« Sie schlang die Arme um den Leib. »Er hätte irgendwann bei mir vor der Tür stehen können.«

»Die britischen Behörden haben für Richard Renwick keine Wiedereinreise registriert«, bemerkte Gabriel.

»Und wenn er noch andere Menschen umgebracht und deren Identität gestohlen hat? Er könnte überall hingegangen sein, unter irgendeinem beliebigen Namen.«

»Und Sie sind sicher, dass Ihr Führer tatsächlich Johnny Posthumus war?«

»Die Polizei hat mir sein Passfoto gezeigt, das nur zwei Jahre zuvor aufgenommen war. Es war derselbe Mann.«

»Es existieren nur sehr wenige belegte Aufnahmen von ihm. Sie haben nur diese eine gesehen.«

»Sie glauben, ich habe mich geirrt?«

»Sie wissen doch, dass man auf verschiedenen Fotos nicht immer gleich aussieht, manchmal sogar vollkommen anders.«

»Wenn es nicht Johnny war, wer soll es dann gewesen sein?«

»Jemand, der sich nur für ihn ausgab.«

Sie starrte Gabriel an. Die Möglichkeit schien ihr die Sprache zu verschlagen.

Sie hörten das Klappern von Geschirr, und dann kam DeBruin mit dem Teetablett aus der Küche zurück. Als er die Stille im Raum bemerkte, setzte er wortlos das Tablett auf dem Couchtisch ab und sah seine Frau forschend an.

»Darf ich den Tee einschenken, Mummy?«, fragte Violet. »Ich versprech auch, dass ich nichts verschütte.«

»Nein, Schatz. Diesmal muss Mummy ihn einschenken. Vielleicht kannst du mit Daddy ein bisschen fernsehen.« Sie warf ihrem Mann einen flehentlichen Blick zu.

DeBruin nahm die Hand seiner Tochter. »Komm, wir schauen mal, was gerade läuft, hm?«, sagte er und führte sie hinaus.

Kurz darauf hörten sie, wie im Nebenzimmer der Fernseher eingeschaltet wurde und nervtötende Dudelmusik einsetzte. Obwohl das Tablett mit dem Tee vor ihr auf dem Tisch stand, machte Millie keine Anstalten einzuschenken, sondern saß mit verschränkten Armen da, bis ins Mark getroffen von dieser neuen Ungewissheit.

»Henk Andriessen von Interpol sagte uns, Sie seien noch im Krankenhaus gewesen, als die Polizei Ihnen das Foto zeigte. Sie waren noch geschwächt, nicht ganz wiederhergestellt. Und es waren Wochen vergangen, seit Sie den Mörder zuletzt gesehen hatten.«

»Sie denken, ich habe mich geirrt«, sagte sie leise.

»Es kommt oft vor, dass Zeugen sich irren«, sagte Gabriel. »Sie verwechseln Details, sie vergessen Gesichter.«

Jane dachte an all die wohlmeinenden Zeugen, die voller Überzeugung auf die falschen Verdächtigen zeigten oder Beschreibungen lieferten, die sich hinterher als völlig unzutreffend herausstellten. Das menschliche Gehirn verstand es hervorragend, fehlende Details zu ergänzen und sie wie selbstverständlich in Fakten zu verwandeln, selbst wenn diese Fakten nur eingebildet waren.

»Sie wollen mich dazu bringen, dass ich an mir selbst zweifle«, sagte Millie. »Aber das Foto, das man mir gezeigt hat, das *war* Johnny. Ich erinnere mich an jede Einzelheit seines Gesichts.« Sie sah Jane und Gabriel abwechselnd an. »Vielleicht hat er einen anderen Namen angenommen. Aber wo immer er ist und wie immer er sich heute nennt, ich weiß, dass er mich auch nicht vergessen hat.«

Sie hörten Violet vergnügt quietschen, während aus dem Fernseher die gnadenlos fröhliche Musik tönte. Doch hier in diesem Zimmer schien die Temperatur plötzlich gefallen zu sein, und nicht einmal die Nachmittagssonne, die durchs Fenster schien, konnte die Kälte vertreiben.

»Deshalb wollten Sie nicht nach London zurückgehen«, sagte Jane.

»Johnny wusste, wo ich wohnte, wo ich arbeitete. Er wusste, wie er mich finden konnte. Ich konnte nicht zurück.« Millie blickte zu der Tür, hinter der das Lachen ihrer Tochter zu hören war. »Und ich hatte ja Christopher.«

»Er hat uns erzählt, wie Sie sich kennengelernt haben.«

»Nachdem ich den Busch überlebt hatte, war er derjenige, der immer an meiner Seite blieb. Der tagaus, tagein an meinem Krankenbett saß. Er war es, der mir ein Gefühl der Sicherheit gab. Der Einzige.« Sie sah Jane an. »Warum hätte ich nach London zurückgehen sollen?«

»Lebt Ihre Schwester nicht dort?«

»Ja, aber das hier ist jetzt mein Zuhause. Hier gehöre ich hin.« Sie sah aus dem Fenster, auf den Baum mit den ausladenden Ästen. »Afrika hat mich verändert. Dort draußen im Busch ist mir mein altes Ich Stück für Stück abhandengekommen. Der Busch schabt an einem wie ein Wetzstein, zwingt einen, alles Unnötige abzuwerfen. Er zwingt einen zu erkennen, wer man wirklich ist. Als ich dort ankam, war ich wie ein törichtes junges Mädchen. Ich machte mir Gedanken über Schuhe und Handtaschen und Gesichtscremes. Ich hatte Jahre damit vertan, darauf zu warten, dass Richard mich heiratete. Ich dachte, ein Trauring würde genügen, um mich glücklich zu machen. Aber dann, in dem Moment, als ich glaubte, ich müsse sterben, habe ich mich selbst gefunden. Mein wahres Selbst. Ich habe die alte Millie dort draußen zurückgelassen, und ich vermisse sie nicht. Das hier ist jetzt mein Leben, hier in Touws River.«

»Wo Sie immer noch Albträume haben.«

Millie blinzelte. »Chris hat es Ihnen erzählt?«

»Er hat uns erzählt, dass Sie nachts schreiend aufwachen.«

»Weil Sie mich angerufen haben. Nur deswegen hat alles wieder angefangen, weil *Sie* es aufgewühlt haben.«

»Was bedeutet, dass es immer noch da ist, Millie. Sie haben es nicht wirklich hinter sich gelassen.«

»Es ging mir gut.«

»Wirklich?« Jane blickte sich in dem Zimmer um, mit

den ordentlich im Regal aufgereihten Büchern, der Blumen-
vase, die exakt in der Mitte des Kaminsimses platziert war.
»Oder ist das hier nur ein Ort, wo Sie sich vor der Welt verstecken können?«

»Nach dem, was mir passiert ist, hätten Sie sich da nicht
auch versteckt?«

»Ich würde wollen, dass ich mich wieder sicher fühlen
kann. Und die einzige Möglichkeit, das zu erreichen, ist,
diesen Mann zu finden und ihn hinter Gitter zu bringen.«

»Das ist *Ihr* Job, Detective. Nicht meiner. Ich werde Ihnen helfen, so gut ich kann. Ich werde mir alle Fotos anschauen, die Sie mitgebracht haben. Aber ich werde nicht
nach Boston fliegen. Ich gehe nicht von zu Hause weg.«

»Und wir haben keine Chance, Sie umzustimmen?«

Millie sah sie unverwandt an. »Nicht die geringste.«

27

Sie schlafen heute Nacht in unserem Gästezimmer. Wenn irgendetwas mir ein Gefühl der Sicherheit geben sollte, dann das Wissen, eine US-Polizistin und einen FBI-Agenten unter meinem Dach zu haben, und doch kann ich wieder einmal nicht einschlafen. Neben mir höre ich Chris tief und gleichmäßig atmen, eine warme, beruhigende Masse in der Dunkelheit. Welch ein Luxus, jede Nacht so tief zu schlafen und am Morgen erfrischt aufzuwachen, frei von den erstickenden Spinnweben schlechter Träume.

Er rührt sich nicht, als ich aufstehe, nach einem Bademantel greife und aus dem Zimmer schleiche.

Ich gehe den Flur entlang, am Gästezimmer vorbei, in dem Detective Rizzoli und ihr Mann schlafen. Seltsam, dass ich nicht gleich gemerkt habe, dass sie ein Ehepaar sind, sondern erst, nachdem ich einen ganzen Nachmittag mit ihnen verbracht hatte. Sie haben mir auf einem Laptop Fotos über Fotos von Verdächtigen gezeigt. So viele Gesichter, so viele Männer. Als es Zeit fürs Abendessen war, verschwammen die Bilder in meinem Kopf schon ineinander. Ich rieb meine müden Augen, und als ich sie wieder aufschlug, sah ich, dass Agent Dean seine Hand auf Detective Rizzolis Schulter gelegt hatte. Das war kein freundschaftlicher Klaps, das war die zärtliche Geste eines Mannes, der diese Frau liebte. Da erst rückten die anderen Details in mein Bewusstsein: die zueinander passenden Eheringe; die Art und Weise, wie einer die Sätze des anderen vollendet; die Tatsache, dass er ihr ohne zu fragen einen Teelöffel Zucker in den Kaffee getan hat, ehe er ihr die Tasse reichte.

Nach außen hin haben sie sich streng geschäftsmäßig gegeben, vor allem der distanzierte und unterkühlte Gabriel Dean. Aber beim Essen, nach ein paar Gläsern Wein, haben sie angefangen, über ihre Ehe und ihre Tochter zu reden, über ihr gemeinsames Leben in Boston. Ein kompliziertes Leben, denke ich, schon wegen ihrer anstrengenden Jobs. Und jetzt hat ihre Arbeit sie den langen Weg von Boston hierher in meinen entlegenen Winkel der Westkap-Provinz geführt.

Auf Zehenspitzen gehe ich an ihrer geschlossenen Tür vorbei in die Küche und gieße mir einen großzügigen Schuss Whiskey in ein Glas. Gerade so viel, dass er mich schläfrig macht, aber nicht betrunken. Ich weiß aus Erfahrung, dass ein kleiner Scotch mir beim Einschlafen hilft, aber wenn ich zu viel trinke, schrecke ich nach ein paar Stunden wieder aus Albträumen hoch. Ich setze mich an den Küchentisch und trinke langsam, in kleinen Schlucken, während die Uhr an der Wand laut tickt. Wenn Chris wach wäre, würden wir mit unseren Drinks in den Garten gehen und zusammen im Mondschein sitzen, um den Duft des Nachtjasmins zu genießen. Allein gehe ich nie im Dunkeln vor die Tür. Chris sagt mir immer, ich sei die mutigste Frau der Welt, aber es war nicht Mut, was mich in Botswana am Leben hielt. Auch die geringste Kreatur will nicht sterben und kämpft, um am Leben zu bleiben. So gesehen bin ich nicht mutiger als irgendein Kaninchen oder ein Spatz.

Ein Geräusch hinter mir lässt mich von meinem Stuhl hochfahren. Ich drehe mich um und sehe Detective Rizzoli barfuß in die Küche kommen. Ihre ungekämmten Haare sehen aus wie eine wilde Krone aus schwarzen Dornen, sie trägt ein T-Shirt in Übergröße und Herren-Boxershorts.

»Tut mir leid, wenn ich Sie erschreckt habe«, sagt sie. »Ich wollte mir nur ein Glas Wasser holen.«

»Ich kann Ihnen etwas Stärkeres anbieten, wenn Sie mögen.«

Sie beäugt mein Whiskeyglas. »Nun ja, ich möchte schließlich nicht, dass Sie allein trinken müssen.« Sie schenkt sich ein, gibt die gleiche Menge Wasser dazu und setzt sich auf den Stuhl mir gegenüber. »Machen Sie das eigentlich oft?«

»Was?«

»Allein trinken.«

»Es hilft mir beim Einschlafen.«

»Damit haben Sie Probleme, wie?«

»Das wissen Sie doch schon.« Ich nehme noch einen kleinen Schluck, doch es hilft mir nicht, mich zu entspannen, weil sie mich mit ihren dunklen, forschenden Augen beobachtet. »Und warum schlafen *Sie* nicht?«

»Jetlag. Es ist sechs Uhr abends Bostoner Zeit, und mein Körper lässt sich einfach nicht überlisten.« Sie nimmt einen Schluck und zuckt nicht einmal mit der Wimper, als der Scotch ihr durch die Kehle rinnt. »Nochmals vielen Dank, dass Sie uns Ihr Gästezimmer angeboten haben.«

»Wir konnten Sie doch heute Abend nicht noch den ganzen Weg nach Kapstadt zurückfahren lassen. Nicht nach den vielen Stunden, die Sie mit mir verbracht haben. Ich hoffe, Sie müssen nicht gleich wieder in die Staaten zurückfliegen. Es wäre zu schade, wenn Sie nicht noch etwas vom Land sehen würden.«

»Wir haben noch eine Übernachtung in Kapstadt.«

»Nur eine?«

»Ich hatte schon genug Mühe, meinen Chef dazu zu überreden, dass er diese Reise genehmigt. Bei uns regiert zurzeit überall der Rotstift. Gott verhüte, dass wir uns auch noch auf Staatskosten vergnügen.«

Ich sehe auf meinen Scotch hinunter, der wie flüssiger Bernstein schimmert. »Gefällt Ihnen Ihre Arbeit eigentlich?«

»Es ist das, was ich schon immer machen wollte.«

»Mörder fangen?« Ich schüttle den Kopf. »Ich glaube, das würde ich nicht aushalten. Zu sehen, was Sie so zu sehen bekommen. Jeden Tag damit konfrontiert zu sein, wozu Menschen fähig sind.«

»Das ist etwas, was Sie auch schon hautnah erlebt haben.«

»Und ich will es nie wieder erleben.« Ich kippe mir den Rest meines Drinks auf einmal hinunter. Plötzlich ist es nicht genug, bei Weitem nicht genug, um meine Nerven zu beruhigen. Ich stehe auf, um mir nachzuschenken.

»Ich hatte früher auch Albträume«, sagt sie.

»Kein Wunder, bei Ihrem Job.«

»Ich bin sie losgeworden. Das können Sie auch.«

»Wie?«

»Auf die gleiche Weise wie ich. Indem Sie die Bestie besiegen. Den Kerl hinter Schloss und Riegel bringen, wo er weder Ihnen noch irgendjemand anderem noch etwas antun kann.«

Ich lache, während ich die Flasche wieder verschließe. »Sehe ich etwa aus wie eine Polizistin?«

»Sie sehen aus wie eine Frau, die schon panische Angst vor dem Einschlafen hat.«

Ich stelle die Flasche auf der Arbeitsplatte ab und drehe mich zu ihr um. »Sie haben nicht das Gleiche durchgemacht wie ich. Sie jagen vielleicht Mörder, aber die Mörder jagen nicht *Sie*.«

»Sie irren sich, Millie«, sagt sie ruhig. »Ich weiß genau, was Sie durchleben. Weil ich auch gejagt worden bin.« Sie fixiert mich mit ihrem durchdringenden Blick, als ich wieder auf meinen Stuhl sinke.

»Was ist passiert?«, frage ich.

»Es geschah vor einigen Jahren, um die Zeit, als ich meinen Mann kennenlernte. Ich war hinter einem Täter her, der mehrere Frauen ermordet hatte. Wenn ich daran denke, was dieser Mörder ihnen angetan hat, zögere ich, ihn einen Menschen zu nennen. Er scheint einer anderen Spezies anzugehören, einer Spezies, die sich von Schmerz und Angst ernährt. Er weidete sich an ihrer Angst. Je mehr Angst man hatte, desto mehr begehrte er einen.« Sie hebt ihr Glas an die Lippen, nimmt einen großen Schluck. »Und er wusste, dass ich Angst hatte.«

Ich bin überrascht, dass sie das zugibt – diese Frau, die eine solche Unerschrockenheit ausstrahlt. Beim Abendessen hat sie geschildert, wie sie ihre erste Tür eingetreten hat, wie sie Mörder über Hausdächer und in dunkle Gassen verfolgt hat. Jetzt, da sie in T-Shirt und Boxershorts vor mir sitzt, sieht sie aus wie eine ganz gewöhnliche Frau. Klein, verletzlich. Nicht unbesiegbar.

»Er hatte es auf Sie abgesehen?«, frage ich.

»Ja. Ich war immer schon ein Glückspilz.«

»Warum Sie?«

»Weil er mich schon einmal in eine Falle gelockt hatte. Er hatte mich genau da, wo er mich haben wollte.« Sie hält ihre Hände hoch und zeigt mir die vernarbten Handflächen. »Das hat er getan. Mit Skalpellen.«

Die Narben an diesen ungewöhnlichen Stellen waren mir schon vorher aufgefallen, wie verheilte Wunden von einer Kreuzigung. Ich starre sie entsetzt an, denn jetzt weiß ich, wie ihr diese Wunden beigebracht wurden.

»Auch als er dann ins Gefängnis kam und obwohl ich wusste, dass er mir nichts mehr antun konnte, hatte ich Albträume über das, was er beinahe mit mir gemacht hätte. Wie konnte ich vergessen, solange ich diese unauslöschlichen Erinnerungen an ihn an meinen Händen trug? Aber die bösen Träume verblassten allmählich. Nach einem Jahr träumte ich kaum noch von ihm, und das hätte der Schlussstrich sein sollen. Es *wäre* der Schlussstrich gewesen.«

»Und warum war es das nicht?«

»Weil er aus dem Gefängnis entkam.« Sie erwidert meinen Blick, und ich sehe meine eigene Angst in ihren Augen gespiegelt. Ich sehe eine Frau, die weiß, was es bedeutet, im Fadenkreuz eines Mörders zu leben, ohne zu wissen, wann er abdrücken wird. »Und da fingen die Albträume wieder an.«

Ich stehe auf, hole die Whiskeyflasche und stelle sie zwischen uns auf den Tisch. »Gegen die Albträume«, sage ich.

»Sie können sie nicht im Alkohol ertränken. Auch nicht mit noch so viel Whiskey.«

»Wozu raten Sie mir dann?«

»Tun Sie das Gleiche, was ich getan habe. Bringen Sie die Bestie zur Strecke, die Sie in Ihren Träumen verfolgt. Hacken Sie sie in Stücke und verscharren Sie sie. Dann, und nur dann, werden Sie endlich wieder ruhig schlafen.«

»Schlafen Sie denn ruhig?«

»Ja. Aber nur weil ich mich entschlossen habe, nicht wegzulaufen und mich nicht zu verstecken. Ich wusste, solange er frei herumlief und mich umkreiste, würde ich nie Ruhe finden. Also wurde *ich* zur Jägerin. Gabriel wusste, dass ich mich in Gefahr begab, und er versuchte, mich von dem Fall fernzuhalten, aber ich musste dabei sein. Um nicht den Verstand zu verlieren, musste ich an vorderster Front mitmischen, anstatt mich hinter verschlossenen Türen zu verstecken und auf den Angriff zu warten.«

»Und Ihr Mann hat nicht versucht, Sie daran zu hindern?«

»Oh, wir waren damals noch nicht verheiratet, also konnte er mich gar nicht daran hindern.« Sie lacht. »Nicht, dass er es jetzt könnte. Obwohl er sich alle Mühe gibt, mich in meine Schranken zu verweisen.«

Ich denke an Chris, der jetzt friedlich in unserem Bett schnarcht. Ich denke daran, wie er mich gepackt und auf diese Farm mitgenommen hat, um mich zu beschützen. »Das ist das, was mein Mann zu tun versucht.«

»Sie hinter verschlossenen Türen zu halten?«

»Mich zu beschützen.«

»Und doch fühlen Sie sich nicht sicher. Auch nach sechs Jahren nicht.«

»Hier fühle ich mich sicher. Zumindest habe ich mich sicher gefühlt – bis *Sie* alles wieder aufgewühlt haben.«

»Ich mache nur meinen Job, Millie. Geben Sie nicht mir die Schuld. Ich habe diese Albträume nicht in Ihren Kopf gepflanzt. Ich bin nicht diejenige, die Sie zu einer Gefangenen gemacht hat.«

»Ich *bin* keine Gefangene.«

»Wirklich nicht?«

Wir starren einander über den Tisch hinweg an. Sie hat dunkle, funkelnde Augen. Gefährliche Augen, die glatt durch meinen Schädel dringen, bis in die tiefsten Windungen meines Gehirns, wo ich meine geheimsten Ängste verberge. Ich kann nichts von dem leugnen, was sie gesagt hat. Ich *bin* eine Gefangene. Ich meide nicht nur die Welt, ich verstecke mich vor ihr.

»Es muss nicht so sein«, sagt sie.

Ich antworte nicht sofort. Stattdessen sehe ich auf mein Glas hinunter, das ich mit beiden Händen umfasst halte. Ich würde gerne noch einen Schluck trinken, aber ich weiß, dass es die Angst nur für ein paar Stunden mildern wird. Wie bei einer Narkose lässt die Wirkung irgendwann nach.

»Erzählen Sie mir, wie Sie es gemacht haben«, sage ich. »Wie Sie sich zur Wehr gesetzt haben.«

Sie zuckt mit den Achseln. »Am Ende blieb mir keine Wahl.«

»Sie haben sich entschlossen zu kämpfen.«

»Nein, ich meine, ich hatte *wirklich* keine Wahl. Sehen Sie, nachdem er aus dem Gefängnis entkommen war, wusste ich, dass ich ihn zur Strecke bringen musste. Gabriel und meine Kollegen vom Boston PD, sie haben alle versucht, mich da rauszuhalten, aber ich durfte mich nicht ins Abseits drängen lassen. Ich kannte diesen Mörder besser als irgendjemand sonst. Ich hatte ihm in die Augen geschaut, und ich hatte die Bestie gesehen. Ich verstand ihn – was ihn erregte, was er begehrte, wie er sich an seine Opfer heranmachte. Die einzige Möglichkeit, wie ich wieder ruhig schlafen konnte, war, ihn unschädlich zu machen. Das Problem war, dass er auch *mich* jagte. Wir waren zwei Gegner, die sich in einem Kampf auf Leben und Tod umklammert hielten, und einer von uns musste zu Boden gehen.« Sie hält inne, trinkt einen kleinen Schluck Whiskey. »Er schlug zuerst zu.«

»Was ist passiert?«

»Er brachte mich in seine Gewalt, als ich es am wenigsten erwartete. Verschleppte mich an einen Ort, wo niemand mich je finden würde. Das Schlimmste war, er war nicht allein. Er hatte einen Komplizen.«

Ihre Stimme ist so leise, dass ich mich vorbeugen muss, um sie zu verstehen. Draußen im Garten veranstalten die Insekten ihr nächtliches Konzert, doch in meiner Küche ist es still, so still. Ich stelle mir vor, dass alle meine Ängste verdoppelt würden. Zwei Johnnys, die mich jagen. Ich weiß nicht, wie diese Frau hier so ruhig sitzen und mir ihre Geschichte erzählen kann.

»Sie hatten mich da, wo sie mich haben wollten«, sagt sie. »Niemand würde kommen, um mich da rauszuholen, es würde keine Rettung in letzter Sekunde geben. Ich musste allein mit ihnen fertig werden.« Sie atmet durch und richtet sich auf ihrem Stuhl auf. »Und ich habe gewonnen. Und das können Sie auch, Millie. Sie können diese Bestie töten.«

»Haben *Sie* das getan?«

»Er ist so gut wie tot. Meine Kugel hat sein Rückenmark durchtrennt, und jetzt sitzt er in einem Gefängnis, aus dem er nie mehr entkommen kann – in seinem eigenen Körper. Vom Hals abwärts gelähmt. Und sein Komplize vermodert im Grab.« Ihr Lächeln steht in einem merkwürdigen Kontrast zu dem, was sie gerade erzählt hat, doch wenn man über Ungeheuer triumphiert hat, darf man sich wohl ein Siegergrinsen erlauben. »Und in dieser Nacht habe ich so gut geschlafen wie seit einem ganzen Jahr nicht mehr.«

Ich sitze zusammengesunken am Tisch und sage nichts. Ich weiß natürlich, warum sie mir ihre Geschichte erzählt hat, aber bei mir funktioniert das nicht. Man kann einen Menschen nicht zwingen, mutig zu sein, wenn er es nicht schon von Natur aus ist. Ich bin nur deshalb noch am Leben, weil ich zu große Angst vor dem Sterben hatte, und damit bin ich im Grunde genommen ein Feigling. Die Frau, die immer weiter und weiter gegangen ist, vorbei an Elefanten und Krokodilen, die Frau, die mit zwei kräftigen Beinen und einer Riesenportion Glück gesegnet war.

Sie gähnt und steht auf. »Ich glaube, ich gehe wieder ins Bett. Ich hoffe, wir können morgen weiter darüber reden.«

»Ich werde es mir nicht anders überlegen. Ich kann nicht nach Boston mitkommen.«

»Obwohl Sie damit den entscheidenden Beitrag leisten könnten? Sie *kennen* diesen Mörder, besser als irgendjemand sonst.«

»Und er kennt mich. Ich bin diejenige, die entkommen ist und nach der er seitdem sucht. Ich bin sein Einhorn, das

Wesen, das dazu verdammt ist, bis zur Ausrottung gejagt zu werden.«

»Wir werden auf Sie aufpassen, ich verspreche es.«

»Vor sechs Jahren im Busch habe ich erfahren, wie es ist zu sterben.« Ich schüttele den Kopf. »Verlangen Sie nicht von mir, dass ich ein zweites Mal sterbe.«

Obwohl ich dem Whiskey so tüchtig zugesprochen habe, oder vielleicht gerade deswegen, träume ich in dieser Nacht wieder von Johnny.

Er steht vor mir und streckt die Hände nach mir aus, fleht mich an, zu ihm zu laufen. Wir sind von Löwen umzingelt, sie kommen immer näher, machen sich zur tödlichen Attacke bereit, und ich muss mich entscheiden. Wie gerne würde ich Johnny vertrauen, wie ich ihm schon einmal vertraut habe! Ich habe nie wirklich geglaubt, dass er ein Mörder ist, und jetzt steht er vor mir, breitschultrig und mit goldblonden Haaren. *Komm zu mir, Millie. Ich werde dich beschützen.* Freudig laufe ich auf ihn zu, begierig nach seiner Berührung. Doch genau in dem Moment, als ich in seine Arme sinke, verwandelt sich sein Mund in ein weit aufgerissenes Maul mit blutigem Raubtiergebiss, das mich verschlingen will.

Mit einem Schrei schrecke ich aus dem Schlaf hoch. Ich setze mich auf die Bettkante, den Kopf in den Händen. Chris streichelt mir den Rücken, versucht, mich zu beruhigen. Während der Schweiß auf meiner Haut schon abkühlt und mich fast frösteln lässt, hämmert mein Herz immer noch in meiner Brust.

»Ist ja gut, Millie«, murmelt er. »Du bist in Sicherheit.«

Aber ich weiß, dass es nicht gut ist. Ich bin eine angeschlagene Porzellanpuppe, die beim leisesten Stoß in tausend Scherben zerspringen kann. Die sechs Jahre, die seither verstrichen sind, haben mich nicht wieder heil gemacht, und mir ist klar, dass ich nie wieder heil sein werde. Nicht, solange Johnny nicht im Gefängnis ist. Oder tot.

Ich hebe den Kopf und sehe Chris an. »Ich kann nicht so weitermachen. *Wir* können es nicht.«

Er stößt einen tiefen Seufzer aus. »Ich weiß.«

»Ich will es nicht, aber ich muss das tun.«

»Dann fliegen wir alle mit dir nach Boston. Du wirst nicht allein sein.«

»Nein. *Nein.* Ich will nicht, dass Violet auch nur in seine Nähe kommt. Ich will, dass sie hierbleibt, wo ich weiß, dass sie in Sicherheit ist. Und du bist der einzige Mensch, dem ich sie anvertrauen kann.«

»Aber wer wird auf *dich* achtgeben?«

»Rizzoli und Dean. Du hast gehört, was sie gesagt haben: Sie werden nicht zulassen, dass mir etwas zustößt.«

»Und du vertraust ihnen?«

»Warum denn nicht?«

»Weil du für sie nur ein Werkzeug bist, ein Mittel zum Zweck. Du bedeutest ihnen nichts. Es geht ihnen nur darum, *ihn* zu fassen.«

»Das will ich doch auch. Und ich kann dabei helfen.«

»Indem du ihn auf deine Spur setzt? Was ist, wenn es ihnen nicht gelingt, ihn zu fassen? Wenn er den Spieß umdreht und dir hierherfolgt?«

Das ist eine Möglichkeit, die ich nicht bedacht habe. Ich denke an den Albtraum, aus dem ich gerade erwacht bin. Johnny, wie er mich zu sich ruft, wie er mir Sicherheit verspricht, um im nächsten Moment seine blutigen Reißzähne zu blecken. Es ist mein Unterbewusstsein, das mich mahnt, nicht hinzugehen. Aber wenn ich nicht hingehe, wird sich nichts ändern, wird nichts heil werden. Ich werde immer diese angeschlagene Porzellanpuppe sein.

»Ich habe keine Wahl«, sage ich. »Ich muss ihnen vertrauen.«

»Du kannst dich entscheiden, nicht zu gehen.«

Ich nehme seine Hand. Es ist die Hand eines Bauern, groß und schwielig, stark genug, um Schafe zu Boden zu ringen, und sanft genug, um einem kleinen Mädchen die Haare zu kämmen. »Ich muss das zu Ende bringen, Schatz. Ich gehe nach Boston.«

Christopher hat eine Liste von Forderungen, die er Detective Rizzoli und Agent Dean mit flammendem Blick präsentiert.

»Sie werden sich jeden Tag bei mir melden, damit ich weiß, dass es ihr gut geht«, weist er sie an. »Ich will wissen, dass sie wohlauf und in Sicherheit ist. Ich will wissen, ob sie Heimweh hat. Wenn sie auch nur niest, will ich es wissen.«

»Bitte, Chris.« Ich seufze. »Ich fliege doch nicht zum Mond.«

»Auf dem Mond wärst du vielleicht sicherer.«

»Sie haben mein Wort, dass wir auf sie aufpassen werden«, versichert ihm Detective Rizzoli. »Wir verlangen nicht, dass sie sich eine Waffe umschnallt. Sie soll sich nur mit unserem Ermittlungsteam und unserem forensischen Psychologen austauschen. Sie wird eine Woche weg sein, höchstens zwei.«

»Ich will nicht, dass sie allein in irgendeinem Hotelzimmer sitzt. Ich will, dass sie bei jemandem wohnt. In einem richtigen Zuhause, wo sie sich nicht isoliert fühlt.«

Detective Rizzoli sieht ihren Mann an. »Ich bin sicher, dass wir da eine Lösung finden werden.«

»Wo?«

»Ich muss zuerst jemanden anrufen. Um herauszufinden, ob das Haus, das ich im Sinn habe, infrage kommt.«

»Wessen Haus?«

»Das Haus einer Freundin, der ich vertraue.«

»Bevor Millie in dieses Flugzeug steigt, will ich, dass Sie mir das bestätigen.«

»Es wird alles geregelt sein, bevor wir Kapstadt verlassen.«

Chris studiert eine Weile ihre Gesichter, sucht nach Gründen, ihnen nicht zu vertrauen. Mein Mann hegt ein tief sitzendes Misstrauen gegen andere Menschen. Es rührt daher, dass er mit einem unzuverlässigen Vater aufgewachsen ist und mit einer Mutter, die ihn im Stich ließ, als er sieben war. Er wird immer Angst haben, die Menschen zu verlieren, die er liebt, und jetzt hat er Angst, mich zu verlieren.

»Alles wird gut, Schatz«, sage ich, und es klingt überzeugter, als ich in Wirklichkeit bin. »Sie wissen genau, was sie tun.«

28

Boston

Maura stellte eine Vase mit gelben Rosen auf die Kommode
und sah sich noch einmal prüfend in ihrem Gästezimmer
um. Die weiße Bettdecke war frisch gewaschen, der Orient-
teppich gründlich gesaugt, das Bad mit flauschigen weißen
Handtüchern bestückt. Das letzte Mal, dass jemand hier geschlafen hatte, war im August gewesen, als der siebzehn-
jährige Julian Perkins Maura in den Sommerferien besucht
hatte. Seit seiner Abreise hatte sie das Zimmer kaum betreten, und jetzt vergewisserte sie sich noch einmal mit
einem kritischen Blick, ob alles für ihren Gast bereit war.
Das Fenster ging auf ihren Garten, aber an diesem Nachmittag Ende November sah sie nur eine triste Landschaft aus
kahlen Stauden und braunem Gras. Wenigstens steuerte das
Bild mit den üppigen hellroten Pfingstrosen, das über dem
Bett hing, eine bunte, frühlingshafte Note bei, wie auch die
Vase mit den gelben Rosen auf der Kommode. Ein heiterer Willkommensgruß für einen Gast auf einer bittererns-
ten Mission.

Jane hatte ihr die Situation in einer E-Mail geschildert,
und Maura hatte Millies Akte gelesen, sie wusste also, was
sie erwartete. Doch als es an der Tür klingelte und sie Millie
zum ersten Mal erblickte, war sie erschrocken über die aus-
gezehrte Erscheinung der Frau. Es war eine lange Reise von

Kapstadt nach Boston, und Jane sah auch recht zerrupft aus, aber Millie wirkte so zerbrechlich, als ob der kleinste Windstoß sie umwerfen könnte. Ihre Augen waren verschattet, und mit ihrer schmächtigen Statur schien sie in dem übergroßen Pullover schier zu ertrinken.

»Willkommen in Boston«, sagte Maura, als Millie eintrat und Jane ihren Koffer hineintrug. »Ich muss mich für das Wetter entschuldigen.«

Millie rang sich ein mattes Lächeln ab. »Ich hatte nicht damit gerechnet, dass es so kalt sein würde.« Sie sah verlegen auf ihren riesigen Pulli hinunter. »Den habe ich am Flughafen gekauft. Ich glaube, da hätte noch eine andere Frau drin Platz.«

»Sie müssen erschöpft sein. Möchten Sie eine Tasse Tee?«

»Das wäre wunderbar, aber ich glaube, zuerst brauche ich mal eine Toilette.«

»Ihr Zimmer ist am Ende des Flurs, die letzte Tür rechts, und Sie haben dort Ihr eigenes Bad. Bitte lassen Sie sich Zeit, und kommen Sie erst mal richtig an. Der Tee kann warten.«

»Danke.« Millie nahm ihren Koffer. »Ich brauche nur ein paar Minuten.«

Maura und Jane warteten, bis sie hörten, wie die Tür von Millies Zimmer geschlossen wurde. Dann sagte Jane: »Bist du sicher, dass das okay ist? Ich habe versucht, eine andere Lösung zu finden, aber unsere Wohnung ist einfach zu klein.«

»Das ist überhaupt kein Problem, Jane. Du hast doch gesagt, es ist nur für eine Woche, und du kannst die arme Frau ja nicht in ein Hotelzimmer stecken.«

»Danke, ich weiß das wirklich zu schätzen. Die einzige Alternative wäre das Haus meiner Mutter gewesen, aber da geht es dieser Tage zu wie in einem Irrenhaus. Dad treibt sie irgendwann noch in den Wahnsinn.«

»Ich wollte dich schon fragen – wie geht es deiner Mutter so?«

»Abgesehen davon, dass sie krankhaft depressiv ist?« Jane schüttelte den Kopf. »Ich warte nur darauf, dass sie endlich ihren Mut zusammennimmt und ihn rausschmeißt. Das Problem ist, sie versucht so krampfhaft, es allen recht zu machen, dass sie sich selbst darüber vergisst.« Jane seufzte. »Meine Mutter, die Heilige.«

Etwas, was meine Mutter nie sein wird, dachte Maura. Sie erinnerte sich an ihren letzten Besuch bei Amalthea im Gefängnis. Erinnerte sich an die seelenlosen Augen der Frau, ihren berechnenden Blick. Damals musste der Tumor schon in ihr herangewachsen sein, ein bösartiges Gewächs in einem bösartigen Wesen, wie vergiftete Matroschkas. Empfand sie jetzt, da der Krebs sie zerfraß, so etwas wie Reue? Gab es für einen solchen Menschen überhaupt eine Aussicht auf Erlösung? In wenigen Monaten, einem halben Jahr allerhöchstens, würden diese Augen für immer erlöschen. *Und ich werde immer noch nach Antworten suchen.*

Jane sah auf ihre Uhr. »Ich muss jetzt los. Sag Millie, ich hole sie morgen so gegen zehn Uhr zur Teambesprechung ab. Ich habe die Kollegen vom Revier Brookline gebeten, öfter mal eine Streife vorbeizuschicken und dein Haus im Auge zu behalten.«

»Ist das wirklich notwendig? Es weiß doch niemand, dass sie hier ist.«

»Es geht darum, dass sie sich sicher fühlt. Es war schon schwierig genug, sie dazu zu bringen, dass sie mitkommt, Maura. In ihren Augen haben wir sie mitten in die Höhle der Bestie verschleppt.«

»Das ist vielleicht auch so.«

»Aber wir brauchen sie. Wir müssen nur dafür sorgen,

dass sie sich wohlfühlt, damit sie nicht gleich in die nächste Maschine nach Hause springt.«

»Ich habe nichts gegen Übernachtungsgäste«, sagte Maura. Sie sah auf den Kater hinunter, der die Ablenkung genutzt hatte, um auf den Couchtisch zu springen. »Obwohl ich *diesen* Gast hier ganz gerne wieder los wäre.« Sie hob den Kater hoch und setzte ihn wieder auf den Boden.

»Ihr seid immer noch nicht richtig warm geworden miteinander, hm?«

»Oh, er ist durchaus schon warm geworden – mit meinem Dosenöffner.« Angewidert klopfte Maura sich Katzenhaare von den Händen. »Also sag, was hältst du von ihr?«

Jane sah sich zum Flur um und sagte leise: »Sie hat Angst, und ich kann es ihr nicht verdenken. Sie ist die Einzige, die damals überlebt hat, und die Einzige, die ihn vor Gericht identifizieren könnte. Sechs Jahre danach verfolgt er sie immer noch in ihren Albträumen.«

»Das ist nicht schwer zu verstehen. Du und ich, wir waren beide schon in ihrer Lage.« Sie musste nicht deutlicher werden – Jane wusste ebenso gut wie sie, wie es war, gejagt zu werden, schlaflos im eigenen Bett zu liegen und auf das Klirren einer Fensterscheibe zu lauschen, auf das Knarren einer Tür. Sie gehörten zu jener bedauernswerten Schwesternschaft von Frauen, die ins Fadenkreuz von Mördern geraten waren.

»Sie wird morgen eine Menge Fragen beantworten müssen, und sie wird gezwungen sein, einige quälende Erinnerungen wieder zu durchleben«, sagte Jane. »Sieh zu, dass sie sich ordentlich ausschläft.« Als sie aus dem Haus trat, klingelte ihr Mobiltelefon, und sie blieb auf der Veranda stehen, um den Anruf anzunehmen. »Hi, Tam, wir sind gerade angekommen. Ich komm jetzt ins Büro, dann können Sie mir alles …« Sie hielt inne. »Was? Sind Sie sicher?«

Maura sah zu, wie Jane die Verbindung trennte und das Telefon anstarrte, als ob es sie gerade im Stich gelassen hätte. »Was gibt's?«

Jane drehte sich zu ihr um. »Wir haben ein Problem. Erinnerst du dich an die unbekannte Tote?«

»Das Skelett aus dem Garten?«

»Du wolltest mich davon überzeugen, dass sie von unserem Leopardenmenschen getötet wurde.«

»Davon bin ich nach wie vor überzeugt. Die Krallenspuren an ihrem Schädel. Die Hinweise auf Ausweidung. Das Nylonseil. Es passt alles ins Bild.«

»Das Problem ist: Sie wurde soeben identifiziert, und die DNS-Analyse hat es bestätigt. Ihr Name ist Natalie Toombs, zwanzig Jahre alt. Sie war Studentin am Curry College. Weiß, eins sechzig groß.«

»Das stimmt überein mit den skelettierten Überresten, die ich untersucht habe. Und was ist nun das Problem?«

»Natalie ist vor vierzehn Jahren verschwunden.«

Maura starrte sie an. »Vor vierzehn Jahren? Wissen wir, wo Johnny Posthumus zu der Zeit war?«

»Er arbeitete bei einer Safari-Lodge im afrikanischen Busch.« Jane schüttelte den Kopf. »Er kann Natalie unmöglich ermordet haben.«

»Das wirft deine ganze schöne Leopardenmenschen-Theorie über den Haufen, Rizzoli«, sagte Darren Crowe. »Vor vierzehn Jahren, als Natalie Toombs in Boston verschwand, arbeitete dieser Typ in Sabi Sands in Südafrika. Das ist alles in dem Interpol-Bericht dokumentiert. Da sind seine Arbeitsunterlagen von der Safari-Lodge, seine Dienstpläne und Gehaltszettel. Es ist offensichtlich, dass er Natalie nicht getötet hat. Und das bedeutet, dass du diese Zeugin für nichts und wieder nichts aus dem fernen Südafrika hierhergeholt hast.«

Immer noch groggy von einer Nacht mit wenig Schlaf, versuchte Jane, sich auf ihren Laptop zu konzentrieren. Sie war an diesem Morgen desorientiert aufgewacht und hatte zwei Tassen Kaffee gekippt, um ihr Hirn vor der Teambesprechung in Schwung zu bringen, doch bei dieser Flut von neuen Fakten hatte sie Mühe mitzukommen. Sie hatte den Eindruck, dass ihre drei Kollegen sie beobachteten, während sie sich durch Seiten über Seiten klickte, die alle bestätigten, was Tam ihr gestern am Telefon gesagt hatte. Natalie Toombs, ihre unbekannte Tote aus dem Garten, war zum Zeitpunkt ihres Todes zwanzig Jahre alt gewesen und hatte am Curry College Englisch im Hauptfach studiert, gerade einmal zwei Meilen von dem Ort entfernt, an dem man ihre Gebeine ausgegraben hatte. Natalie hatte in einer WG mit zwei anderen Studentinnen gewohnt, die sie als kontaktfreudig, sportlich und naturverbunden beschrieben hatten. Sie war zuletzt an einem Samstagnachmittag gesehen worden, als sie mit einem Rucksack voller Bücher aufgebrochen war, um mit einem Kommilitonen namens Ted zu lernen, den keine der Mitbewohnerinnen je zu Gesicht bekommen hatte.

Am nächsten Tag hatten die Mitbewohnerinnen sie als vermisst gemeldet.

Vierzehn Jahre lang hatte die Akte in der nationalen Vermisstenkartei herumgedümpelt, zusammen mit Tausenden anderen ungeklärten Fällen. Natalies Mutter, die in der Zwischenzeit verstorben war, hatte dem FBI eine DNS-Probe abgegeben, für den Fall, dass die Leiche ihrer Tochter doch noch auftauchen sollte. Es war diese DNS, die jetzt die Bestätigung geliefert hatte, dass es sich bei den Knochen, die bei den Erdarbeiten im Garten gefunden worden waren, tatsächlich um Natalies sterbliche Überreste handelte.

Jane sah Frost an, der bedauernd den Kopf schüttelte.

»Die Fakten lassen sich nun mal schlecht leugnen«, sagte er, und er klang gequält. Es tat immer weh, zugeben zu müssen, dass Crowe recht hatte.

»Du hast einen hübschen Batzen vom Budget des Boston PD zum Fenster rausgeschmissen, als du diese Zeugin aus Südafrika hierhergeholt hast«, sagte Crowe. »Saubere Arbeit, Rizzoli.«

»Aber es gibt ein Beweisstück, das zumindest *einen* der Morde mit Botswana in Verbindung bringt«, betonte sie. »Und zwar dieses Feuerzeug. Wir wissen, dass es Richard Renwick gehört hat. Wie ist es von Afrika nach Maine gekommen, wenn der Mörder es nicht mitgenommen hat?«

»Wer weiß, durch wie viele Hände es in den letzten sechs Jahren gegangen ist? Es könnte in der Tasche irgendeines harmlosen Touristen hierhergelangt sein, der es weiß Gott wo aufgelesen hat. Wie man es auch betrachtet, es ist klar, dass Natalie Toombs nicht von Johnny Posthumus ermordet wurde. Ihr Tod ging all den anderen Fällen um fast zehn Jahre voraus. Für mich ist unsere gemeinsame Ermittlung damit beendet. Du suchst nach deinem Leopardenmenschen, Rizzoli, und wir suchen nach unserem Täter. Ich glaube nämlich nicht, dass es zwischen unseren Fällen irgendeine Verbindung gibt.« Er wandte sich zu seinem Partner um. »Kommen Sie, Tam.«

»Millie DeBruin ist extra aus Kapstadt hergeflogen«, sagte Jane. »Sie wartet draußen mit Dr. Zucker. Hört sie doch wenigstens an.«

»Warum?«

»Was ist, wenn es doch nur *einen* Täter gibt? Was ist, wenn er von einem Bundesstaat zum nächsten weiterzieht, von einem Land zum anderen, indem er andere Identitäten annimmt?«

»Moment mal. Ist das jetzt schon wieder eine neue Theorie?« Crowe lachte. »Ein Verwandlungskünstler, der unter falschem Namen tötet?«

»Henk Andriessen, unser Kontakt bei Interpol, war der Erste, der auf diese Möglichkeit hingewiesen hat. Was Henk keine Ruhe ließ, war die Tatsache, dass Johnny Posthumus keinerlei Vorstrafen hatte und nie durch Gewalttätigkeit aufgefallen war. Er hatte einen hervorragenden Ruf als Safari-Guide und war bei seinen Kollegen hoch angesehen. Was ist, wenn der Mann, der diese sieben Touristen in den Busch geführt hat, gar nicht Johnny war? Keiner dieser Touristen hatte ihn vorher je gesehen. Der afrikanische Fährtensucher hatte noch nie mit ihm gearbeitet. Es ist denkbar, dass ein anderer Mann Johnnys Stelle eingenommen hat.«

»Und sich für ihn ausgegeben hat? Aber wo ist dann der echte Johnny?«

»Er müsste in dem Fall tot sein.«

Am Tisch wurde es still, während ihre drei Kollegen über diese Möglichkeit nachdachten.

»Ich würde sagen, damit stehst du wieder ganz am Anfang«, meinte Crowe. »Auf der Suche nach einem Mörder ohne Namen und ohne Identität. Na, viel Glück.«

»Mag sein, dass wir keinen Namen haben«, erwiderte Jane, »aber was wir haben, ist ein Gesicht. Und wir haben eine Zeugin, die es gesehen hat.«

»Deine Zeugin hat Johnny Posthumus identifiziert.«

»Aufgrund eines einzigen Passfotos. Wir wissen alle, dass Fotos lügen können.«

»Zeugen auch.«

»Millie ist keine Lügnerin«, entgegnete Jane heftig. »Sie ist durch die Hölle gegangen, und sie wollte überhaupt nicht nach Boston kommen. Aber jetzt sitzt sie hier zusammen mit Dr. Zucker. Das Mindeste, was ihr tun könnt, ist, sie anzuhören.«

»Okay.« Crowe seufzte und ließ sich gegen die Stuhllehne sinken. »Ich will ja kein Spielverderber sein. Dann hören wir uns halt mal an, was sie zu sagen hat.«

Jane ging zur Gegensprechanlage. »Dr. Zucker, würden Sie Millie bitte hereinbringen?«

Wenige Augenblicke später führte Zucker Millie ins Besprechungszimmer. Sie trug ein Wollkostüm mit einer Bluse darunter, doch es war ihr eine Nummer zu groß, als ob sie in letzter Zeit abgenommen hätte, und sie wirkte eher wie ein Mädchen, das sich im Kleiderschrank ihrer Mutter bedient hat. Gehorsam nahm sie auf dem Stuhl Platz, den Zucker ihr herauszog, hielt aber den Blick auf den Tisch gesenkt, als ob sie zu eingeschüchtert wäre, um die Detectives anzuschauen, die sie jetzt interessiert musterten.

»Das sind meine Kollegen vom Morddezernat«, sagte Jane. »Die Detectives Crowe, Tam und Frost. Sie haben die Akte gelesen und wissen, was Sie im Delta erlebt haben. Aber sie brauchen noch mehr Informationen.«

Millie sah sie fragend an. »Noch mehr?«

»Über Johnny. Den Mann, den Sie als Johnny gekannt haben.«

»Sagen Sie ihnen, was Sie mir eben gesagt haben, über Johnny«, schlug Dr. Zucker vor. »Erinnern Sie sich, wie ich gesagt habe, dass jeder Mörder seine eigene Technik hat, seine eigene Signatur? Diese Detectives möchten gerne wissen, was Johnny von allen anderen unterscheidet. Wie er vorgeht, wie er denkt. Was Sie ihnen sagen, könnte das eine Detail sein, das sie noch brauchen, um ihn zu fassen.«

Millie dachte eine Weile darüber nach. »Wir haben ihm vertraut«, begann sie mit leiser Stimme. »Das war letztlich das Entscheidende. Wir glaubten – ich glaubte –, dass wir bei ihm in sicheren Händen wären. Im Delta kann man auf Dutzende verschiedene Arten den Tod finden. Jedes Mal, wenn man aus dem Jeep steigt oder das Zelt verlässt, lauert irgendetwas auf einen und trachtet einem nach dem Leben. An einem solchen Ort ist der eine Mensch, dem man einfach glauben und vertrauen muss, der Safari-Guide. Der Mann mit der Erfahrung, der Mann mit dem Gewehr. Wir hatten allen Grund, ihm zu vertrauen. Bevor Richard die Reise buchte, hatte er gründlich recherchiert. Er sagte, Johnny habe achtzehn Jahre Erfahrung. Er sagte, es gebe Empfehlungen von anderen Reisenden. Von Touristen aus aller Welt.«

»Und das hatte er alles aus dem Internet?«, fragte Crowe und zog skeptisch die Stirn in Falten.

»Ja«, gab Millie errötend zu. »Aber es schien alles in bester Ordnung zu sein, als wir im Delta ankamen. Er holte uns am Landeplatz ab. Die Zelte waren sehr einfach, aber gemütlich. Und das Delta war wunderschön. Eine unberührte Wildnis, man glaubt kaum, dass es so etwas überhaupt noch gibt.« Sie hielt inne, den Blick ins Leere gerichtet, in Erinnerungen an diese Landschaft versunken. Dann holte sie tief Luft. »Die ersten zwei Nächte lief alles so, wie man es uns versprochen hatte. Das Aufschlagen des Lagers, das Essen, die Pirschfahrten. Und dann… war plötzlich nichts mehr wie zuvor.«

»Nachdem Ihr Fährtensucher getötet wurde«, sagte Jane.

Millie nickte. »Im Morgengrauen fanden wir Clarence' Leiche. Oder jedenfalls… Teile davon. Die Hyänen waren über ihn hergefallen, und es war so wenig von ihm übrig, dass wir unmöglich sagen konnten, was passiert war. Zu dem Zeitpunkt waren wir schon weit draußen im Busch, zu weit, um noch Funkkontakt zu haben. Und das Gerät war sowieso kaputt. Und der Jeep auch.« Sie schluckte. »Wir saßen fest.«

Es war ganz still geworden. Sogar Crowe verzichtete auf

seine üblichen neunmalklugen Bemerkungen. Das wachsende Grauen von Millies Erzählung schlug sie alle in seinen Bann.

»Ich wollte glauben, dass es nur eine Reihe von unglücklichen Zufällen war. Zuerst Clarence' Tod, dann der Jeep, der nicht ansprang. Richard hielt es immer noch für ein großartiges Abenteuer, Stoff für einen seiner Romane. Sein Held, Jackman Tripp, der sich unter widrigsten Umständen in der Wildnis durchschlägt. Wir wussten, dass wir irgendwann gerettet würden. Das Flugzeug würde uns suchen kommen. Also beschlossen wir, das Beste daraus zu machen und das Buschabenteuer zu genießen.« Sie schluckte. »Dann wurde Mr. Matsunaga getötet, und von da an war es kein Abenteuer mehr. Es war ein Albtraum.«

»Hatten Sie den Verdacht, dass Johnny dahintersteckte?«, fragte Frost.

»Noch nicht. Ich jedenfalls nicht. Isaos Leiche wurde in einem Baum gefunden, wie nach einem klassischen Leopardenangriff. Es schien wieder ein Unfall zu sein, eine Fortsetzung unserer Pechsträhne. Aber die anderen tuschelten schon über Johnny. Fragten sich, ob er dahintersteckte. Er hatte versprochen, für unsere Sicherheit zu sorgen, und jetzt waren zwei Menschen tot.« Millie sah auf den Tisch hinunter. »Ich hätte auf sie hören sollen. Ich hätte ihnen helfen sollen, Johnny zu überwältigen, aber ich konnte es nicht glauben. Ich weigerte mich, es zu glauben, weil...« Sie brach ab.

»Warum?«, fragte Dr. Zucker behutsam.

Millie blinzelte, als ihr die Tränen kamen. »Weil ich drauf und dran war, mich in ihn zu verlieben.«

Verliebt in den Mann, der sie töten wollte. Jane sah in die verblüfften Gesichter ihrer Kollegen, doch sie selbst fand Millies Geständnis gar nicht so schockierend. Wie viele andere Frauen waren von ihren Ehemännern und Freunden getötet worden, von Männern, die sie abgöttisch geliebt hatten? Bei einer verliebten Frau ist es mit der Menschenkenntnis oft nicht weit her. Kein Wunder, dass Millie so schwer darüber hinwegkam – sie war nicht nur von Johnny verraten worden, sondern auch von ihrem eigenen Herzen.

»Ich habe das noch nie eingestanden, nicht einmal gegenüber mir selbst«, sagte Millie. »Aber da draußen in der Wildnis, da war alles so anders. Wunderschön und fremdartig. Die Geräusche in der Nacht, die Art, wie die Luft roch. Man wacht jeden Morgen auf und fürchtet sich ein klein wenig. Man ist immer angespannt, auf der Hut. *Lebendig.*« Sie sah Zucker an. »Das war Johnnys Welt. Und er gab mir ein Gefühl der Sicherheit.«

Das unübertroffene Aphrodisiakum. Im Angesicht der Gefahr ist niemand begehrenswerter als der starke Beschützer, dachte Jane. Das war der Grund, weshalb Frauen sich in Polizisten und Bodyguards verliebten, warum in Songs von *Someone to watch over me* geschwärmt wurde. Im afrikanischen Busch hat kein Mann mehr Sex-Appeal als derjenige, der eine Frau vor den tödlichen Gefahren schützen kann.

»Die anderen redeten davon, Johnny zu überwältigen und ihm das Gewehr abzunehmen. Ich wollte da nicht mitmachen, weil ich fand, dass sie unter Verfolgungswahn litten. Und Richard hat sie noch angestachelt, er wollte den Helden spielen, weil er eifersüchtig auf Johnny war. Da waren wir draußen im Busch, umzingelt von Tieren, die nur darauf warteten, uns zu fressen, aber die eigentliche Schlacht spielte sich in unserem Lager ab. Auf der einen Seite Johnny und ich, auf der anderen der ganze Rest. Sie trauten mir nicht mehr und weihten mich nicht mehr in ihre Pläne ein. Ich dachte, wir könnten es irgendwie durchstehen, bis wir gerettet würden, und dann würden sie einsehen, wie lächerlich sie sich aufgeführt hatten. Ich dachte, wir müssten uns nur beruhigen und uns in Geduld üben. Und dann …« Sie schluckte. »Dann hat er versucht, Elliot zu töten.«

»Die Schlange im Zelt«, sagte Jane.

Millie nickte. »Da wusste ich, dass ich mich entscheiden musste. Und trotzdem konnte ich immer noch nicht recht glauben, dass es Johnny war. Ich wollte es nicht glauben.«

»Weil er Sie dazu gebracht hat, ihm zu vertrauen«, sagte Zucker.

Millie wischte sich die Augen, und ihre Stimme brach. »So macht er es. Er bringt einen dazu, ihm zu vertrauen. Er sucht sich die eine Person aus, die an ihn glauben *will*. Vielleicht sucht er nach dem Mauerblümchen in der Gruppe, der absoluten Durchschnittsfrau. Oder nach der Frau, deren Freund sich gerade von ihr trennen will. Oh, er weiß genau, welche es ist. Er lächelt sie an, und zum ersten Mal in ihrem Leben fühlt sie sich wirklich lebendig.« Wieder trocknete sie ihre Tränen. »Ich war die schwächste Gazelle in der Herde. Und er wusste es.«

»Wohl kaum die schwächste«, sagte Tam behutsam. »Sie haben schließlich als Einzige überlebt.«

»Und sie ist die Einzige, die ihn identifizieren kann«, sagte Jane. »Was immer sein wahrer Name ist. Wir haben seine Beschreibung. Wir wissen, dass er zwischen eins fünfundachtzig und eins neunzig groß und muskulös gebaut ist. Blondes Haar, blaue Augen. Seine Haarfarbe könnte er verändert haben, aber seine Größe kann er nicht verbergen.«

»Oder seine Augen«, sagte Millie. »Die Art, wie er einen ansieht.«

»Beschreiben Sie es.«

»Als ob er direkt in Ihre Seele schaut. Ihre Träume liest, Ihre Ängste. Als ob er genau erkennen kann, wer Sie sind.«

Jane dachte an die Augen eines anderen Mannes, Augen, in die sie einst gestarrt hatte, als sie glaubte, ihre letzte Stunde habe geschlagen, und die Härchen an ihren Armen richteten sich auf. Wir haben beide den Blick eines Mörders auf uns gespürt, dachte sie. Aber ich wusste es, als ich ihn sah. Millie hatte es nicht gewusst, und ihre hängenden Schultern, ihr gesenkter Kopf verrieten, wie sie sich dafür schämte.

Janes Mobiltelefon klingelte, ein schriller Ton, der alle zusammenfahren ließ. Sie stand auf und verließ den Raum, um den Anruf anzunehmen.

Es war Erin Volchko vom kriminaltechnischen Labor. »Sie erinnern sich doch an diese Tierhaare, die an Jodi Underwoods blauem Bademantel gefunden wurden?«

»Die Katzenhaare«, sagte Jane.

»Genau. Zwei davon stammen definitiv von einer Hauskatze. Aber da war dieses dritte Haar, das ich nicht identifizieren konnte. Ich habe es an das Wildlife Forensics Lab in Oregon geschickt, und das Ergebnis der Keratinanalyse ist gerade eingetroffen.«

»Ein Schneeleopard?«

»Nein, leider nicht. Es stammt von der Art *Panthera tigris tigris.*«

»Klingt nach einem Tiger.«

»Ein Königstiger, um genau zu sein. Was mich total überrascht hat. Vielleicht können Sie ja erklären, wie ein Tigerhaar an den Bademantel eines Mordopfers gekommen ist.«

Jane hatte bereits die Antwort. »Leon Godts Haus war so etwas wie eine Arche Noah für ausgestopfte Tiere. Ich erinnere mich an einen Tigerkopf an seiner Wand, aber ich habe keine Ahnung, ob das ein Königstiger war.«

»Können Sie mir ein paar Haare von diesem ausgestopften Kopf besorgen? Dann können wir sie mit den Tigerhaaren hier vergleichen und feststellen, ob sie von Leon Godts Haus auf Jodi Underwoods Bademantel übertragen wurden.«

»Zwei Opfer. Ein und derselbe Täter.«

»Danach sieht es tatsächlich mehr und mehr aus.«

29

Er ist hier irgendwo, hier in dieser Stadt. Während wir im Nachmittagsverkehr feststecken, schaue ich aus dem Autofenster und sehe die Passanten vorüberstapfen, die Köpfe gesenkt, um sich vor dem Wind zu schützen, der um die Häuserecken pfeift. Ich lebe schon so lange auf der Farm, dass ich ganz vergessen habe, wie es ist, in einer Großstadt zu sein. Ich mag Boston nicht. Es ist mir zu kalt und zu grau, und diese hohen Gebäude verdecken die Sicht auf den Himmel, sodass man in einer Welt der Schatten gefangen ist. Und ich mag die brüske Art der Menschen hier nicht, sie sind so direkt und schroff. Detective Rizzoli wirkt abwesend, und sie unternimmt keinen Versuch, eine Unterhaltung in Gang zu bringen, also sitzen wir schweigend da, inmitten einer Kakofonie von Hupen und fernen Sirenen und Stimmen. So viele Menschen überall. Das hier ist eine Wildnis, genau wie der Busch, auch hier kann eine falsche Bewegung – ein achtloses Überqueren der Straße, ein Wortwechsel mit einem wütenden Mann – sich als fatal erweisen.

Wo in diesem gigantischen Labyrinth von einer Stadt hält Johnny sich versteckt?

Wohin ich auch schaue, überall glaube ich, ihn zu sehen. Ich erhasche einen Blick auf breite Schultern und einen blonden Kopf, der aus der Menge ragt, und mein Herz setzt einen Schlag aus. Dann dreht der Mann sich um, und ich sehe, dass er es nicht ist. Und auch nicht der nächste groß gewachsene blonde Mann, der mir ins Auge fällt. Johnny ist zugleich überall und nirgends.

Wir halten an der nächsten Ampel, eingekeilt zwischen zwei Reihen von Autos. Detective Rizzoli sieht mich an. »Ich muss noch rasch etwas erledigen, bevor ich Sie zu Maura bringe. Ist das in Ordnung?«

»Kein Problem. Wohin fahren wir?«

»Zum Tatort des Godt-Mordes.«

Sie sagt es so beiläufig, aber das ist nun einmal ihr Beruf. Sie geht dorthin, wo Leichen gefunden werden. Sie ist wie Clarence, unser Fährtensucher im Delta, der immer nach Spuren von wilden Tieren Ausschau hielt. Doch das Wild, das Detective Rizzoli jagt, sind Menschen, die morden.

Endlich entkommen wir dem Verkehrschaos der Innenstadt und finden uns in einem wesentlich ruhigeren Wohngebiet mit Einfamilienhäusern wieder. Hier gibt es Bäume, wenngleich der November sie ihrer Blätter beraubt hat, die der Wind wie braunes Konfetti durch die Straßen treibt. Bei dem Haus, vor dem wir halten, sind alle Läden geschlossen, und ein Stück Polizei-Absperrband flattert an einem Baum, der einzige farbige Akzent in der herbstlichen Tristesse.

»Es dauert nur ein paar Minuten«, sagt sie. »Sie können im Auto warten.«

Ich blicke mich in der verlassenen Straße um und erspähe eine Silhouette an einem Fenster. Da steht jemand und beobachtet uns. Klar, dass die Leute die Augen offen halten. Ein Mörder hat ihre Straße heimgesucht, und sie haben Angst, dass er wiederkommt.

»Ich gehe mit Ihnen rein«, sage ich. »Ich möchte nicht allein hier draußen sitzen.«

Als ich ihr zur Haustür folge, denke ich mit Bangen daran, was mich wohl erwartet. Ich war noch nie in einem Haus, in dem jemand ermordet wurde, und ich stelle mir blutbespritzte Wände vor, die Kreideumrisse einer Leiche am Boden. Doch als wir eintreten, sehe ich kein Blut, keine

Spuren von Gewalt – wenn man einmal von der gespensti-
schen Galerie von Tierköpfen absieht. Dutzende von ihnen
hängen an den Wänden, ihre Augen so lebensecht, dass sie
mich anzustarren scheinen, mit den anklagenden Blicken
von Opfern eines Massakers. Der überwältigende Geruch
nach Bleichmittel treibt mir das Wasser in die Augen und
brennt in meiner Nase.

Sie bemerkt, wie ich das Gesicht verziehe, und sagt: »Der
Reinigungstrupp muss das ganze Haus in Chlorbleiche getränkt haben. Aber vorher hat es hier noch ganz anders ge-
stunken.«

»War es… Ist es in diesem Zimmer passiert?«

»Nein, in der Garage. Da muss ich nicht rein.«

»Was tun wir hier eigentlich genau?«

»Einen Tiger jagen.« Sie sucht die Reihe von Trophäen an
der Wand ab. »Und da ist er auch schon. Wusste ich's doch,
dass ich hier drin einen gesehen hatte.«

Während sie einen Stuhl heranzieht, um an den Tigerkopf heranzukommen, stelle ich mir vor, wie die Seelen
dieser toten Tiere einander zuraunen und ihr Urteil über
uns fällen. Der Löwe sieht so lebendig aus, dass ich es fast
nicht wage, mich ihm zu nähern, und doch zieht er mich an
wie ein Magnet. Ich denke an die echten Löwen, die ich im
Delta gesehen habe, erinnere mich an das Spiel der Muskeln
unter ihrem sandfarbenen Fell. Ich denke an Johnny, gold-
blond und stark wie ein Löwe, und stelle mir vor, sein Kopf
starrte auf mich herab. Die gefährlichste Kreatur in dieser
ganzen Galerie.

»Johnny sagte, er würde eher einen Menschen töten als
eine Großkatze erschießen.«

Rizzoli, die gerade dabei ist, dem ausgestopften Tiger
ein paar Haare auszuzupfen, hält inne und sieht mich an.
»Dann würde er in diesem Haus sicher die Krise kriegen.

All diese Katzen, nur zum Vergnügen getötet. Und dann hat sich Leon Godt auch noch in einer Zeitschrift damit gebrüstet.« Sie deutet auf die Fotogalerie an der Wand gegenüber. »Das ist Elliots Vater.«

Auf allen Bildern sehe ich das gleiche Gesicht: einen Mann mittleren Alters, der mit einem Gewehr neben den diversen Tieren posiert, die er erlegt hat. Da hängt auch ein gerahmter Zeitschriftenartikel: »Der Herr der Trophäen: Ein Interview mit Bostons Meister-Präparator.«

»Ich wusste ja gar nicht, dass Elliots Vater Jäger war.«

»Das hat Elliot Ihnen nie erzählt?«

»Keine Silbe. Er hat überhaupt nicht über seinen Vater gesprochen.«

»Wahrscheinlich, weil er sich für ihn geschämt hat. Elliot und sein Vater waren seit Jahren zerstritten. Leon hat gerne Tiere abgeknallt. Elliot wollte Delfine, Wölfe und Feldmäuse retten.«

»Nun, ich weiß, dass er Vögel liebte. Auf der Safari hat er uns immer auf sie aufmerksam gemacht und versucht, sie zu identifizieren.« Ich betrachte die Fotos von Leon Godt mit seinen leblosen Trophäen und schüttle den Kopf. »Armer Elliot. Er wurde von allen immer nur rumgeschubst.«

»Wie meinen Sie das?«

»Richard hat ihn ständig runtergemacht und seinen Spott mit ihm getrieben. Die Männer und ihr Testosteron – immer müssen sie sich gegenseitig übertrumpfen. Richard musste unbedingt der King sein, und Elliot hatte gefälligst zu kuschen. Es ging nur darum, den Blondinen zu imponieren.«

»Sie meinen die zwei jungen Frauen aus Südafrika?«

»Sylvia und Vivian. Elliot war so verknallt in sie, und Richard hat sich keine Chance entgehen lassen zu demonstrieren, wie unendlich viel *männlicher* er war.«

»Es klingt, als wären Sie immer noch verbittert darüber, Millie«, bemerkt sie mit ruhiger Stimme.

Es überrascht mich, dass ich tatsächlich verbittert bin. Dass es auch nach sechs Jahren noch wehtut, wenn ich mich an diese Nächte am Lagerfeuer erinnere, wo Richards Aufmerksamkeit allein den Blondinen galt.

»Und bei diesen männlichen Revierkämpfen, was war da Johnnys Position?«, will sie wissen.

»Es klingt seltsam, aber es schien ihn eigentlich nicht zu interessieren. Er hielt sich im Hintergrund und sah sich das Schauspiel aus der Distanz an. All unsere kleinlichen Auseinandersetzungen und Eifersüchteleien – das schien ihm alles nicht wichtig zu sein.«

»Vielleicht, weil ihn andere Dinge beschäftigten. Zum Beispiel, was er mit Ihnen allen vorhatte.«

Hat er diese Pläne geschmiedet, als er am Feuer neben mir saß? Hat er sich da vorgestellt, was es für ein Gefühl wäre, mein Blut zu vergießen und zuzusehen, wie das Leben in meinen Augen verlischt? Mir ist plötzlich kalt, und ich verschränke die Arme, während ich die Fotos von Leon Godt und seinen abgeschlachteten Tieren betrachte.

Rizzoli tritt neben mich. »Nach allem, was ich gehört habe, war er ein richtiger Kotzbrocken«, sagt sie, den Blick auf ein Bild von Leon Godt geheftet. »Aber auch ein Kotzbrocken hat Gerechtigkeit verdient.«

»Kein Wunder, dass Elliot ihn nie erwähnt hat.«

»Hat er je von seiner Freundin gesprochen?«

Ich sehe sie an. »Seine Freundin?«

»Jodi Underwood. Sie und Elliot waren seit zwei Jahren ein Paar.«

Das überrascht mich. »Er war so damit beschäftigt, die Blondinen anzuhimmeln, dass er nie eine Freundin erwähnt hat. Haben Sie sie kennengelernt? Was ist sie für ein Typ?«

Sie schweigt einen Moment. Etwas bedrückt sie, lässt sie zögern, ehe sie mir antwortet.

»Jodi Underwood ist tot. Sie wurde am gleichen Abend umgebracht wie Leon.«

Ich starre sie an. »Das haben Sie mir gar nicht erzählt. Warum haben Sie mir das verschwiegen?«

»Es ist eine laufende Ermittlung, und da gibt es natürlich Dinge, die ich Ihnen nicht sagen kann, Millie.«

»Sie haben mich eigens hergeholt, damit ich Ihnen helfe, und doch enthalten Sie mir Informationen vor. Wichtige Informationen. Das hätten Sie mir *sagen müssen*.«

»Wir wissen nicht, ob es einen Zusammenhang zwischen den beiden Todesfällen gibt. Es sieht so aus, als wäre Jodi das Opfer eines Raubüberfalls geworden, und das Vorgehen des Täters war ganz anders als im Fall von Leon. Deswegen bin ich hergekommen, um diese Haarproben einzusammeln. Wir suchen nach einer physischen Verbindung zwischen den Überfällen.«

»Ist das nicht offensichtlich? Die Verbindung ist *Elliot*.« Die Erkenntnis trifft mich mit solcher Wucht, dass ich im ersten Moment kein Wort hervorbringe und es mir fast den Atem verschlägt. Ich hauche: »Die Verbindung bin *ich*.«

»Wie meinen Sie das?«

»Wieso haben Sie mich kontaktiert? Wieso haben Sie geglaubt, ich könnte Ihnen helfen?«

»Weil wir den Hinweisen nachgegangen sind, die uns zu den Morden in Botswana geführt haben. Und zu Ihnen.«

»Genau. Diese Hinweise haben Sie zu *mir* geführt. Seit sechs Jahren verstecke ich mich in Touws River, lebe unter einem anderen Namen. Ich habe London gemieden, weil ich Angst hatte, dass Johnny mich finden würde. Sie glauben, dass er hier in Boston ist. Und jetzt bin ich auch hier.« Ich schlucke krampfhaft. »Genau da, wo er mich haben will.«

Ich sehe meine Angst in ihren Augen gespiegelt. Mit leiser Stimme sagt sie: »Gehen wir. Ich bringe Sie zurück zu Mauras Haus.«

Als wir aus der Tür treten, komme ich mir so schutzlos vor wie eine Gazelle im offenen Grasland. Überall spüre ich Augen, die mich beobachten, in den Häusern, in vorbeifahrenden Autos. Ich frage mich, wie viele Menschen wissen, dass ich in Boston bin. Ich erinnere mich an den überfüllten Flughafen, auf dem wir gestern gelandet sind, und denke an all die Menschen, die mich in der Eingangshalle des Bostoner Polizeipräsidiums gesehen haben könnten, oder in der Cafeteria, oder beim Warten auf den Aufzug. Wenn Johnny dort gewesen wäre, hätte ich ihn entdeckt?

Oder bin ich wie die Gazelle, blind für den Löwen bis zu dem Moment, in dem er sie anspringt?

30

»In ihrer Vorstellung ist er zu einem Monster von mythischen Dimensionen angewachsen«, sagte Maura. »Seit sechs Jahren ist sie von ihm besessen. Da ist es nur natürlich, dass sie glaubt, er sei einzig und allein hinter ihr her.«

Vom Wohnzimmer aus konnte Jane das Geräusch der Dusche im Gästebad hören. Solange Millie außer Hörweite war, konnten sie sich ungestört über sie unterhalten, und Maura nutzte gleich die Gelegenheit, ihre Meinung zu äußern.

»Überleg doch mal, was für eine absurde Vorstellung das ist, Jane. Sie glaubt, dass dieser mit übermenschlichen Fähigkeiten ausgestattete Johnny Elliots Vater und Elliots Freundin getötet hat *und* noch so erstaunlich vorausschauend war, vor fünf Jahren mit einem silbernen Feuerzeug eine Spur zu legen, nur um sie aus ihrem Versteck zu locken.« Maura schüttelte den Kopf. »Ein so ausgeklügelter Plan würde selbst einen Schachgroßmeister überfordern.«

»Aber es *ist* doch möglich, dass es um sie geht.«

»Wo ist dein Beweis, dass Jodi Underwood und Leon Godt vom selben Täter ermordet wurden? Er wurde aufgehängt und ausgeweidet. Sie wurde bei einem Blitzüberfall kurzerhand erdrosselt. Solange der DNS-Abgleich dieser Katzenhaare nicht …«

»Das Tigerhaar ist ziemlich überzeugend.«

»Was für ein Tigerhaar?«

»Das Labor hat mich angerufen, kurz bevor wir zu dir aufgebrochen sind. Du erinnerst dich doch an dieses nicht identifizierte dritte Haar von Jodis blauem Bademantel? Es stammt von einem Königstiger.« Jane zog den transparenten Beweismittelbeutel aus der Tasche. »Leon Godt hat rein zufällig einen ausgestopften Tigerkopf an der Wand. Wie groß ist die Wahrscheinlichkeit, dass zwei verschiedene Mörder in Boston herumlaufen, die beide mit einem Tiger Kontakt hatten?«

Maura betrachtete stirnrunzelnd die Haare in dem Beutel. »Also, das macht deine Theorie schon wesentlich überzeugender. Außerhalb eines Zoos wird man nicht allzu viele ...« Sie hielt inne und sah Jane an. »Der Zoo hat einen Königstiger. Was ist, wenn das Haar von einem lebenden Tier stammt?«

Der Zoo.

Eine Erinnerung schoss Jane durch den Kopf. Der Leopardenkäfig. Debra Lopez, zerfleischt und blutend zu ihren Füßen. Und der Tierarzt, Dr. Oberlin, der sich über Debra beugte und beide Hände auf ihren Brustkorb presste, um das Herz wieder in Gang zu bringen. Groß, blond und blauäugig. *Genau wie Johnny Posthumus.*

Jane zog ihr Telefon aus der Tasche.

Eine halbe Stunde später rief Dr. Alan Rhodes zurück. »Ich bin mir nicht sicher, wieso Sie das brauchen, aber ich habe ein Foto von Greg Oberlin auftreiben können. Es wurde vor ein paar Wochen bei unserer Spendengala aufgenommen. Worum geht es hier eigentlich?«

»Sie haben doch Dr. Oberlin nichts davon gesagt, oder?«, fragte Jane.

»Sie hatten mich gebeten, ihm nichts zu sagen. Mir ist offen gestanden nicht wohl dabei, das hinter seinem Rücken zu machen. Verdächtigen Sie ihn etwa irgendwie?«

»Ich kann Ihnen keine Details verraten, Dr. Rhodes. Es

muss alles vertraulich behandelt werden. Können Sie mir das Foto mailen?«

»Jetzt gleich, meinen Sie?«

»Ja, jetzt gleich. – Maura«, rief Jane. »Ich muss mal an deinen Computer. Er schickt das Foto.«

»In meinem Arbeitszimmer.«

Als Jane an Mauras Schreibtisch Platz genommen und sich in ihren E-Mail-Account eingeloggt hatte, befand sich das Foto bereits im Posteingang. Rhodes hatte gesagt, es sei bei einer Spendengala des Zoos aufgenommen worden, und es war offenbar eine sehr formelle Angelegenheit gewesen. Sie sah ein halbes Dutzend lächelnde Gäste in Smoking und Abendkleid, die mit Weingläsern in der Hand in einem Ballsaal posierten. Dr. Oberlin war am Bildrand zu sehen, er hatte sich halb abgewandt, um nach einem Tablett mit Häppchen zu greifen.

»Okay, ich habe es jetzt vor mir«, sagte sie am Telefon zu Rhodes. »Aber das ist nicht gerade die beste Aufnahme von ihm. Haben Sie keine anderen?«

»Da müsste ich erst suchen. Oder ich könnte ihn einfach fragen.«

»Nein. Fragen Sie ihn *nicht*.«

»Könnten Sie mir bitte sagen, was das alles soll? Sie ermitteln doch hoffentlich nicht gegen Greg, denn ich kenne kaum einen anständigeren Menschen als ihn.«

»Wissen Sie, ob er je in Afrika war?«

»Was hat das denn damit zu tun?«

»Wissen Sie, ob er schon einmal in Afrika war?«

»Da bin ich mir ziemlich sicher. Seine Mutter stammt ursprünglich aus Johannesburg. Hören Sie, Sie müssen mit Greg selbst sprechen. Das wird mir allmählich unangenehm.«

Jane hörte Schritte hinter sich. Sie schwenkte ihren Stuhl

herum und erblickte Millie. »Was meinen Sie?«, fragte Jane sie. »Ist er das?«

Millie gab keine Antwort. Sie stand da und fixierte das Foto, während sie sich mit beiden Händen an der Lehne von Janes Stuhl festhielt. Ihr Schweigen zog sich so lange hin, dass der Computerbildschirm schwarz wurde und Jane ihn wieder aktivieren musste.

»Ist das Johnny?«, fragte sie.

»Es... Er könnte es sein«, flüsterte Millie. »Ich bin mir nicht sicher.«

»Mr. Rhodes«, sagte Jane ins Telefon, »ich brauche ein besseres Foto.«

Sie hörte ihn seufzen. »Ich frage Dr. Mikovitz. Oder vielleicht hat seine Sekretärin eines im Pressebüro.«

»Nein, es dürfen nicht so viele Personen eingeweiht werden.«

»Aber ich wüsste nicht, wie Sie sonst noch an Fotos von ihm herankommen wollen. Es sei denn, Sie kommen mit Ihrer eigenen Kamera vorbei.«

Jane sah Millie an, deren Blick noch immer starr auf das Bild von Dr. Gregory Oberlin auf dem Monitor gerichtet war. Und sie sagte: »Genau das habe ich vor.«

31

Sie verspricht mir, dass ich nichts zu befürchten habe. Sie sagt, ich müsse ihm zu keinem Zeitpunkt direkt gegenübertreten, es würde alles über Video laufen, und es würden mehrere Polizeibeamte auf dem Gelände sein. Ich sitze mit Detective Frost in seinem Auto auf dem Parkplatz des Zoos und beobachte, wie Familien mit Kindern durch den Eingang geschleust werden. Man sieht ihnen an, wie sie sich auf ihren Tag im Zoo freuen. Es ist Samstag, endlich scheint wieder die Sonne, und alles sieht gleich ganz anders aus – sauber und strahlend und frisch. Auch in mir selbst spüre ich den Unterschied. Ja, ich bin nervös, und ich habe mehr als nur ein bisschen Angst, aber zum ersten Mal seit sechs Jahren glaube ich, dass auch in meinem Leben die Sonne wieder aufgehen und bald schon all die düsteren Schatten verjagen wird.

Detective Frost nimmt einen Anruf auf seinem Handy an. »Ja, wir sind noch auf dem Parkplatz. Ich bringe sie jetzt rein.« Er sieht mich an. »Rizzoli befragt Dr. Oberlin gerade in der Tierpflegestation. Das ist am Südende des Zoos, und wir bleiben die ganze Zeit am anderen Ende. Sie müssen sich überhaupt keine Sorgen machen.« Er öffnet die Tür. »Gehen wir, Millie.«

Er ist an meiner Seite, als wir auf den Eingang zusteuern. Die Kassierer haben keine Ahnung, dass hier eine Polizeiaktion im Gange ist, und wir gelangen auf die gleiche Weise hinein wie alle anderen Besucher, indem wir unsere Eintrittskarten vorzeigen und uns durch das Drehkreuz zwängen. Das Erste, was ich sehe, ist die Flamingo-Lagune, und ich denke an meine Tochter Violet, die das beeindruckende Schauspiel von Tausenden von Flamingos in freier Wildbahn gesehen hat. Mir tun diese Stadtkinder leid, deren Bild von Flamingos sich immer auf dieses Dutzend träger Vögel in einem Betonteich beschränken wird. Ich habe keine Gelegenheit, mir noch andere Tiere anzuschauen, denn Detective Frost führt mich direkt auf das Verwaltungsgebäude zu.

Wir warten in einem Besprechungszimmer, das mit einem langen Teakholztisch, einem Dutzend bequemer Stühle und einem Medienwagen mit Videoanlage ausgestattet ist. An den Wänden hängen gerahmte Ehrenurkunden und Auszeichnungen für den Suffolk Zoo und seine Mitarbeiter. FÜR HERVORRAGENDE LEISTUNGEN IM DIENST DER ARTENVIELFALT. FÜR HERVORRAGENDE LEISTUNGEN IM MARKETING. MARLIN PERKINS AWARD. BESTES FREIGEHEGE IM NORDOSTEN. Das hier ist ihr Vorzeigeraum, in dem sie den Besuchern demonstrieren wollen, was für eine exzellente Einrichtung sie sind.

An der Wand gegenüber sehe ich die Lebensläufe verschiedener Mitarbeiter, und mein Blick fällt sofort auf den von Dr. Oberlin. Vierundvierzig Jahre alt. Bachelor in Naturwissenschaften, University of Vermont. Doktor der Veterinärmedizin, Cornell University. Ein Foto gibt es nicht.

»Es könnte noch ein wenig dauern, wir müssen uns also gedulden«, sagt Detective Frost.

»Ich habe sechs Jahre gewartet«, erwidere ich. »Ich kann auch noch ein bisschen länger warten.«

32

Ein Meter neunzig groß, blond und blauäugig – Dr. Gregory Oberlin sah Johnny Posthumus' Passfoto in der Tat verblüffend ähnlich. Er hatte den gleichen kantigen Unterkiefer und die gleiche breite Stirn, die er jetzt irritiert in Falten zog, als er sah, wie Jane die Aufnahmetaste an der Videokamera drückte.

»Müssen Sie das wirklich aufzeichnen?«, fragte er.

»Mir geht es um ein genaues Protokoll. Und außerdem erspare ich mir so das Mitschreiben und kann mich umso besser auf das Gespräch konzentrieren.« Jane lächelte, als sie sich setzte. Im Hintergrund waren störende Geräusche zu hören, Tierstimmen aus den Behandlungskäfigen direkt vor Dr. Oberlins Büro, doch sie würde sich mit den Bedingungen abfinden müssen. Sie wollte ihn in einer vertrauten Umgebung befragen, wo er sich entspannen konnte. Eine Vernehmung auf dem Polizeipräsidium würde ihn mit Sicherheit alarmieren.

»Ich bin froh, dass Sie wegen Debras Tod noch einmal nachhaken«, sagte er. »Die Sache beschäftigt mich immer noch sehr.«

»Was denn im Besonderen?«, fragte Jane.

»So ein Unfall hätte gar nicht passieren dürfen. Debra und ich hatten schon einige Jahre zusammengearbeitet. Sie war nicht unvorsichtig oder nachlässig, und sie wusste, wie man mit Großkatzen umzugehen hat. Ich kann mir einfach nicht vorstellen, dass sie etwas so Simples wie das Verriegeln des Nachtkäfigs vergessen haben soll.«

»Dr. Rhodes meinte, das sei auch schon erfahrenen Tierpflegern passiert.«

»Nun ja, das stimmt. Es hat schon Unfälle in sehr renommierten Zoos gegeben, und auch mit sehr erfahrenen Pflegern. Aber Debra gehörte zu den Menschen, die nie das Haus verlassen, ohne sich zu vergewissern, dass alle Herdplatten ausgeschaltet und alle Fenster verriegelt sind.«

»Und worauf wollen Sie damit hinaus? Dass jemand anderes den Nachtkäfig entriegelt hat?«

»Das muss doch auch Ihr Verdacht sein, oder? Ich gehe davon aus, dass Sie mich deshalb noch einmal vernehmen wollten.«

»Gab es irgendeinen Grund, warum Debra an diesem Tag unachtsam gewesen sein könnte?«, fragte Jane. »Irgendetwas, was sie abgelenkt haben könnte?«

»Wir hatten uns ein paar Monate zuvor getrennt, aber ich hatte den Eindruck, dass es ihr gut ging. Ich wüsste nicht, was ihr Sorgen bereitet haben könnte.«

»Sie sagten, die Trennung sei von ihr ausgegangen?«

»Ja. Ich wollte Kinder, sie nicht. In dieser Frage gibt es keine Kompromisse. Wir trugen einander nichts nach, und ich mochte sie nach wie vor sehr gern. Und deshalb muss ich einfach wissen, ob wir vielleicht irgendetwas übersehen haben.«

»Wenn sie die Tür nicht offen gelassen hat, wer könnte es Ihrer Meinung nach gewesen sein?«

»Das ist es ja – ich weiß es nicht! Der Mitarbeiterbereich ist für die Zuschauer nicht einsehbar, es könnte sich also theoretisch jeder dort unbeobachtet eingeschlichen haben.«

»Hatte sie Feinde?«

»Nein.«

»Einen neuen Freund?«

Eine Pause. »Ich glaube nicht.«

»Sie scheinen sich nicht ganz sicher zu sein.«

»Wir hatten in letzter Zeit nicht viel miteinander geredet, außer über die Arbeit. Ich weiß, dass es sie sehr mitgenommen hat, als ich Kovo einschläfern musste, aber ich hatte wirklich keine Wahl. Wir haben diese Katze am Leben zu halten versucht, so lange es ging. Am Ende wäre es grausam gewesen, ihn weiter leiden zu lassen.«

»Dann *gab* es also etwas, worüber Debra aufgebracht war.«

»Ja, und sie war auch wütend, weil Kovo für irgend so ein reiches Arschloch ausgestopft und präpariert werden sollte. Zumal, als sie erfuhr, dass es sich bei diesem Arschloch um Jerry O'Brien handelte.«

»Ich nehme an, Sie sind nicht gerade ein Fan von ihm.«

»Der Mann betrachtet Afrika als sein persönliches Schlachthaus. Er brüstet sich damit in seiner Radioshow. Ja, sie war sauer, und ich bin es auch. Ein wichtiger Teil unserer Arbeit hier ist der Artenschutz. Ich soll nächsten Monat zu einer Konferenz zum Schutz gefährdeter Arten in Johannesburg fliegen. Und da machen wir hier einen Deal mit dem Teufel, nur wegen des Geldes.«

»Sie fliegen also nach Afrika«, sagte sie. »Waren Sie schon mal dort?«

»Ja. Meine Mutter stammt aus Johannesburg, und wir haben dort Verwandte.«

»Was ist mit Botswana? Ich überlege, da mal Urlaub zu machen. Waren Sie schon mal dort?«

»Ja. Da müssen Sie unbedingt hin.«

»Wann waren Sie dort?«

»Ich weiß es nicht mehr genau. So vor sieben, acht Jahren. Es ist wunderschön, eine der letzten unberührten Naturlandschaften der Erde.«

Sie schaltete die Kamera aus. »Danke. Ich glaube, wir haben jetzt alle Informationen, die wir brauchen.«

Er runzelte die Stirn. »Das war alles, was Sie wissen wollten?«

»Wenn ich noch weitere Fragen habe, melde ich mich.«

»Sie werden der Sache doch weiter nachgehen, nicht wahr?«, sagte er, als sie die Videokamera einpackte. »Es gefällt mir nicht, dass es automatisch als Unfall abgetan wird.«

»Dr. Oberlin, im Moment fällt es mir schwer, an etwas anderes als einen Unfall zu glauben. Ich höre von allen Seiten, wie gefährlich Großkatzen sind.«

»Also, dann lassen Sie mich bitte wissen, wenn Sie sonst noch etwas von mir brauchen. Ich werde tun, was ich kann, um Ihnen zu helfen.«

Du hast uns schon geholfen, dachte Jane, als sie das Büro mit der Kamera in der Hand verließ. Der sonnige Samstag hatte Scharen von Menschen in den Zoo gelockt, und sie musste sich ihren Weg durch die Menge bahnen, als sie zum Verwaltungsgebäude zurückging. Jetzt konnte alles ganz schnell gehen. Vier Polizisten in Zivil waren bereits auf dem Zoogelände und warteten nur auf ihr Signal, um Oberlin festzunehmen. Dann würde ein Team von Kriminaltechnikern seinen Computer mit allen Dateien beschlagnahmen, und Maura war schon dabei, für das Labor Haarproben von dem Königstiger des Zoos zu sammeln. Die Falle war gestellt, und Jane brauchte nur noch die Bestätigung von Millie, um sie zuschnappen zu lassen.

Als sie den Besprechungsraum betrat, in dem Frost und Millie auf sie warteten, waren Janes Nerven zum Zerreißen gespannt. Wie ein Jäger, der das Wild endlich vor der Flinte hat, glaubte sie, schon das Blut ihrer Beute in der Luft wittern zu können.

Sie schloss die Kamera an den Videomonitor an und wandte sich zu Millie um, die hinter einem Stuhl stand und die Lehne so fest mit beiden Händen gepackt hielt, dass die Sehnen hervortraten. Für Jane war das hier einfach nur eine Jagd, für Millie war es vielleicht der Moment, in dem ihre Albträume endeten, und sie starrte auf den Bildschirm wie eine Gefangene, die um Begnadigung bettelt.

»Dann wollen wir mal«, sagte Jane und drückte auf PLAY.

Der Bildschirm erwachte flackernd zum Leben, und man sah Dr. Oberlin stirnrunzelnd in die Kamera blicken.

Müssen Sie das wirklich aufzeichnen?

Mir geht es um ein genaues Protokoll. Und außerdem erspare ich mir so das Mitschreiben und kann mich umso besser auf das Gespräch konzentrieren.

Während das Video lief, beobachtete Jane Millie ganz genau. Es war ganz still, nur die Aufzeichnung von Janes Fragen und Oberlins Antworten war zu hören. Millie stand stocksteif da und hielt sich immer noch an der Lehne fest, als ob der Stuhl das Einzige wäre, was ihr Halt bieten konnte. Sie bewegte sich nicht, schien sogar den Atem anzuhalten.

»Millie?«, sagte Jane. Sie drückte die Pausetaste, und der Monitor zeigte ein Standbild von Gregory Oberlins Gesicht. »Ist er das? Ist das Johnny?«

Millie sah sie an. »Nein«, flüsterte sie.

»Aber Sie haben doch gestern sein Foto gesehen. Sie sagten, er könnte es sein.«

»Ich habe mich geirrt. Er ist es nicht.« Millies Beine knickten ein, und sie sank auf einen Stuhl. »Das ist nicht Johnny.«

Ihre Antwort war wie ein Schlag ins Gesicht. Jane war sich so sicher gewesen, dass sie den Mörder in die Falle gelockt hatten. Und jetzt sah es so aus, als ob sie statt des Leopardenmenschen nur Bambi gefangen hätten. Das hatten sie nun davon, dass sie alles auf eine einzige wacklige Zeugin mit einem lückenhaften Gedächtnis gesetzt hatten.

»Verdammt«, murmelte Jane. »Dann stehen wir jetzt wieder mit leeren Händen da.«

»Komm schon, Rizzoli«, sagte Frost. »Sie war sich doch von Anfang an nicht ganz sicher.«

»Marquette machte mir so schon die Hölle heiß wegen der Kapstadt-Reise. Und jetzt das.«

»Was haben Sie denn erwartet?«, sagte Millie. Sie blickte zu Jane auf, und in ihren Augen blitzte Zorn auf. »Für Sie ist es doch bloß ein Puzzle, und Sie haben geglaubt, ich könnte das fehlende Teil liefern. Und wenn ich das nicht kann?«

»Also, wir sind alle erschöpft«, meinte Frost, der wie immer den Vermittler spielte. »Ich denke, wir sollten jetzt erst mal tief durchatmen. Und vielleicht eine Kleinigkeit essen.«

»Ich habe getan, was Sie von mir verlangt haben. Ich weiß nicht, was ich sonst noch für Sie tun kann!«, rief Millie. »Jetzt will ich nach Hause.«

Jane seufzte. »Okay. Ich weiß, es war ein anstrengender Tag für Sie. Wir lassen Sie von einer Streife zu Maura bringen.«

»Nein, ich meine *nach Hause*. Nach Touws River.«

»Hören Sie, es tut mir leid, wenn ich Sie angeschnauzt habe. Morgen gehen wir alles noch einmal zusammen durch. Vielleicht haben wir etwas…«

»Ich bin hier fertig. Ich vermisse meine Familie. Ich fliege nach Hause.« Millie stieß ihren Stuhl zurück und sprang auf, mit einem grimmigen Funkeln in den Augen, das Jane bei ihr noch nie gesehen hatte. *Das* war die Frau, die unter den widrigsten Umständen im Busch überlebt hatte, die Frau, die sich geweigert hatte, sich in ihr Schicksal zu ergeben und zu sterben. »Ich reise morgen ab.«

Janes Handy klingelte. »Wir können später noch darüber reden.«

»Es gibt nichts zu reden. Wenn Sie mir keinen Flug buchen wollen, mach ich es eben selbst. Ich bin hier *fertig*.« Sie ging hinaus.

»Millie, warten Sie«, rief Frost und folgte ihr auf den Flur. »Ich organisiere Ihnen einen Wagen, der Sie zurückbringt.«

Jane schnappte ihr klingelndes Telefon und blaffte: »Rizzoli.«

»Ist wohl gerade nicht der passende Moment«, sagte Erin Volchko, die Kriminaltechnikerin.

»Es ist sogar ein ganz miserabler Moment. Aber schießen Sie los. Was gibt's?«

»Also, ich weiß nicht, ob das jetzt geeignet ist, Ihre Stimmung zu heben oder nicht. Es geht um diese Haarproben von dem Königstiger in Leon Godts Haus, die Sie gesammelt haben.«

»Was ist damit?«

»Sie sind brüchig und halb zersetzt, die Schuppenschicht ist dünn, die Schuppen sind miteinander verschmolzen. Ich vermute, dass dieser Tiger vor Jahrzehnten getötet und ausgestopft wurde, denn diese Haare weisen Veränderungen auf, wie sie durch Alterung und UV-Strahlung verursacht werden. Und nun haben wir ein Problem.«

»Wieso?«

»Das Tigerhaar von Jodi Underwoods Bademantel zeigte keine Zerfallserscheinungen. Es ist frisch.«

»Sie meinen, es stammt von einem lebenden Tiger?« Jane seufzte. »Zu dumm. Wir haben den Zoo-Tierarzt gerade von unserer Liste der Verdächtigen gestrichen.«

»Sie haben mir doch gesagt, dass zwei andere Zoomitarbeiter am Tag des Mordes bei ihm im Haus waren und den Kadaver des Schneeleoparden abgeliefert haben. Ihre Kleidung ist wahrscheinlich mit Tierhaaren aller Art übersät. Vielleicht haben sie im Haus Haare verloren, die dann an der Kleidung des Mörders hängen blieben. Eine solche tertiäre Übertragung könnte erklären, wie die Tigerhaare an Jodis Bademantel geraten konnten.«

»Es ist also immer noch möglich, dass ein und derselbe Täter für beide Morde verantwortlich ist.«

»Ja. Ist das eine gute oder eine schlechte Nachricht?«

»Ich weiß es nicht.« Jane seufzte und legte auf. *Ich habe nicht die leiseste Ahnung, wie das alles zusammenpasst.* Frustriert trennte sie die Videokamera vom Monitor, wickelte die Kabel auf und stopfte alles in die Tragetasche. Sie dachte an die Fragen, die ihr morgen bei der Fallbesprechung gestellt würden, und überlegte, wie sie ihre Entscheidungen rechtfertigen könnte, ganz zu schweigen von den Ausgaben. Crowe würde sich auf sie stürzen wie ein Geier und in ihren Knochen herumpicken... Und was sollte sie ihm erwidern?

Immerhin ist dabei eine Reise nach Kapstadt für mich rausgesprungen.

Sie rollte den Medienwagen wieder an seinen Platz und schob ihn dicht an die Wand. Dann hielt sie inne, als ihr etwas ins Auge fiel. Dort hing eine Liste mit den Namen und Zeugnissen der Mitarbeiter des Suffolk Zoos: Dr. Mikovitz, die Tierärzte sowie verschiedene Experten für Vögel, Primaten, Amphibien und große Säugetiere. Es war Alan Rhodes' Lebenslauf, an dem ihr Blick hängen blieb.

DR. ALAN T. RHODES.

BACHELOR OF SCIENCE, CURRY COLLEGE. PH. D., TUFTS UNIVERSITY.

Natalie Toombs hatte ebenfalls am Tufts College studiert.

Alan Rhodes musste in dem Jahr, als Natalie verschwunden war, im letzten Jahr am College gewesen sein. Sie hatte das Haus verlassen, um mit einem Kommilitonen namens

Ted zu lernen, und war nie wieder gesehen worden. Bis vierzehn Jahre später ihre Gebeine in eine Plane gehüllt wieder aufgetaucht waren, die Fußknöchel mit orangefarbenem Nylonseil gefesselt.

Jane stürzte aus dem Besprechungsraum und rannte die Treppe zum Verwaltungstrakt des Zoos hinauf.

Die Sekretärin blickte fragend auf, als Jane hereinplatzte. »Wenn Sie Dr. Mikovitz suchen, er ist schon gegangen.«

»Wo ist Dr. Rhodes?«, fragte Jane.

»Ich kann Ihnen seine Handynummer geben.« Die Sekretärin zog eine Schreibtischschublade auf und nahm das Telefonverzeichnis des Zoos heraus. »Ich muss sie nur schnell nachschlagen.«

»Nein, ich will wissen, wo er *ist*. Ist er noch bei der Arbeit?«

»Ja. Er ist wahrscheinlich drüben im Tigergehege. Dort waren sie verabredet.«

»Verabredet?«

»Ja, er und diese Frau vom Rechtsmedizinischen Institut. Sie brauchte Tigerhaare für irgendeine Untersuchung.«

»Oh Gott«, hauchte Jane. *Maura.*

33

»Er ist wirklich ein Prachtexemplar«, sagte Maura, den Blick gebannt auf das Gehege gerichtet.

Von der anderen Seite der Gitterstäbe starrte der Königstiger sie an und zuckte mit der Schwanzspitze. Er war so perfekt getarnt, dass sie ihn fast nicht entdeckt hätte, wären da nicht die wachen Augen gewesen, die zwischen den Grashalmen hindurchspähten, und die schlangengleichen Bewegungen des Schwanzes.

»Ja, das ist ein wahrer Menschenfresser«, entgegnete Alan Rhodes. »Es gibt auf der ganzen Welt nur noch wenige Tausend von ihnen. Wir haben ihren Lebensraum so stark eingeschränkt, da ist es unvermeidlich, dass sie dann und wann auch Menschen anfallen. Wenn Sie sich diese Katze anschauen, können Sie verstehen, warum Tiger bei Jägern so hoch im Kurs stehen. Nicht nur wegen des Fells, sondern wegen der Herausforderung, einen so furchterregenden Räuber zur Strecke zu bringen. Es ist pervers, nicht wahr? Wie wir Menschen die Tiere töten wollen, die wir am meisten bewundern.«

»Mir genügt es vollauf, ihn aus der Ferne zu bewundern.«

»Oh, wir müssen auch gar nicht näher herangehen. Wie jede Katze verliert er ständig reichlich Haare.« Er sah sie an. »Wofür brauchen Sie die nun eigentlich?«

»Für eine forensische Analyse. Das Labor benötigt eine Probe von Königstigerhaaren, und ich konnte sagen, dass ich zufällig jemanden kenne, der sie besorgen kann. Übrigens, vielen Dank dafür.«

»Geht es um eine polizeiliche Ermittlung? Es hat doch nicht mit Greg Oberlin zu tun, oder doch?«

»Es tut mir leid, aber ich kann nicht darüber sprechen. Das werden Sie verstehen.«

»Natürlich. Ich sterbe vor Neugier, aber Sie müssen ja Ihren Job machen. Dann kommen Sie mal mit, wir gehen rüber zum Personaleingang. In seinem Nachtkäfig müssten Sie auf jeden Fall Haare finden. Es sei denn, Sie wollten sie ihm direkt aus dem Rücken zupfen. In dem Fall sind Sie aber auf sich allein gestellt, Doc.«

Sie lachte. »Nein, es reicht, wenn es Haare sind, die ihm vor Kurzem ausgefallen sind.«

»Da bin ich aber erleichtert, denn diesem Burschen sollten Sie auf keinen Fall zu nahe kommen. Zweihundertdreißig Kilo Muskeln, Zähne und Klauen.«

Rhodes führte sie einen Weg entlang, der mit NUR FÜR PERSONAL gekennzeichnet war. Durch dichte Bepflanzung vor den Augen des Publikums verborgen, führte der Personalpfad zwischen den benachbarten Tiger- und Pumagehegen hindurch. Die Mauern versperrten den Blick auf die Tiere, doch Maura glaubte fast, ihre Kraft durch den Beton hindurch zu spüren, und sie fragte sich, ob die Katzen auch ihre Gegenwart wahrnahmen. Ob sie ihr in diesem Moment auf Schritt und Tritt nachspürten. Obwohl Rhodes vollkommen entspannt wirkte, blickte sie immer wieder an den Wänden empor und rechnete halb damit, ein gelbes Augenpaar zu sehen, das auf sie herabspähte.

Sie erreichten den Eingang des Tigergeheges, und Rhodes schloss die Tür auf. »Ich kann mit Ihnen in den Nachtkäfig gehen. Aber Sie können auch hier draußen warten, und ich sammle die Haarproben für Sie ein.«

»Nein, ich muss das selbst machen. Es ist wegen der Beweismittelkette.«

Er trat in das Gehege und entriegelte die innere Tür zum Nachtkäfig. »Bitte sehr. Der Käfig wurde noch nicht gereinigt, also dürften Sie reichlich Haare finden. Ich warte dann draußen.«

Maura betrat den Nachtkäfig. Es war ein Raum von ungefähr vier Metern im Quadrat, mit einem eingebauten Wasserspender und einem Betonsims, der als Schlafplatz diente. Ein Baumstamm in der Ecke wies tiefe Kerben auf, wo das Tier sich die Krallen geschärft hatte – eine eindrucksvolle Demonstration der Kraft dieser Großkatze. Als Maura sich über den Stamm beugte, musste sie an die parallelen Risswunden an Leon Godts Leiche denken, die diesen hier so ähnlich waren. Ein Büschel Tierhaare klebte an dem Holz, und sie griff in ihre Tasche, um Pinzette und Beweismittelbeutel hervorzuholen.

In diesem Moment klingelte ihr Handy.

Sie ließ den Anruf auf die Mailbox gehen und konzentrierte sich auf ihre Aufgabe. Sammelte die erste Probe ein, versiegelte den Beutel und sah sich im Raum um. Auf der Betonfläche des Schlafplatzes entdeckte sie noch mehr Haare.

Das Telefon klingelte erneut.

Auch während sie die zweite Probe einsammelte, läutete es weiter, schrill und drängend, unmöglich zu ignorieren. Sie versiegelte die Haare in einem zweiten Beutel und nahm den Anruf an. Kaum hatte sie »Hallo?« gesagt, da fiel ihr Jane schon ins Wort.

»Wo bist du?«

»Ich sammle gerade Tigerhaare ein.«

»Ist Dr. Rhodes bei dir?«

»Er wartet draußen vor dem Käfig. Willst du ihn sprechen?«

»Nein. Hör mir zu. Du musst dich unbedingt vor ihm in Sicherheit bringen.«

»Was? Wieso?«

»Bleib ruhig, bleib freundlich. Lass dir nicht anmerken, dass irgendetwas nicht stimmt.«

»Was geht hier vor?«

»Ich bin auf dem Weg zu dir, und ich habe den Rest des Teams angewiesen, dort zu uns zu stoßen. Wir werden in ein paar Minuten bei dir sein. Halt bloß Abstand zu Rhodes.«

»Jane...«

»Tu, was ich sage, Maura!«

»Okay, okay.« Sie atmete tief durch, doch es half ihr nicht, sich zu beruhigen. Als sie das Gespräch beendete, zitterten ihr die Hände. Sie sah auf den Beweismittelbeutel und dachte an Jodi Underwood, an das Tigerhaar, das an ihrem blauen Bademantel geklebt hatte. Ein Haar, das von ihrem Mörder auf sie übertragen worden war. Einem Mörder, der mit Großkatzen arbeitete, der wusste, wie sie jagten und wie sie töteten.

»Dr. Isles? Ist alles in Ordnung?«

Rhodes' Stimme war erschreckend nahe. Er war so lautlos in den Nachtkäfig getreten, dass sie nicht gemerkt hatte, dass er direkt hinter ihr stand. Nahe genug, um ihr Gespräch mit Jane mitgehört zu haben. Nahe genug, um zu sehen, dass ihre Hände zitterten, als sie das Telefon wieder in ihre Jackentasche schob.

»Alles in bester Ordnung.« Sie brachte ein Lächeln zustande. »Ich bin hier fertig.«

Er starrte sie so intensiv an, dass sie zu spüren glaubte, wie sein Blick in ihren Schädel drang, sich einen Weg in ihr Hirn bohrte. Sie machte Anstalten zu gehen, doch er hatte sich so zwischen ihr und der Käfigtür aufgebaut, dass sie sich nicht an ihm vorbeizwängen konnte.

»Ich habe, was ich brauche«, sagte sie.

»Sind Sie sicher?«

»Wenn Sie mich bitte entschuldigen würden, ich möchte jetzt gehen.«

Einen Moment lang schien er seine Optionen abzuwägen. Dann trat er zur Seite, und sie schob sich an ihm vorbei, so dicht, dass ihre Schultern sich berührten. Sicherlich konnte er die Angst auf ihrer Haut riechen. Sie mied seinen Blick, sah sich nicht mal um, als sie das Gehege verließ. Ohne anzuhalten, ging sie den Fußweg entlang, während das Herz in ihrer Brust hämmerte. War er ihr gefolgt? Würde er sie jeden Moment einholen?

»Maura!« Es war Jane, und ihre Stimme kam von irgendwo hinter der Sichtschutzhecke. »Wo bist du?«

Sie begann, in die Richtung der Stimme zu laufen. Als sie sich durch das dichte Gebüsch gezwängt hatte, erblickte sie Jane und Frost, flankiert von Streifenpolizisten. Alle hoben gleichzeitig ihre Waffen, und Maura blieb abrupt stehen, als sie sah, dass ein halbes Dutzend Pistolenläufe auf sie gerichtet waren.

»Maura, *nicht bewegen!*«, kommandierte Jane.

»Was soll das denn?«

»Geh auf mich zu, aber langsam. *Nicht rennen!*«

Ihre Waffen zielten noch immer in ihre Richtung, doch ihre Blicke waren nicht auf sie gerichtet. Sie starrten auf etwas hinter ihrem Rücken. Augenblicklich stellten sich ihr die Nackenhaare auf.

Sie drehte sich um und blickte in bernsteingelbe Augen. Ein paar Herzschläge lang starrten sie und der Tiger einander an, Jäger und Beute, Auge in Auge. Dann merkte Maura, dass sie ihm nicht allein gegenüberstand. Jane war von hinten herangetreten und ging jetzt an ihr vorbei, um sich zwischen Maura und den Tiger zu schieben.

Verwirrt von dieser neuen Bedrohung, wich das Tier einen Schritt zurück.

»Jetzt, Oberlin!«, schrie Jane. »Schießen Sie!«

Ein trockener Knall war zu hören, und der Tiger zuckte zusammen, als der Pfeil aus dem Betäubungsgewehr sich in seine Schulter bohrte. Doch er wich keinen Millimeter zurück, und seine gelben Augen fixierten Jane.

»Schießen Sie noch mal!«, kommandierte Jane.

»Nein«, sagte Oberlin. »Ich will ihn nicht töten! Das Mittel wird gleich wirken.«

Der Tiger sackte zur Seite und fing sich wieder, dann begann er, sich taumelnd im Kreis zu drehen.

»Sehen Sie, es wirkt schon!«, rief Oberlin. »In ein paar Sekunden wird er…« Oberlin verstummte, als vom Besucherweg schrille Schreie ertönten. Menschen rannten vorbei, stoben in Panik auseinander.

»Puma!«, schrie jemand. »Der Puma ist los!«

»Verdammt, was geht hier ab?«, rief Jane.

»Es ist Rhodes«, sagte Maura. »Er lässt die Raubkatzen frei!«

Hektisch lud Oberlin sein Betäubungsgewehr nach. »Schaffen Sie alle raus! Wir müssen evakuieren!«

Die Leute mussten nicht eigens aufgefordert werden – sie strömten schon zu den Ausgängen, eine wilde Flucht von hysterischen Eltern und kreischenden Kindern. Der Königstiger lag betäubt am Boden, ein regloser Fellberg, doch der Puma… Wo war der Puma?

»Geh zum Ausgang!«, wies Jane Maura an.

»Und was ist mit dir?«

»Ich bleibe bei Oberlin. Wir müssen diese Katze finden. *Geh!*«

Während Maura sich dem Exodus anschloss, sah sie sich immer wieder um. Sie erinnerte sich, wie durchdringend der Puma sie bei ihrem letzten Besuch angestarrt hatte, und sie wusste, dass seine Blicke in diesem Moment auf ihr oder irgendeinem anderen Zoobesucher ruhen konnten. Fast wäre sie über ein kleines Kind gestolpert, das schreiend auf dem Asphalt lag. Sie hob den Jungen auf, sah sich suchend nach der Mutter um und entdeckte eine junge Frau, die in Panik die Menge absuchte, einen Säugling im Arm und eine Windeltüte in der anderen Hand.

»Ich hab ihn!«, rief Maura.

»Oh Gott, da bist du ja! Mein Gott…«

»Ich trage ihn. Laufen Sie einfach weiter!«

Am Eingang staute sich die Menge, die Menschen drängten sich durch die Drehkreuze oder übersprangen die Absperrung. Dann zog ein Zoomitarbeiter ein Tor auf, und die Scharen strömten wie eine Flutwelle hinaus auf den Parkplatz. Maura übergab den Jungen seiner Mutter und postierte sich an den Drehkreuzen, um auf Nachrichten von Jane zu warten.

Eine halbe Stunde später klingelte ihr Handy.

»Bist du okay?«, fragte Jane.

»Ich stehe am Ausgang. Was ist mit dem Puma?«

»Er ist betäubt. Oberlin musste ihm zwei Pfeile verpassen, aber jetzt haben sie ihn wieder in seinem Käfig eingesperrt. Mein Gott, was für ein Desaster.« Sie hielt inne. »Rhodes ist uns entwischt. Er hat das Chaos genutzt, um mit der flüchtenden Menge zu entkommen.«

»Woher wusstest du, dass er es ist?«

»Vor vierzehn Jahren hat er am selben College studiert wie Natalie Toombs. Ich habe noch keinen Beweis, aber ich vermute, dass Natalie eines seiner ersten Opfer war. Vielleicht das allererste. Du hast es als Einzige gesehen, Maura.«

»Alles, was ich gesehen habe, war…«

»Das Erscheinungsbild, wie du es genannt hast. Das große Ganze. Es ging im Grunde um das Muster seiner

Taten. Leon Godt. Natalie Toombs. Die Wanderer, die Jäger. Mein Gott, ich hätte auf dich hören sollen.«

Maura schüttelte verwirrt den Kopf. »Aber was ist mit den Morden in Botswana? Rhodes hat keinerlei Ähnlichkeit mit Johnny Posthumus. Wo ist da der Zusammenhang?«

»Ich glaube, es gibt keinen.«

»Und Millie? Passt sie überhaupt in das Bild?«

Sie hörte Jane am anderen Ende seufzen. »Vielleicht nicht. Vielleicht habe ich auch da völlig danebengelegen.«

34

»Brich sie auf«, sagte Jane zu Frost.

Glas splitterte, Scherben flogen ins Haus und regneten auf den Fliesenboden herab. Sekunden später war die Hintertür offen, und Jane trat mit Frost in Alan Rhodes' Küche. Die Waffe im Anschlag, erfasste sie mit wenigen Blicken das Geschirr im Abtropfgestell, eine blitzblanke und aufgeräumte Arbeitsfläche, einen Edelstahl-Kühlschrank. Alles sah ordentlich und sauber aus – zu sauber.

Jane ging voran, als sie durch den Flur ins Wohnzimmer vorrückten. Sie blickte nach links und nach rechts, sah keine Bewegung, kein Anzeichen von Leben. Bücherregale, ein Sofa und ein Couchtisch, alles war an seinem Platz, nicht einmal eine Zeitschrift lag herum. Das Haus eines Junggesellen mit Ordnungszwang.

Vom Fuß der Treppe spähte sie zum Obergeschoss hinauf, versuchte, das Pochen ihres eigenen Herzens auszublenden, während sie angespannt lauschte. Von oben kam kein Laut, alles war totenstill.

Frost ging voran, als sie die Stufen emporstiegen. Im Haus war es kalt, doch Janes Bluse war bereits schweißnass. Alle Kreaturen sind dann am gefährlichsten, wenn sie in der Falle sitzen, und inzwischen musste Rhodes eingesehen haben, dass dies das letzte Gefecht war. Sie hatten den oberen Treppenabsatz erreicht, von dem drei Türen abgingen. Sie öffnete die erste, erblickte ein sparsam eingerichtetes Schlafzimmer. Kein Staub, kein Gerümpel. Wohnte in diesem Haus wirklich ein Mensch aus Fleisch und Blut? Vorsichtig näherte sie sich dem Kleiderschrank und riss die Tür auf. Leere Kleiderbügel schaukelten an der Stange.

Zurück auf den Flur, vorbei an einem Bad zur letzten Tür.

Noch bevor sie hineinging, wusste Jane bereits, dass Rhodes nicht da war. Er würde wahrscheinlich nie wieder hierher zurückkommen. Sie stand in seinem Schlafzimmer und starrte die leeren Wände an. Das französische Bett war mit einer schlichten weißen Tagesdecke bezogen, die Kommode leer geräumt und staubfrei. Sie dachte an ihre eigene Kommode zu Hause, die wie ein Magnet Schlüssel und Münzen, Socken und BHs anzog. Man konnte einiges über Menschen erfahren, wenn man sich ansah, was sich auf ihren Kommoden und Arbeitsplatten so alles ansammelte, und was Jane hier auf Alan Rhodes' Kommode sah, war ein Mann ohne Identität. *Wer bist du?*

Vom Schlafzimmerfenster schaute sie auf die Straße hinunter, wo noch ein weiterer Streifenwagen vom Revier Danvers vorgefahren war. Dieses Viertel gehörte nicht mehr zum Zuständigkeitsbereich des Boston PD, doch in ihrer Eile, Rhodes zu fassen, hatten sie und Frost nicht auf die Unterstützung durch die Kollegen von Danvers gewartet. Dafür würden sie jede Menge Ärger mit ihren Vorgesetzten bekommen.

»Da oben ist eine Falltür«, sagte Frost, der in den Wandschrank getreten war.

Sie zwängte sich neben ihm hinein und blickte zu der Deckenplatte auf, von der ein Seil herabhing. Dahinter verbarg sich vermutlich ein Dachboden, wie ihn viele Familien zum Lagern von Kisten nutzten, die sie nie öffneten, voll mit Dingen, die wegzuwerfen man nicht übers Herz brachte. Frost zog an dem Seil, die Klappe öffnete sich, und eine Ausziehleiter kam zum Vorschein. Oben war alles dunkel. Sie wechselten einen nervösen Blick, dann stieg Frost die Leiter hinauf.

»Alles sauber«, rief er nach unten. »Nur ein Haufen alter Krempel.«

Sie folgte ihm durch die Luke und schaltete ihre Taschenlampe ein. Im Halbdunkel erblickte sie eine Reihe von Umzugskartons. Es sah aus wie auf einem ganz gewöhnlichen Dachboden, ein Lagerplatz für Sachen, die sonst keinen Platz hatten, für die Stapel von Steuerunterlagen und Bankpapieren, die man sich nicht wegzuwerfen traute, weil ja irgendwann einmal das Finanzamt danach fragen könnte. Sie öffnete eine Kiste, sah Kontoauszüge und Kreditunterlagen. Nahm sich die nächste und die übernächste vor, fand alte Ausgaben von Zeitschriften über Artenschutz, alte Bettlaken und Handtücher. Bücher und noch mehr Bücher. Hier war nichts, was Rhodes mit irgendwelchen Verbrechen in Verbindung gebracht hätte, schon gar nicht mit einer Mordserie.

Haben wir wieder einen Fehler gemacht?

Sie kletterte die Leiter hinunter und trat wieder in das Schlafzimmer mit den kahlen Wänden und der makellosen Tagesdecke. Ihre Unruhe wuchs, als draußen ein Wagen vorfuhr. Detective Crowe stieg aus, und sie merkte, wie ihr Blutdruck in die Höhe schoss, während Crowe mit vorgerecktem Kinn auf das Haus zumarschierte. Sekunden später hämmerte jemand an die Haustür. Sie ging hinunter, um aufzumachen, und sah sich einem grinsenden Detective Crowe gegenüber.

»Na, Rizzoli, die Stadt Boston wird dir offenbar zu klein als Revier, wie? Brichst du jetzt schon in den Vororten Türen auf?« Er trat ein und schlenderte gemächlich eine Runde durchs Wohnzimmer. »Was hast du gegen diesen Rhodes in der Hand?«

»Wir suchen noch.«

»Schon komisch, er hat nämlich eine blütenreine Weste. Keine Verhaftungen, keine Verurteilungen. Bist du sicher, dass du den richtigen Fisch an der Angel hast?«

»Er ist weggelaufen, Crowe. Er hat zwei Raubkatzen freigelassen, um von seiner Flucht abzulenken, und er ist seitdem nicht hier gewesen. Das lässt doch arge Zweifel daran aufkommen, ob Debra Lopez' Tod wirklich ein Unfall war.«

»Ein Leopard als Mordwaffe?« Crowe beäugte sie skeptisch. »Warum sollte er eine Tierpflegerin umbringen?«

»Ich weiß es nicht.«

»Warum hat er Leon Godt ermordet? Und Jodi Underwood?«

»Ich weiß es nicht.«

»Du weißt aber ziemlich wenig.«

»Es gibt Spurenmaterial, das ihn mit Jodi Underwood in Verbindung bringt. Diese Tigerhaare an ihrem Bademantel. Wir wissen auch, dass er am Curry College studiert hat, im gleichen Jahr, als Natalie Toombs verschwand, also gibt es auch eine Verbindung zu ihr. Du erinnerst dich vielleicht, dass Natalie zuletzt gesehen wurde, als sie das Haus verließ, um mit einem Kommilitonen namens Ted zu lernen. Rhodes' zweiter Vorname lautet Theodore. Laut seiner Personalakte im Zoo hat er vor dem Collegestudium ein Jahr in Tansania verbracht. Vielleicht hat er dort diesen Leopardenkult kennengelernt.«

»Alles nur Indizienbeweise.« Crowe wies mit einer ausladenden Armbewegung auf das sterile, unpersönliche Wohnzimmer. »Ehrlich gesagt, ich sehe hier nichts, was lauthals *Leopardenmensch* schreit.«

»Vielleicht ist gerade das von Bedeutung. Hier ist überhaupt sehr wenig. Es gibt keine Fotos, keine Bilder, nicht mal irgendwelche DVDs oder CDs, die uns etwas über seinen persönlichen Geschmack verraten würden. Die Bücher und Zeitschriften haben alle mit seiner Arbeit zu tun. Das einzige Medikament in seinem Badezimmer ist Aspirin. Und weißt du, was fehlt?«

»Was denn?«

»Spiegel. Es gibt nur einen kleinen Rasierspiegel im oberen Bad.«

»Vielleicht ist es ihm ja egal, wie er aussieht. Oder willst du mir etwa erzählen, dass er ein Vampir ist?«

Sie wandte sich genervt ab, als er zu lachen anfing. »Eine einzige große Leerstelle, anders kann man dieses Haus nicht beschreiben. Es ist, als ob er es bewusst so steril gehalten hätte, als eine Art Fassade.«

»Oder es zeigt einfach nur, wer er ist. Nämlich ein stinklangweiliger Typ, der nichts zu verbergen hat.«

»Hier *muss* irgendetwas sein. Wir haben es nur noch nicht gefunden.«

»Und wenn ihr nichts findet?«

Sie weigerte sich, diese Möglichkeit in Betracht zu ziehen, weil sie wusste, dass sie recht hatte. Sie *musste* recht haben.

Doch als der Nachmittag in den Abend überging und ein Team von Kriminaltechnikern das Haus nach Spuren und Beweisstücken durchkämmte, krampfte sich ihr Magen vor Ungewissheit mehr und mehr zusammen. Sie konnte nicht glauben, dass sie einen Fehler gemacht hatte, doch es sah allmählich ganz danach aus. Sie waren in das Haus eines Mannes eingedrungen, der nach allem, was man wusste, noch nie mit dem Gesetz in Konflikt geraten war. Sie hatten ein Fenster eingeschlagen und sein Haus auf den Kopf gestellt, und sie hatten nichts gefunden, was ihn mit den Morden in Verbindung gebracht hätte, nicht einmal eine Faser von einem Nylonseil. Sie hatten zudem die Aufmerksamkeit von neugierigen Nachbarn auf sich gezogen, und diese Nachbarn hatten alle nichts Schlechtes über Alan Rhodes zu berichten, wenngleich niemand behaupten mochte, ihn wirklich gut gekannt zu haben. *Er war ruhig und höflich. Von Frauengeschichten hat man nie etwas mitbekommen. Hat viel im Garten gearbeitet und immer säckeweise Mulch angeschleppt.*

Diese letzte Bemerkung veranlasste Jane, noch einmal einen Blick in Rhodes' Garten zu werfen. Sie war schon das ganze Grundstück abgegangen, das fast dreitausend Quadratmeter groß war und an ein bewaldetes Landschaftsschutzgebiet grenzte. In der Dunkelheit suchte sie den Boden mit der Taschenlampe ab, ließ den Strahl über Sträucher und Gras streichen. Sie stapfte bis zum Ende des Grundstücks, wo ein Zaun die Grenze markierte. Hier war ein kleiner, steil ansteigender Hügel mit Rosensträuchern bepflanzt, deren Stöcke jetzt dürr und kahl waren. Sie stand da und betrachtete stirnrunzelnd dieses merkwürdige Landschaftselement. Was hatte es mit diesem Hügel auf sich? Er erhob sich wie ein Vulkankegel aus dem ansonsten völlig ebenen Garten. Sie war so in ihre Überlegungen vertieft, dass sie nicht merkte, wie Maura auf sie zukam, bis das Licht der Taschenlampe sie blendete.

»Hast du irgendetwas gefunden?«, fragte Maura.

»Jedenfalls keine Leichen, die du unter die Lupe nehmen könntest.« Sie sah Maura fragend an. »Und was führt dich hierher?«

»Ich konnte es mir nicht verkneifen.«

»Du solltest weniger arbeiten und mehr leben.«

»Aber die Arbeit *ist* mein Leben.« Maura hielt inne. »Was ganz schön traurig ist.«

»Also, hier ist jedenfalls nichts zu holen«, sagte Jane angewidert. »Wie Crowe nicht müde wird zu betonen.«

»Es *muss* Rhodes sein, Jane. Ich weiß, dass er es ist.«

»Mit welcher Begründung? Redest du wieder von Erscheinungsbildern? Ich habe nämlich rein gar nichts in der Hand, womit wir vor Gericht durchkommen würden.«

»Er war zum Zeitpunkt des Mordes an Natalie Toombs erst zwanzig. Es kann sein, dass sie sein einziges Opfer in Boston war, bis er Leon Godt tötete. Der Grund, warum wir Schwierigkeiten hatten, das Muster zu erkennen, war, dass er zu intelligent ist, um immer am gleichen Ort zuzuschlagen. Stattdessen hat er sein Jagdrevier erweitert. Nach Maine, nach Nevada und Montana. Das machte es nahezu unmöglich, seine Signatur zu erkennen.«

»Und wie erklären wir dann Leon Godt und Jodi Underwood? Zwei Morde an einem Tag, innerhalb eines Radius von zehn Meilen. Das nenne ich ganz schön unvorsichtig.«

»Vielleicht hat er seinen Rhythmus gesteigert. Und verliert allmählich die Kontrolle.«

»Davon habe ich aber dort im Haus nichts gesehen. Hast du mal reingeschaut? Alles blitzsauber und aufgeräumt. Keine Hinweise, dass dort eine blutgierige Bestie haust.«

»Dann hat er noch ein anderes Versteck. Eine Höhle, in der diese Bestie wohnt.«

»Das hier ist das einzige Grundstück, das Rhodes besitzt, und wir können hier nicht mal ein Stück Nylonseil finden.« Frustriert trat Jane mit der Schuhspitze in den Mulch und starrte verblüfft den Rosenstrauch an, der plötzlich schief stand. Sie zog an dem kahlen Stock und spürte nur einen ganz geringen Widerstand von den Wurzeln. »Der wurde erst vor Kurzem gepflanzt.«

»Dieser Erdhügel ist sowieso merkwürdig.« Maura schwenkte den Strahl ihrer Taschenlampe durch den Garten, über Gras und Sträucher und den Kiesweg. »Es scheint sonst keine neueren Anpflanzungen zu geben. Nur hier.«

Jane starrte den Hügel an, und ein Frösteln überlief sie, als ihr klar wurde, was das bedeutete. *Die Erde. Wo kommt die ganze Erde her?* »Es ist hier, unter unseren Füßen«, sagte sie. »Sein Versteck.« Sie trat auf den Rasen, suchte nach einer Öffnung, einer Nahtstelle, irgendeiner Spur von einer Luke, die nach unten führte, aber es war zu dunkel im Garten. Es könnte Tage dauern, alles auszugraben, und was wäre, wenn sie doch nichts fänden? Sie konnte sich Crowes hämische Reaktion nur allzu lebhaft vorstellen.

»Bodenradar«, sagte Maura. »Wenn hier drunter eine Kammer ist, könnte man sie damit am schnellsten lokalisieren.«

»Ich frage mal bei der Kriminaltechnik nach, ob sie uns morgen früh so ein Gerät herbringen können.« Jane ging zum Haus zurück und war gerade eingetreten, als sie den Glockenton hörte, der eine eingehende SMS auf ihrem Handy signalisierte.

Die Nachricht war von Gabriel, der noch in Washington war und erst am nächsten Tag zurückkommen würde. CHECK DEINE MAILS. INTERPOL-BERICHT.

Sie war so darauf konzentriert gewesen, Rhodes' Haus zu durchsuchen, dass sie den ganzen Nachmittag noch nicht ein Mal in ihren Posteingang geschaut hatte. Jetzt scrollte sie sich durch eine Liste von unwichtigen Mails und Spam, bis sie die Nachricht gefunden hatte. Sie war vor drei Stunden eingegangen, und der Absender war Henk Andriessen.

Mit zusammengekniffenen Augen versuchte sie, die enge Schrift auf dem Display zu entziffern. Während sie das Dokument überflog, sprangen ihr Satzfragmente ins Auge: *Skelettierte Leiche am Stadtrand von Kapstadt gefunden. Männlich, weiß, multiple Schädelfrakturen. DNS-Abgleich.*

Sie starrte den Namen des soeben identifizierten Toten an. Das ergibt doch keinen Sinn, dachte sie. Das kann nicht wahr sein.

Ihr Handy klingelte. Es war wieder Gabriel.

»Hast du es gelesen?«, fragte er.

»Ich verstehe diesen Bericht nicht. Das *muss* doch ein Irrtum sein.«

»Die Überreste dieses Mannes wurden vor zwei Jahren gefunden. Die Leiche war vollständig skelettiert, es kann also sein, dass sie schon sehr viel länger dort gelegen hatte. Es hat eine Weile gedauert, bis sie die DNS-Analyse durchführen und den Mann identifizieren konnten, aber jetzt gibt es keinen Zweifel mehr daran, wer es ist. Elliot Godt ist nicht auf der Safari umgekommen, Jane. Er wurde ermordet. In Kapstadt.«

35

Ich bin für die Polizei nicht mehr interessant. Der Mörder, hinter dem sie her sind, ist nicht Johnny, sondern ein Mann namens Alan Rhodes, der immer schon in Boston gewohnt hat. Das hat Dr. Isles mir erzählt, kurz bevor sie an diesem Abend das Haus verließ, um sich an einem Tatort mit Detective Rizzoli zu treffen. Was ist das doch für eine fremde Welt, in der diese Leute leben, eine perverse Welt, die wir gewöhnlichen Menschen normalerweise gar nicht wahrnehmen, bis wir davon in der Zeitung lesen oder in den Fernsehnachrichten hören. Während die meisten von uns unseren Alltagsgeschäften nachgehen, begeht immer irgendwo irgendjemand eine Gräueltat.

Und dann fängt für Rizzoli und Isles die Arbeit an.

Ich bin erleichtert, ihrer Welt den Rücken kehren zu können. Sie brauchten etwas von mir, aber ich konnte es ihnen nicht liefern, also fliege ich morgen nach Hause. Zurück zu meiner Familie nach Touws River. Zurück zu meinen Albträumen.

Ich packe für den Flug am nächsten Morgen, stopfe Schuhe in eine Ecke meines Koffers, falte Wollpullover zusammen, von denen ich weiß, dass ich sie bei der Ankunft in Kapstadt nicht brauchen werde. Was habe ich die bunten Farben und den Duft der Blumen in meiner Heimat vermisst! Meine Zeit hier kam mir vor wie ein Winterschlaf, eingehüllt in Pullover und Jacken gegen die Kälte und die Dunkelheit. Ich lege eine Hose auf die Pullover, und als ich die zweite zusammenfalte, springt plötzlich der graue Kater in meinen Koffer. Während meines ganzen Aufenthalts hat dieser Kater mich vollkommen ignoriert. Und jetzt ist er plötzlich da, er schnurrt und wälzt sich auf meinen Kleidern, als ob er mich anbettelte, ihn mitzunehmen. Ich hebe ihn hoch und setze ihn auf den Boden. Prompt hüpft er wieder in den Koffer und fängt an zu miauen.

»Hast du Hunger? Ist es das, was du willst?« Natürlich ist es das. Dr. Isles hat vorhin nur kurz hereingeschaut, sie hatte keine Zeit, ihn zu füttern.

Als ich in die Küche gehe, weicht er nicht von meiner Seite und reibt sich an meinem Bein, während ich eine Dose Katzenfutter öffne und den Inhalt in seine Schüssel fülle. Er macht sich schlabbernd über sein Huhn mit pikanter Soße her, und ich merke plötzlich, dass ich auch hungrig bin. Dr. Isles hat mir gezeigt, wo ich alles finde, also gehe ich in ihre Speisekammer und suche die Regale nach einer schnellen und sättigenden Mahlzeit ab. Ich finde eine Packung Spaghetti, und ich entsinne mich, im Kühlschrank Schinken und Eier und ein Stück Parmesan gesehen zu haben. Ich beschließe, Spaghetti Carbonara zu machen, das ideale Essen für einen kalten Winterabend.

Ich habe gerade die Spaghetti aus dem Regal genommen, als der Kater plötzlich laut faucht. Durch die halb offene Tür der Speisekammer sehe ich, wie er etwas anstarrt, das meinen Blicken entzogen ist. Er macht einen Buckel und sträubt das Fell. Ich weiß nicht, was ihn so alarmiert hat, ich weiß nur, dass sich auch mir schlagartig sämtliche Nackenhaare aufstellen.

Glas klirrt, und Scherben prasseln wie Hagel auf den Boden. Ein Splitter bleibt direkt vor der Kammertür liegen, glitzernd wie eine Träne.

Sofort schalte ich das Licht in der Speisekammer aus und harre zitternd im Dunkeln aus.

Der Kater jault auf und schießt davon. Ich würde gerne mit ihm flüchten, aber da höre ich, wie die Tür aufgestoßen wird und schwere Schritte über die Glasscherben knirschen.

Da ist jemand in der Küche. Und ich sitze in der Falle.

36

Jane hatte plötzlich das Gefühl, dass das Zimmer sich um sie drehte. Sie hatte seit Mittag nichts mehr gegessen, war seit Stunden auf den Beinen, und jetzt diese Enthüllung. Sie musste sich an der Wand abstützen, um nicht umzukippen.

»Dieser Bericht kann nicht stimmen«, beharrte sie.

»Die Gene lügen nicht«, sagte Gabriel. »Man hat die DNS des Skeletts, das in der Nähe von Kapstadt gefunden wurde, mit der verglichen, die in der Interpol-Datenbank gespeichert war. DNS, die Leon Godt sechs Jahre zuvor abgegeben hatte, nachdem sein Sohn verschwunden war. Die Knochen gehören Elliot. Und nach den Schädelverletzungen zu schließen, wurde er ermordet.«

»Und dieses Skelett wurde vor zwei Jahren gefunden?«

»Ja, in einem Park am Stadtrand. Der Todeszeitpunkt lässt sich nicht mehr genau bestimmen, es ist also möglich, dass er vor sechs Jahren getötet wurde.«

»Wir *wissen*, dass er da noch gelebt hat. Millie war mit ihm auf Safari in Botswana.«

»Bist du dir da absolut sicher?«, fragte Gabriel ruhig.

Das ließ sie verstummen. *Sind wir absolut sicher, dass Millie die Wahrheit gesagt hat?* Sie presste eine Hand an die Schläfe, während die Gedanken in ihrem Kopf wie ein Wirbelsturm kreisten. Millie konnte nicht gelogen haben, denn es gab bestätigte Fakten, die ihre Aussage stützten. Ein Pilot hatte tatsächlich sieben Touristen auf einem Flugfeld im Delta abgesetzt, darunter einen Passagier mit den Papieren von Elliot Godt. Wochen später war Millie tatsächlich aus dem Busch gewankt und hatte eine entsetzliche Geschichte von einem Massaker im Busch erzählt. Aasfresser hatten die Überreste der Toten verschleppt, und von vieren der Opfer waren nicht einmal mehr Knochen gefunden worden. Nicht von Richard, Sylvia oder Keiko. Nicht von Elliot.

Weil der echte Elliot Godt da bereits tot war. Ermordet in Kapstadt, bevor die Safari überhaupt begonnen hatte.

»Jane?«, sagte Gabriel.

»Millie hat nicht gelogen. Sie hat sich *geirrt*. Sie dachte, Johnny sei der Mörder, aber er war ein Opfer, wie die anderen auch. Ermordet von dem Mann, der Elliots Identität benutzt hat, um die Safari zu buchen. Und nachdem alles vorbei war, nachdem er seine Großwildjagd der besonderen Art genossen hatte, ist er wieder nach Hause zurückgekehrt. Zurück zu seiner wahren Identität.«

»Alan Rhodes.«

»Da er unter Elliots Namen gereist ist, dürfte seine Einreise nach Botswana nirgends registriert sein, und damit gibt es nichts, was ihn mit der Safari in Verbindung bringen würde.« Jane sah sich in dem Wohnzimmer um, in dem sie stand. Betrachtete die kahlen Wände, die unpersönliche Büchersammlung. »Er ist eine leere Hülle, wie sein Haus«, sagte sie leise. »Er kann es sich nicht erlauben, die Bestie, die er in Wahrheit ist, nach außen zu zeigen, also verwandelt er sich in andere Menschen. Nachdem er ihre Identität gestohlen hat.«

»Und er hinterlässt keine Spuren.«

»Aber in Botswana ist ihm ein Fehler unterlaufen. Er hat eines seiner Opfer entkommen lassen, und sie kann ihn identifizieren...« Jane drehte sich abrupt zu Maura um, die gerade ins Zimmer getreten war und sie fragend ansah. »Millie ist ganz allein im Haus?«, fragte Jane sie.

»Ja. Sie packt für ihre Heimreise.«

»Oh Gott. Wir haben sie allein gelassen.«

»Warum ist das so wichtig? Sie ist doch jetzt nicht mehr relevant für unseren Fall, oder?«

»Im Gegenteil – es hat sich gerade herausgestellt, dass sie der *Schlüssel* ist. Sie ist die Einzige, die Alan Rhodes identifizieren kann.«

Maura schüttelte verwirrt den Kopf. »Aber sie ist Rhodes doch nie begegnet.«

»Doch, das ist sie. In Afrika.«

37

Die Schritte kommen näher. Ich drücke mich hinter der Tür der Speisekammer in die Ecke, mein Herz schlägt laut wie eine Trommel. Ich kann nicht sehen, wer da gerade ins Haus eingebrochen ist, ich kann ihn nur hören, und er hält sich lange in der Küche auf. Plötzlich fällt mir ein, dass ich meine Handtasche auf der Arbeitsplatte abgelegt habe, und jetzt höre ich, wie er den Reißverschluss öffnet, höre Münzen klirrend auf den Boden fallen. Oh Gott, mach, dass es nur ein Dieb ist. Er soll meine Brieftasche nehmen und wieder verschwinden.

Er muss gefunden haben, was er suchte, denn ich höre, wie meine Handtasche mit dumpfem Klatschen auf der Arbeitsplatte landet. *Bitte, geh weg! Bitte, geh weg!*

Aber er geht nicht. Stattdessen durchquert er die Küche. Er muss an der Speisekammer vorbei, um zu den anderen Räumen zu gelangen. Ich stehe stocksteif in der Dunkelheit und wage nicht zu atmen. Als er am Türspalt vorbeikommt, kann ich ihn kurz von hinten sehen und erblicke lockige dunkle Haare, breite Schultern, einen kantigen Kopf. Irgendetwas an ihm kommt mir erschreckend bekannt vor, aber es ist nicht möglich. Nein, dieser Mann ist tot, seine Knochen sind irgendwo im Okavangodelta verstreut. Dann dreht er sich zur Tür um, und ich sehe sein Gesicht. Alles, was ich in den letzten sechs Jahren geglaubt habe, was ich zu wissen *glaubte*, wird auf den Kopf gestellt.

Elliot lebt. Der arme, unbeholfene Elliot, der so für die Blondinen geschwärmt hat, der im Busch herumgestolpert ist und immer die Zielscheibe von Richards Witzen war. Elliot, der behauptet hatte, eine Schlange in seinem Zelt gefunden zu haben, eine Schlange, die niemand außer ihm gesehen hatte. Ich denke an jenen letzten Abend zurück, als meine Mitreisenden noch am Leben waren. Ich erinnere mich an Dunkelheit, Panik, Schüsse. Und an den letzten Schrei einer Frau: *Oh Gott, er hat das Gewehr!*

Nicht Johnny. Es war nie Johnny.

Er geht an der Speisekammer vorbei, und seine Schritte verhallen. Wo ist er? Lauert er ganz in der Nähe, gleich um die Ecke, und wartet darauf, dass ich mich zeige? Wenn ich die Speisekammer verlasse und versuche, mich durch die Hintertür davonzuschleichen, wird er mich entdecken? Verzweifelt versuche ich, mir ins Gedächtnis zu rufen, wie der Garten hinter dieser Tür aussieht. Er ist auf allen Seiten umzäunt, aber wo ist das Gartentor? Ich kann mich nicht erinnern. Der Zaun könnte zu einem unüberwindlichen Hindernis werden, das diesen Garten für mich zur Todesfalle macht.

Oder ich kann hier in der Speisekammer ausharren und darauf warten, dass er mich findet.

Ich nehme ein Marmeladenglas aus dem Regal. Himbeermarmelade. Es liegt fest und schwer in meiner Hand. Besser als gar nichts, eine andere Waffe habe ich nicht. Ich rücke lautlos zum Türspalt vor und spähe hinaus.

Niemand zu sehen.

Ich schleiche aus der Speisekammer in die hell erleuchtete Küche, wo ich seinen Blicken im grellen Schein gnadenlos ausgesetzt bin. Die Hintertür ist vielleicht zehn Schritte entfernt, der Fußboden dazwischen mit Glasscherben übersät.

Das Telefon klingelt, laut wie ein Schrei. Ich erstarre in der Bewegung, und der Anrufbeantworter schaltet sich ein.

Ich höre die Stimme von Detective Rizzoli. *Millie, bitte gehen Sie dran. Millie, sind Sie da? Es ist wichtig…*

Ihre aufgeregte Stimme im Ohr, lausche ich angestrengt nach anderen Geräuschen im Haus, doch ich kann ihn nicht hören.

Los jetzt. Raus hier.

Zitternd vor Angst, dass ich mich verraten könnte, bahne ich mir auf Zehenspitzen einen Weg durch die Scherben. Noch neun Schritte bis zur Tür. Acht. Ich habe die halbe Strecke geschafft, da kommt der Kater hereingeschossen, schlittert mit den Krallen über die glatten Fliesen und kickt dabei Glassplitter vor sich her.

Das Klirren alarmiert ihn, und schwere Schritte bewegen sich auf mich zu. Ich stehe mitten in der Küche, kann mich nirgends verstecken. Ich stürze zur Tür. Schaffe es gerade noch, die Klinke zu fassen, als seine Hände sich in meinen Pullover krallen und mich zurückzerren.

Ich wirble herum und schlage blind mit dem Marmeladenglas nach ihm. Es kracht seitlich in seinen Schädel und zerbirst, Himbeermarmelade spritzt durch die Luft, rot wie Blut.

Er heult auf vor Wut und Schmerz und lockert seinen Griff. Für den Moment bin ich frei, und wieder wanke ich in Richtung Tür. Wieder schaffe ich es beinahe.

Dann stürzt er sich auf mich, und wir gehen beide zu Boden, rutschen über Glasscherben und Himbeermarmelade. Der Mülleimer kippt um, schmutzige Verpackungen und Kaffeesatz quellen heraus. Ich stemme mich auf Hände und Knie hoch, krabble verzweifelt durch den verstreuten Abfall.

Ein Seil schlingt sich um meinen Hals, strafft sich und reißt meinen Kopf nach hinten.

Ich greife mir an die Kehle, versuche, die Finger unter das Seil zu bekommen, doch es ist zu straff, so straff, dass es wie eine Klinge in mein Fleisch schneidet. Ich höre ihn vor Anstrengung ächzen. Es gelingt mir nicht, das Seil zu lockern. Ich bekomme keine Luft, mir wird schwarz vor Augen. Meine Füße gehorchen mir nicht mehr. So also werde ich sterben, so weit weg von zu Hause. Von allen, die ich liebe.

Während ich nach hinten sinke, schneidet mir eine scharfe Kante in die Hand. Meine Finger schließen sich um den Gegenstand, den ich kaum spüren kann, weil alles allmählich taub wird. *Violet. Christopher. Ich hätte euch nie zurücklassen dürfen.*

Ich schleudere den Arm mit dem Gegenstand nach hinten, schlage nach seinem Gesicht.

Selbst mit meinen benebelten Sinnen kann ich seinen Schrei hören. Plötzlich lockert sich das Seil um meinen Hals. Es wird hell im Raum. Hustend und nach Luft ringend, lasse ich den Gegenstand los, den ich in der Hand gehalten habe, und er fällt scheppernd auf den Boden. Es ist die geöffnete Katzenfutterdose, die freiliegende Kante des Deckels scharf wie ein Rasiermesser.

Ich rapple mich auf und stehe direkt vor der Arbeitsplatte mit dem Block, in dem die Küchenmesser stecken. Er kommt näher, und ich drehe mich zu ihm um. Blut strömt von seiner aufgeschlitzten Stirn herab und tropft ihm in die Augen. Er stürzt sich auf mich, will mich an der Kehle packen. Halb geblendet durch sein eigenes Blut, sieht er nicht, was ich in der Hand halte. Was ich genau in dem Moment hochreiße, als unsere Körper aufeinandertreffen.

Das Schlachtermesser bohrt sich in seinen Bauch.

Die Hand, die nach meiner Kehle greift, fällt plötzlich schlaff herab. Er sinkt auf die Knie, hält sich so noch einen Moment aufrecht, die Augen aufgerissen, sein Gesicht eine blutige Maske der Überraschung. Dann kippt er zur Seite, und ich schließe die Augen, als er auf dem Boden aufschlägt.

Plötzlich beginne ich selbst zu schwanken. Ich stakse taumelnd durch Blut und Glas und plumpse auf einen Stuhl. Lasse den Kopf in die Hände sinken, und durch das Rauschen in meinen Ohren vernehme ich ein anderes Geräusch. Eine Sirene. Ich habe nicht die Kraft, den Kopf zu heben. Ich höre, wie jemand an die Haustür hämmert, und Stimmen, die *Polizei!* rufen. Doch ich scheine mich nicht rühren zu können. Erst als ich sie zur Hintertür hereinkommen höre und einer von ihnen einen verblüfften Fluch ausstößt, blicke ich endlich auf.

Zwei Polizisten stehen vor mir und machen große Augen, als sie das blutige Chaos in der Küche erblicken. »Sind Sie Millie?«, fragt einer von ihnen. »Millie DeBruin?«

Ich nicke.

Er spricht in sein Funkgerät: »Detective Rizzoli, sie ist hier. Sie lebt. Aber Sie werden nicht glauben, was ich hier sehe.«

38

Tags darauf legten sie sein Versteck frei.

Nachdem das Bodenradargerät die unterirdische Kammer in Alan Rhodes' Garten aufgespürt hatte, gingen sie mit der Schaufel zu Werke und hatten schon nach wenigen Minuten den Eingang gefunden – eine hölzerne Lukenabdeckung, die unter einer dünnen Mulchschicht verborgen war.

Jane stieg als Erste die Stufen hinunter, in eine kühle, dunkle Höhle, die nach feuchter Erde roch. Unten stieß sie auf einen Betonboden, und im Schein ihrer Taschenlampe sah sie, was dort an der Wand hing: das Schneeleopardenfell, und daneben an einem Haken eine stählerne Kralle, die spitzen Enden blitzblank poliert. Sie dachte an die drei parallelen Schnitte in Leon Godts Rumpf, an Natalie Toombs und die drei Kerben in ihrem Schädel. Hier war das Werkzeug, das diese Spuren in Fleisch und Knochen hinterlassen hatte.

»Was siehst du da unten?«, rief Frost.

»Den Leopardenmenschen«, sagte sie leise.

Frost kam die Stufen herunter und stellte sich neben sie. Die Lichtkegel ihrer Taschenlampen durchschnitten die Dunkelheit wie Schwerter.

»Oh Mann«, sagte er, als er die gegenüberliegende Wand anleuchtete. Eine Pinnwand hing dort, und daran befestigt waren zwei Dutzend Führerscheine und Passfotos. »Die sind aus Nevada, Maine, Montana…«

»Es ist seine Trophäenwand«, sagte Jane. Wie Leon Godt und Jerry O'Brien hatte auch Alan Rhodes seine Beute ausgestellt, jedoch an einer Wand, die nur für seine Augen bestimmt war. Janes Blick fiel auf ein Blatt, das aus einem Reisepass herausgerissen war: *Millie Jacobson* – eine Trophäe, die Rhodes gewonnen zu haben glaubte, doch über diese Beute hatte er sich zu früh gefreut. Neben Millies Foto hingen andere Porträts, andere Namen. Isao und Keiko Matsunaga. Richard Renwick. Sylvia van Ofwegen. Vivian Kruiswyk. Elliot Godt.

Und Johnny Posthumus, der Safari-Guide, der um ihr Überleben gekämpft hatte. In Johnnys offenem, direktem Blick erkannte Jane einen Mann, der stets bereit war, das Notwendige zu tun, ohne Furcht und ohne Zögern. Ein Mann, der jedem wilden Tier unerschrocken gegenübergetreten war. Aber Johnny hatte nicht geahnt, dass das gefährlichste Tier, dem er je begegnen würde, dieser Safarigast war, der ihm lächelnd ins Gesicht geschaut hatte.

»Da drin ist ein Laptop«, sagte Frost, der sich gerade über einen Pappkarton beugte. »Es ist ein MacBook Air. Ob das der von Jodi Underwood ist?«

»Schalt ihn ein.«

Mit behandschuhten Händen hob Frost den Computer aus der Kiste und drückte den Startknopf. »Der Akku ist leer.«

»Ist da ein Netzkabel?«

Er griff tiefer in den Karton. »Ich kann keins sehen. Hier sind nur ein paar Glasscherben.«

»Von was?«

»Es ist ein Bild.« Er zog ein gerahmtes Foto heraus, das Schutzglas war zerbrochen. Mit der Taschenlampe leuchtete er das Bild an, und einen Moment lang schwiegen sie beide betroffen, als ihnen die Bedeutung dessen klar wurde, was sie da sahen.

Zwei Männer standen Seite an Seite, die Sonne schien

ihnen ins Gesicht, und das grelle Licht ließ jeden Zug klar hervortreten. Sie sahen einander so ähnlich, dass man sie für Brüder halten konnte, beide mit dunklen Haaren und breiten Kieferknochen. Der Mann links lächelte direkt in die Kamera, doch der zweite wirkte überrascht und schien sich gerade erst zum Fotografen umgewandt zu haben.

»Wann ist das entstanden?«, fragte Frost.

»Vor sechs Jahren.«

»Woher weißt du das so genau?«

»Weil ich weiß, wo das ist. Ich war dort. Es ist der Tafelberg in Kapstadt.« Sie sah Frost an. »Elliot Godt und Alan Rhodes. Sie haben sich gekannt.«

39

Detective Rizzoli steht vor Dr. Isles' Haustür, eine Laptop-tasche in der Hand. »Das ist das letzte Puzzleteil, Millie«, sagt sie. »Ich dachte mir, das würden Sie sicher gerne se-hen.«

Es ist fast eine Woche vergangen, seit ich Alan Rhodes' Mordanschlag überlebt habe. Das Blut und die Glasscherben sind längst entfernt worden, das Fenster repariert, aber ich sträube mich immer noch dagegen, die Küche zu betreten. Die Erinnerungen sind noch zu lebendig, die Blutergüsse an meinem Hals noch zu frisch, also gehen wir stattdes-sen ins Wohnzimmer. Ich nehme auf dem Sofa Platz, zwi-schen Dr. Isles und Detective Rizzoli, den beiden Frauen, die diese Bestie gejagt und mich vor ihr beschützt haben. Und doch war ich am Ende auf mich allein gestellt, musste mich selbst retten. Ich bin die Frau, die zweimal sterben musste, um weiterleben zu können.

Der graue Tigerkater hockt auf dem Couchtisch und sieht mit seinen verstörend intelligenten Augen zu, wie Rizzoli ihren Laptop aufklappt und einen USB-Stick einsteckt. »Das sind die Fotos von Jodi Underwoods Computer«, sagt sie. »Das ist der Grund, warum Alan Rhodes sie getötet hat. Weil diese Bilder eine Geschichte erzählen, und weil er nicht zulassen konnte, dass irgendjemand sie zu Gesicht bekam. Nicht Leon Godt. Nicht Interpol. Und ganz sicher nicht Sie, Millie.«

Der Bildschirm füllt sich mit Miniaturbildern, allesamt zu klein, um irgendwelche Details erkennen zu können. Sie klickt das erste an, und das Foto füllt den Monitor aus. Es zeigt einen lächelnden, dunkelhaarigen Mann um die dreißig, bekleidet mit Jeans und Fotografenweste, einen Rucksack über die Schulter geworfen. Er steht in der Check-in-Schlange eines Flughafens. Er hat einen kantigen Schädel und sanfte Augen, und er strahlt eine unbekümmerte Arglosigkeit aus, die Arglosigkeit eines Lamms, das nicht ahnt, dass es zur Schlachtbank geführt wird.

»Das ist Elliot Godt«, sagt Rizzoli. »Der *echte* Elliot Godt. Das Foto wurde vor sechs Jahren aufgenommen, kurz bevor er in Boston das Flugzeug bestieg.«

Ich studiere seine Züge, das lockige Haar, die Form seines Gesichts. »Er hat so viel Ähnlichkeit mit…«

»Alan Rhodes. Vielleicht hat Rhodes ihn deswegen ermordet. Er hat sich ein Opfer ausgesucht, das ihm glich, um sich selbst als Elliot Godt ausgeben zu können. Er hat Godts Namen benutzt, als er Sylvia und Vivian in dem Nachtklub in Kapstadt kennenlernte. Er benutzte Elliots Pass und seine Kreditkarten, um den Flug nach Botswana zu buchen.«

Und dort bin ich ihm begegnet. Ich denke an den Tag, an dem ich diesen Mann, der sich Elliot nannte, zum ersten Mal sah. Es war im Satellitenterminal in Maun, wo wir zu siebt auf das Buschflugzeug warteten, das uns ins Delta fliegen sollte. Ich weiß noch, wie nervös mich der Gedanke machte, mit so einer kleinen Maschine zu fliegen. Ich weiß auch noch, wie Richard sich darüber beklagte, dass ich nicht den richtigen Abenteuergeist zeigte. Warum ich mich nicht einfach darauf freuen könne, wollte er wissen, so wie diese hübschen Blondinen, die dort drüben kichernd auf der Bank saßen? An die erste Begegnung mit Elliot habe ich so gut wie keine Erinnerungen, denn Richard nahm damals meine gesamte Aufmerksamkeit in Anspruch. Ich wusste, dass ich ihn zu verlieren drohte. Ich schien ihn nur noch zu langweilen, und die Safari war mein letzter verzweifelter Versuch, unsere Beziehung zu retten. Und deswegen beachtete ich diesen linkischen Mann kaum, der wie eine Klette an den Blondinen hing.

Rizzoli klickt das nächste Foto an. Es ist ein Selfie, aufgenommen an Bord der Linienmaschine, und es zeigt den echten Elliot, der grinsend auf einem Gangplatz sitzt, während die Frau neben ihm mit einem Weinglas der Kamera zuprostet.

»Das sind alles Handyfotos, die Elliot seiner Freundin Jodi gemailt hat. Es ist eine Art Fototagebuch, in dem er festgehalten hat, was er gesehen und wen er getroffen hat«, sagt Rizzoli. »Wir haben zwar nicht die begleitenden Texte der E-Mails, aber die Bilder dokumentieren seine Reise, und er hat viel fotografiert.« Sie klickt sich durch die nächsten Fotos. Das Essen an Bord, der Sonnenaufgang, fotografiert durch das Flugzeugfenster. Und noch ein Selfie, auf dem er dämlich grinst und sich in den Gang lehnt, sodass die Sitzreihen hinter ihm zu sehen sind. Aber diesmal ist es nicht Elliot, auf den sich mein Blick heftet, es ist der Mann auf dem Platz hinter ihm, ein Mann, dessen Gesicht deutlich zu erkennen ist.

Alan Rhodes.

»Sie saßen beide in derselben Maschine«, sagt Rizzoli. »Vielleicht haben sie sich so kennengelernt, während des Fluges. Oder sie waren sich schon vorher in Boston begegnet. Was wir wissen, ist, dass Elliot, als er in Kapstadt ankam, schon einen neuen Freund hatte, mit dem er Dinge unternehmen konnte.«

Sie klickt ein weiteres Miniaturbild an, und ein neues Foto leuchtet auf dem Monitor auf. Elliot und Rhodes zusammen auf dem Tafelberg.

»Das ist die letzte bekannte Aufnahme von Elliot. Jodi

Underwood hatte das Foto rahmen lassen und es Elliots Vater geschenkt. Wir glauben, dass es in Leons Haus hing, an dem Tag, als Alan Rhodes den Schneeleoparden brachte. Leon erkannte Rhodes von dem Foto. Wahrscheinlich hat er Rhodes gefragt, woher er Elliot kannte, und wie es kam, dass sie beide in Kapstadt waren. Später führte Leon mehrere Telefonate. Mit Jodi Underwood, die er bat, ihm alle Fotos von Elliots Reise zu schicken. Mit Interpol, wo er Henk Andriessen zu erreichen versuchte. Dieses Foto war der Auslöser für alle folgenden Ereignisse. Für den Mord an Leon Godt. Den Mord an Jodi Underwood. Vielleicht auch für den an der Tierpflegerin Debra Lopez, weil sie auch in Godts Haus war und das ganze Gespräch mitgehört hatte. Aber die eine Person, die Rhodes am meisten fürchtete, waren *Sie*.«

Ich fixiere den Computerbildschirm. »Weil ich die Einzige bin, die wusste, wer von diesen Männern tatsächlich an der Safari teilgenommen hatte.«

Rizzoli nickt. »Er musste verhindern, dass Sie dieses Bild je zu Gesicht bekamen.«

Plötzlich kann ich den Anblick von Rhodes' Gesicht nicht länger ertragen, und ich wende mich ab. »Johnny«, flüstere ich. Nur dieses eine Wort, nur *Johnny*. Eine Szene kommt mir in den Sinn, ich sehe ihn im Sonnenschein, sein Haar sandgelb wie das Fell eines Löwen. Ich erinnere mich, wie er aufrecht dastand, beide Füße fest auf dem Boden, wie ein Baum, der in der Erde seiner afrikanischen Heimat wurzelt. Ich erinnere mich, wie er mich darum bat, ihm zu vertrauen, wie er mir sagte, dass ich auch lernen müsse, mir selbst zu vertrauen. Und ich denke daran, wie er mich anschaute, als wir am Lagerfeuer saßen und der Schein der Flammen über sein Gesicht spielte. Hätte ich doch nur auf mein Herz gehört, hätte ich doch nur mein Vertrauen in den Mann gesetzt, an den ich glauben wollte.

»Jetzt kennen Sie also die Wahrheit«, sagt Dr. Isles mit sanfter Stimme.

»Es hätte alles ganz anders laufen können.« Ich blinzle, und eine Träne rinnt mir über die Wange. »Er hat gekämpft, um uns am Leben zu halten. Und wir haben uns alle gegen ihn gewendet.«

»In gewisser Weise, Millie, *hat* er dafür gesorgt, dass Sie am Leben blieben.«

»Wie?«

»Wegen Johnny – wegen Ihrer Angst vor ihm – haben Sie sich die ganze Zeit in Touws River versteckt, wo Alan Rhodes Sie nicht finden konnte.« Dr. Isles sieht Rizzoli an. »Bis wir Sie nach Boston geholt haben – leider.«

»Unser Fehler«, gibt Rizzoli zu. »Wir hatten den falschen Mann im Visier.«

Und ich auch. Ich denke daran, wie Johnny mich in meinen Albträumen verfolgt hat, obwohl er nie derjenige war, vor dem ich mich fürchten musste. Diese Albträume verblassen jetzt – letzte Nacht habe ich besser geschlafen als irgendwann in den letzten sechs Jahren. Die Bestie ist tot, und ich bin diejenige, die sie besiegt hat. Vor Wochen hat Detective Rizzoli mir gesagt, das sei die einzige Möglichkeit, wie ich wieder ruhig schlafen könne, und ich bin zuversichtlich, dass die Albträume bald ganz aufhören werden.

Sie klappt den Laptop zu. »Morgen können Sie also in dem Wissen nach Hause fliegen, dass es *wirklich* vorbei ist. Ihr Mann wird sicher froh sein, Sie wieder bei sich zu haben.«

Ich nicke. »Chris hat mich ungefähr dreimal am Tag angerufen. Er sagt, sie hätten sogar bei uns in den Nachrichten über diese Sache berichtet.«

»Sie werden als Heldin heimkehren, Millie.«

»Ich werde einfach nur froh sein, wieder zu Hause zu sein.«

»Aber vorher möchte ich Ihnen noch etwas geben. Ich dachte mir, das würden Sie sicher gerne haben wollen.« Sie greift in die Laptoptasche und zieht einen großen Umschlag heraus. »Henk Andriessen hat mir das gemailt. Ich habe es für Sie ausgedruckt.«

Ich öffne den Umschlag und ziehe ein Foto heraus. Meine Kehle schnürt sich zu, und im ersten Moment bekomme ich keinen Ton heraus. Ich kann nur das Bild von Johnny anstarren. Er steht im kniehohen Gras, ein Gewehr an seiner Seite. Sein Haar glänzt golden im Sonnenlicht, und um seine Augen sind kleine Fältchen zu sehen, als er in die Kamera lächelt. Das ist der Johnny, in den ich mich verliebt hatte, der echte Johnny, der lange Zeit vom Schatten eines Monsters verfinstert war. So muss ich ihn in Erinnerung behalten, zu Hause in der Wildnis.

»Es ist eines der wenigen guten Fotos, die Henk finden konnte. Es wurde vor acht Jahren von einem anderen Safari-Guide aufgenommen. Ich dachte, es würde Ihnen gefallen.«

»Woher haben Sie das gewusst?«

»Weil mir klar ist, was für eine innere Achterbahnfahrt es für Sie sein muss herauszufinden, dass alles, was Sie von Johnny Posthumus zu wissen glaubten, falsch war. Er verdient es, dass wir ihn als den in Erinnerung behalten, der er wirklich war.«

»Ja«, flüstere ich und streiche zärtlich über das lächelnde Gesicht auf dem Foto. »Das werde ich tun.«

40

Christopher wird mich am Flughafen abholen. Auch Violet wird dort sein, und sie wird ganz bestimmt einen großen Blumenstrauß dabeihaben. Sie werden mich in die Arme schließen, und dann werden wir heim nach Touws River fahren, wo es am Abend eine große Willkommensparty geben wird. Chris hat mich schon vorgewarnt, weil er weiß, dass ich keine Überraschungen mag und auch nicht sonderlich viel von Partys halte. Aber diesmal habe ich das Gefühl, dass es wirklich einen Anlass zum Feiern gibt, denn ab jetzt gehört mein Leben wieder mir. Die Welt hat mich wieder.

Wie ich höre, wird die halbe Stadt zugegen sein, weil alle furchtbar neugierig sind. Die meisten hatten kaum etwas von meiner Vergangenheit gewusst oder von den Gründen für meine zurückgezogene Lebensweise, bis sie in den Nachrichten von meiner Geschichte erfuhren. Bis vor Kurzem hätte eine solche Enthüllung ein viel zu großes Risiko für mich bedeutet, aber jetzt wissen sie alle Bescheid, und ich bin die neue Berühmtheit der Stadt – die Mutter, die nach Amerika flog und dort einen Serienmörder zur Strecke brachte.

»Hier wird die Hölle los sein«, hat Chris mir am Telefon erzählt, kurz bevor ich an Bord ging. »Die Zeitung ruft schon dauernd an, und das Fernsehen auch. Ich habe ihnen gesagt, sie sollen uns in Ruhe lassen, aber du musst dich auf einiges gefasst machen.«

In einer halben Stunde wird meine Maschine landen.

Diese letzten Minuten des Flugs werden auch meine letzte Gelegenheit sein, mit mir und meinen Gedanken allein zu sein. Als wir zum Landeanflug auf Kapstadt ansetzen, nehme ich das Foto noch einmal heraus.

Sechs Jahre sind vergangen, seit ich ihn das letzte Mal gesehen habe. Jedes Jahr werde ich ein wenig älter, aber Johnny wird nie altern. Er wird immer so groß und aufrecht dastehen, während das Gras sich zu seinen Füßen wiegt und die Sonne sich in seinem Lächeln spiegelt. Ich denke an all das, was möglich gewesen wäre, wenn die Dinge sich anders entwickelt hätten. Wären wir heute verheiratet und würden glücklich und zufrieden in unserer Blockhütte im Busch leben? Hätten unsere Kinder seine weizenblonden Haare, würden als freie Naturkinder aufwachsen und den ganzen Tag barfuß herumlaufen? Ich werde es nie erfahren, denn die Gebeine des echten Johnny liegen irgendwo im Delta, wo sie langsam zerfallen und sich mit der Erde mischen, seine Atome für immer mit dem Land verwoben, das er so liebte. Das Land, zu dem er immer gehören wird. Alles, was mir bleibt, sind die Erinnerungen an ihn, und ich werde sie als mein Geheimnis bewahren. Sie gehören nur mir allein.

Die Maschine landet und rollt zum Gate. Hier ist der Himmel strahlend blau, und ich weiß, dass die milde Luft nach Blumen und dem Meer duften wird. Ich stecke das Foto von Johnny wieder in den Umschlag, den ich in meiner Handtasche verstaue. Aus den Augen, aber niemals aus dem Sinn.

Ich erhebe mich von meinem Platz. Es ist Zeit, zu meiner Familie zurückzukehren.

Danksagung

Ich werde nie den aufregenden Moment vergessen, als ich meine ersten Leoparden in freier Wildbahn sah. Für diese kostbare Erinnerung danke ich den fantastischen Mitarbeitern der Ulusaba Safari Lodge in Sabi Sands. Besonderen Dank schulde ich Ranger Greg Posthumus und seinem Fährtensucher Dan Ndubane, die mir die Schönheit des afrikanischen Buschs nahegebracht haben – und die dafür gesorgt haben, dass mein Mann das Abenteuer lebend überstand.

Meiner Agentin Meg Ruley, die mir all die Jahre über stets eine verlässliche Freundin und Verbündete gewesen ist, bin ich zu großem Dank verpflichtet, ebenso wie meinen Lektorinnen Linda Marrow (USA) und Sarah Adams (Großbritannien) für ihre wertvolle Hilfe, ohne die dieses Buch nicht das geworden wäre, was es ist.

Mehr als allen anderen danke ich meinem Mann Jacob dafür, dass er mich auf dieser Reise begleitet hat. Das Abenteuer geht weiter.